Laura Lippman

Levenslang

H&W

VAN HOLKEMA & WARENDORF
Unieboek BV, Houten/Antwerpen

Oorspronkelijke titel: *Life Sentences*
Vertaling: Mariëtte van Gelder
Omslagontwerp: Boooxs.com
Omslagfoto: Kamil Vojnar / Getty Images
Opmaak: ZetSpiegel, Best

www.unieboek.nl

ISBN 978 90 475 1125 0 / NUR 305

© 2009 Laura Lippman
© 2009 Nederlandstalige uitgave: Uitgeverij Unieboek bv, Houten
Oorspronkelijke uitgave: William Morrow, an imprint of HarperCollins
Publishers

In liefdevolle herinnering aan James Crumley, 1939-2008
Neem maar van mij aan dat het leuk was.

Ik verfoei de man die één ding verbergt
in de diepten van zijn hart,
en een ander uitspreekt.
– Ilias

1

'Tja,' zei de bedrijfsleidster van de boekhandel, 'het is Valentijnsdag.'

Zo erg is het niet, wilde Cassandra zich verdedigen, maar ze wilde nooit kribbig of teleurgesteld overkomen. Ze moest glimlachen, hoffelijk zijn en zelfspot hebben. Ze zou benadrukken hoe heerlijk intiem het publiek was, waardoor zij de gelegenheid kreeg een gesprek te voeren, tot een echte uitwisseling van gedachten te komen in plaats van alleen maar over zichzelf te babbelen. Bovendien was het niet bepaald tragisch te noemen, een publiek van dertig man op een avond in februari in een voorstad van San Francisco. Op Valentijnsdag. De meeste schrijvers die ze kende, zouden een moord doen voor dertig man onder die omstandigheden, onder wat voor omstandigheden dan ook.

En het had geen zin de bedrijfsleidster – Beth, Betsy, Bitsy, o hemel, ze was de naam kwijt, haar geheugen liet haar steeds vaker in de steek – erop te wijzen dat Cassandra op precies dezelfde dag, nu vier jaar geleden, bijna tweehonderd mensen naar deze zelfde winkel had weten te lokken. Want dat zou kunnen impliceren dat ze dacht dat iemand schuld had aan de lage opkomst van vanavond, en Cassandra Fallows geloofde niet in schuld. Daar was ze vermaard om. Of vermaard om geweest.

Waar ze ook vermaard om was, was haar veerkracht, en daar maakte ze gebruik van in de vijf minuten waarin ze haar haar borstelde en haar lippenstift bijwerkte in het kantoor van de bedrijfsleidster. Haar haar, het lelijkste aan haar toen ze nog een kind was, was nu het mooiste, glad en zilverwit, maar haar lippen leken dunner. Ze schikte haar oorbellen, streek haar rok glad en telde haar zegeningen. Ze had werk waar ze dol op was; ze was gezond. *Ik mag van geluk spreken.* Als ze er nu mee stopte, als ze nooit meer een pen op papier zette, kon ze nog een gerieflijk leven leiden. Haar eerste twee boeken leverden haar een lijfrente op die betrouwbaarder was dan welke investering ook.

Haar derde boek... tja, dat was het onbeminde, misvormde kindje dat ze hier de hemel in kwam prijzen.

Achter de lessenaar begon ze aan een verhaal dat nu, op de tiende dag van haar tournee, al bijgeslepen was en vanzelf kwam. *Tegenover mijn ouderlijk huis stond een kinderziekenhuis.* Haar publiek bestond voornamelijk uit vrouwen van boven de veertig. Vroeger waren er meer mannen gekomen, maar in haar memoires, en vooral het tweede deel, had ze ongenadig gedetailleerd verteld over haar promiscuïteit, een gezonde 'eetlust' die even uit de hand was gelopen toen ze begin veertig was. *Het was een instelling voor zorg op de lange termijn, waar kinderen met bijzonder ingewikkelde diagnoses maanden en in sommige gevallen zelfs jaren werden behandeld.* Was het waar? Ze had niet zoveel onderzoek gedaan naar het Kernan. Het ziekenhuis was terughoudend geweest, bang dat een schrijfster die bekendstond om haar memoires niet in staat zou zijn fictie te schrijven. Cassandra had besloten het ervan te nemen en zich over te geven aan de vrijheden die de romanschrijver zich kon permitteren. Niets feiten controleren, weken in bibliotheken zitten, gesprekken voeren met familieleden en vrienden om haar herinneringen in overeenstemming te brengen met de harde, kille zekerheid. Wat haar tweede echtgenoot ook beweerde, het was voor het eerst in haar leven dat ze alles uit haar duim had gezogen. *Dit boek is een eerbetoon aan* De geheime tuin, *voor het geval dat het nog niet duidelijk genoeg uit de titel blijkt, en het speelt in de jaren tachtig omdat het toen nog een vrijwel onmogelijke opgave was je biologische ouders te vinden, bijna een taboe, een idee dat in de jaren negentig, toen biologische ouders meer rechten kregen, uit de gratie begon te raken.* Het was nooit in Cassandra opgekomen dat niet alleen het ziekenhuis, maar ook de wereld in het algemeen er moeite mee zou hebben haar in deze nieuwe rol te accepteren. *Het verhaal is zuiver fictief, al speelt het zich af op een bestaande plaats.*

Ze las haar favoriete passage voor. Er werd op onverwachte momenten gelachen.

Tijd voor de vragen. Cassandra vond het niet erg dat de vraag-en-antwoordsessies een voorspelbaar verloop hadden, vond het niet vervelend telkens dezelfde vragen te beantwoorden. Ze vond het zelfs niet vervelend wanneer de mensen over haar vader, moeder, stiefmoeder en ex-mannen praatten alsof ze romanpersonages waren, verzonnen persoonlijkheden die ze naar hartenlust mochten veroordelen en ontleden, maar ze vond het nu hinderlijk als mensen uit het publiek de 'echte' mensen uit haar derde boek wilden vastpinnen. Was zij Hannah, het opmerkzame kind dat ongewild een tragedie in gang zet? Of was ze Woodrow, de jongen in het orthopedische korset? Waren de ouders gemodelleerd naar haar eigen ouders? Ze leken zo anders, als je uitging van de wijze waarop ze hen eerder had beschreven. Was er brand geweest? Een ongeluk in het afgedankte zwembad dat de familie wegens geldgebrek nooit had kunnen repareren?

'Reed uw vader echt in een oude paarse Marathon-taxi?' vroeg een van de weinige mannen in het publiek, die zo te zien minstens zestig moest zijn. Gepensioneerd, met zijn vrouw meegekomen om de tijd te doden. 'Ik vraag het alleen maar omdat mijn vader een oude DeSoto had en...'

Natuurlijk, dacht ze al knikkend en glimlachend. *Je bent geïnteresseerd in de details die je op jezelf kunt betrekken. Ik heb mijn verhaal verteld, inmiddels meer dan een kwart miljoen woorden op papier gezet. Nu is het jouw beurt.* Toch ergerde ook dit haar niet. Het was te verwachten dat het publiek dingen aan haar kwijt moest. Als een schrijver het geluk had de fantasie van de mensen tot leven te kunnen wekken, hoorde dit erbij, zeker voor een memoiresschrijver zoals zij was geweest en kennelijk zou blijven in de ogen van haar lezers, althans voorlopig. Zij had haar verhaal verteld, en dat was voor hen het sein om het hunne te vertellen. In aanmerking genomen hoeveel baat haar ziel had gehad bij de ontboezemingen, kon ze die een ander toch niet ontzeggen?

'Tijd voor de laatste vraag,' zei de bedrijfsleidster, en ze wees naar een vrouw achterin. Ze had een rode regenjas aan die glom van het vocht, en ze droeg een vormeloze kaki hoed die op zijn plaats werd gehouden door een leren koordje onder de kin.

'Hoe kunt u het schrijven?'

Cassandra stond met haar mond vol tanden.

'Ik weet niet of ik u goed begrijp,' begon ze. 'Bedoelt u: hoe kan ik een verhaal schrijven over mensen die ik niet ken? Of vraagt u me hoe je een boek gepubliceerd krijgt?'

'Nee, ik heb het over de andere boeken. Hebt u toestemming gekregen om ze te schrijven?'

'Toestemming om over mijn eigen leven te schrijven?'

'Maar het is niet alleen uw leven. Het gaat ook over uw ouders, uw stiefmoeder, uw vrienden. Hebt u het hun eerst laten lezen?'

'Nee, al wisten ze wel dat ik eraan werkte. En ik heb de feiten zoveel mogelijk gecontroleerd en steeds toegegeven dat mijn geheugen niet onfeilbaar is. Dat is zelfs een terugkerend thema in mijn werk.'

De vrouw was zichtbaar niet tevreden met het antwoord. Terwijl anderen in de rij gingen staan om hun boeken te laten signeren, beende zij naar de kassa voor in de winkel. Cassandra had haar graag afgedaan als een cultuurbarbaar, een lastpost die prikkelbaar was omdat ze niets beters te doen had op Valentijnsdag, maar ze had een arm vol indrukwekkende boeken bij zich, al zag Cassandra de rug van het hare er niet tussen. De vrouw was als de boze petemoei bij het doopfeest. *Hoe ik het kan schrijven? Nou, ik ben schrijver.*

Tegen het eind van de rij – en echt, dertig mensen op een natte, winderige Valentijnsdag was ronduit ontzagwekkend – haalde een vrouw een gehavende pocketeditie van Cassandra's eerste boek tevoorschijn.

'Alleen boeken die hier zijn gekocht,' zei de bedrijfsleidster, en Cassandra kon het haar niet kwalijk nemen. Het was tegenwoordig al moeilijk genoeg om boeken te verkopen zonder dat mensen hun eigen oude boeken meebrachten om te laten signeren.

'Eentje kan geen kwaad,' zei Cassandra, het eeuwige kind uit een gebroken gezin, de intuïtieve vredestichter.

'Ik kan me niet veel gebonden boeken veroorloven,' zei de vrouw verontschuldigend. Ze was een van de weinige jongeren in het publiek, en ze was aantrekkelijk, al duidden haar kleren en houding erop dat ze het zelf nog niet wist. Cassandra kende dat type. Cassandra was zelf dat type geweest. *Slaap je met veel mannen?* zou ze haar willen vragen. *Heb je vreetbuien? Drink je, gebruik je drugs? Problemen met pappie?*

'Voor...?' Ze hield de vulpen boven de titelpagina. God, hoe had dit lelijk uitziende boek zoveel lezers kunnen trekken? Het was een opluchting geweest toen de uitgever het opnieuw had uitgebracht, met de tegenwoordig onontbeerlijke leesclubvragen achterin en een nieuw essay over hoe ze er eigenlijk toe was gekomen het boek te schrijven en bijgewerkte informatie over de hoofdpersonen. Het was verrassend pijnlijk geweest om in dat gereviseerde nawoord over Annies dood te vertellen. Het had haar overrompeld hoe erg ze haar stiefmoeder miste.

'O, u hoeft er niets speciaals in te zetten.'

'Ik wil erin zetten wat jij erin wilt hebben.'

De jonge vrouw leek verpletterd door zoveel gulheid. Haar ogen werden vochtig en ze stamelde: 'O... nee... nou... Cathleen. Met een C. Ik... Dit boek betekent zoveel voor me. Het was alsof het mijn eigen verhaal was.'

Het was altijd moeilijk om te horen, al begreep Cassandra het wel. Het was een compliment, het geheim van haar succes. Ze kon ertegenin gaan, erop staan dat haar autobiografie alleen van haar was, de universaliteit ontkennen die ervoor had gezorgd dat zoveel mensen zich aangesproken voelden – maar ze kon ook het geld incasseren, nonchalant haar schouders ophalen en tegen zichzelf zeggen: val dood, Tolstoj. Blijkbaar zijn ook alle óngelukkige gezinnen hetzelfde.

Voor Cathleen, schreef ze in de ruimte tussen de titel, *Doch-*

ter van mijn vader, en haar eigen naam. *Vind je verhaal en vertel het.*

'Wat hebt u een mooie handtekening,' zei Cathleen. 'U bent zelf ook heel mooi, in het echt.'

Het meisje bloosde toen het tot haar doordrong wat ze had geïmpliceerd, maar ze was lang niet de eerste die het zei. Cassandra's omslagfoto was streng, een beetje kil. Veel mannen klaagden erover.

'Jij bent ook mooi in het echt,' redde ze het meisje met haar eigen woorden. 'En het zou me niet verbazen als je erachter kwam dat er een boek in je verhaal zat. Denk er eens over na het te vertellen.'

'Nou, ik doe mijn best,' gaf Cathleen toe.

Natuurlijk. 'Veel succes.'

Toen de rij was verdwenen, vroeg Cassandra aan de bedrijfsleidster: 'Zal ik nog voorraad signeren?'

'O,' zei de vrouw stomverbaasd, alsof niemand ooit eerder op het idee was gekomen, alsof het een vernieuwing was die Cassandra zojuist in het boekenwezen had geïntroduceerd. 'Graag. Al verwacht ik niet dat u ze allemaal signeert. Dat zou te veel gevraagd zijn. Die stapel misschien?'

Cassandra wist net zo goed als Betsy/Beth/Bitsy dat zelfs die stapel, misschien een vijfde van de voorraad, ook gesigneerd nog geretourneerd kon worden. *Zoveel dingen die niet worden uitgesproken, zoveel onaangename waarheden waar je op je tenen omheen moet lopen. Net als in mijn jeugd.* Het boek stond nu op nummer 23 van de uitgebreide lijst van *The Times* en in de loop van de tournee steeg de verkoop. *De geverfde tuin* was naar vrijwel elke maatstaf een geslaagde literaire roman, behalve naar die van de recensies, die allemaal dezelfde treurige toon hadden gehad, alsof een chirurgisch team zich rond Cassandra's bed had verzameld om haar doodvonnis uit te spreken: *Het schrijven van twee geprezen memoires is geen garantie voor het schrijven van een goede roman.* Wrede of vijandige recensies vol leedvermaak waren beter te verdragen geweest.

Desondanks verkocht *De geverfde tuin*, zij het niet zo snel als de nieuwe uitgever, die Cassandra een schrikbarend bedrag had betaald om haar bij de oude weg te lokken, had verwacht. Haar uitgever zinspeelde er altijd op dat het – hoewel ze wegliepen met haar roman, echt gek waren ze ervan – nou ja, léúk zou zijn als ze terugkeerde naar de non-fictie. Zou dat niet léúk zijn? Nu ze tegen de vijftig liep – niet dat je er zo uitziet, hoor! – kon ze toch weer tien jaar van haar leven onder de loep nemen, nog een cruciaal tijdperk? Ze had geschreven over hoe het was om iemands dochter te zijn en over hoe het was om iemands vrouw te zijn. Ze had twee mensen beschreven, eigenlijk. Zat er geen boek in over hoe het was om háár te zijn?

Voorzover zij het kon bekijken niet. De roman was samengesteld uit restjes van haar leven, de kliekjes, en opgevuld met haar verbeeldingskracht, om nog maar te zwijgen van haar liefdevolle herinneringen aan *De geheime tuin*. (Een meisje dat een verboden ruimte verkent, een jongen in een bed – waarom moest ze die verwijzingen telkens opnieuw uitleggen?) In zekere zin vond ze het vleiend dat de lezers haarzelf wilden, niet haar ideeën. Het probleem was dat ze door haar leven heen was.

Terug in haar hotelkamer bestelde ze te veel bij de roomservice omdat ze niet kon kiezen. Het restaurant in het hotel was goed, maar op deze avond voor geliefden wilde ze het mijden. Zelfs onder optimale omstandigheden had ze nooit van Valentijnsdag gehouden. Iedere man die ze ooit had gekend, was op die dag tekortgeschoten, te beginnen met haar vader. Toen ze nog klein was, had ze er alles voor overgehad om een doos bonbons te krijgen, al was het maar een monsterdoosje van vier, of één enkele roos. In plaats daarvan mocht ze rekenen op een nietszeggende kaart van de Windsor Hills Pharmacy, terwijl haar moeder meestal zo'n geschenksetje met parfum en badolie kreeg, een stoffige, afgeprijsde winkeldochter van na de kerstdagen. Het excuus van haar vader was dat de verjaardag van haar moeder zo kort erna viel, op de tweeëntwintigste, dat hij met geen mogelijkheid aan allebei kon doen, maar van die verjaardag wist hij ook niet veel te maken. De verjaardagstaart van haar moeder was meestal een confectiegeval met kersen en strijdbijlen (het was ook de verjaardag van George Washington) dat haar vader op weg naar huis van de universiteit had gekocht. Het was moeilijk te geloven dat die man, zoals haar moeder met klem beweerde, haar het hof had gemaakt met sonnetten en ritjes bij maanlicht door zijn geboortestad Washington, waar hij haar monumenten en relikwieën had laten zien die de meeste mensen niet kenden. Een man die ter ere van haar naam 'De raaf' van Edgar Allen Poe had geciteerd: *Lenore, schoon en stralend, opgevoerd naar hoger sfeer.*

Toch had haar vader één keer, in Cassandra's tiende jaar, veel werk gemaakt van Valentijnsdag door zowel voor moeder als dochter parfum te kopen, respectievelijk Chanel No. 5 en lelietjes-van-dalen, en met hen bij Tio Pepe's te gaan eten, waar Cassandra een slokje sangria had mogen proeven, haar eerste kennismaking met alcohol. Nog geen vijf maanden later, zoals miljoenen lezers nu wisten, had hij zijn vrouw verlaten. Hij had hen beiden verlaten, hoewel hij volgens de aloude traditie van alle ouders die hun biezen pakken altijd had ontkend dat hij Cassandra in de steek had gelaten.

Desondanks moest ze het haar vader nageven: hij had het eerste boek ontzettend sportief opgevat. Hij had de zetproeven gelezen en maar één kleine wijziging bedongen, en die diende om de gevoelens van haar moeder te sparen. (Hij had ooit, in een moment van zelfrechtvaardiging, beweerd dat hij nóóit van haar moeder had gehouden, dat hij met haar was getrouwd omdat hij vond dat een man van de wetenschap, zoals hij hoopte te zijn, het zich niet kon veroorloven energie te verspillen aan uitspattingen. Cassandra had het op zijn verzoek geschrapt, al vermoedde ze dat er meer waarheid in school dan in de meeste andere dingen die haar vader had gezegd.) Hij had het boek geprezen toen het nog een bescheiden succes was onder de critici en was erachter blijven staan toen de pocketeditie een gigantische bestseller werd. Hij was enthousiast geweest over de eeuwig in het vat blijvende verfilming: wanneer er weer eens een acteur van middelbare leeftijd problemen had met de wet, stuurde hij haar de politiefoto met de montere opmerking: 'Bijna verschrompeld genoeg om mij te spelen.' Hij had toegestemd in interviews over zijn dochter, maar nooit de aandacht naar zichzelf toe getrokken, nooit geprobeerd iemand ervan te doordringen dat hij méér was dan de vader van Cassandra Fallows.

Lenore daarentegen kneep vaak haar lippen op elkaar om haar afkeuring binnen te houden, hoe vaak Cassandra anderen ook probeerde te wijzen op de goede eigenschappen van haar moeder. Iedereen is dol op de slechterik. Straks, in april, zou haar vader weer in de schijnwerpers staan, en Cassandra kon er niets aan doen.

Ze zuchtte bij de gedachte aan de onvermijdelijke terugkeer naar Baltimore na de tournee, de moeite die het haar zou kosten haar tijd eerlijk te verdelen tussen haar beide ouders, de speciale zorg en aandacht die ze aan haar moeder zou moeten besteden als compensatie voor het feit dat haar vader weer op een voetstuk werd geplaatst. Durfde ze een hotel te nemen? Nee, ze zou terug moeten naar het huis aan Hillhouse Road. Misschien kon ze haar moeder eindelijk overhalen het te verkopen. Lichamelijk was haar moeder nog ruimschoots in staat het huis te onderhouden, maar dat kon snel veranderen. Cassandra had mensen in haar omgeving zien worstelen met ouders van in de zeventig of tachtig, en de aftakeling verliep zowel geleidelijk als plotseling. Ze had niet weg moeten gaan, maar als ze dat niet had gedaan, was ze nooit gaan schrijven. In Baltimore had het verleden haar omringd, verstikkend en onontkoombaar. Ze had afstand moeten nemen, letterlijke afstand, om haar leven duidelijk genoeg te kunnen zien om erover te schrijven.

Ze zette de tv aan en zapte naar CNN. Tijdens haar reizen had ze de gewoonte de tv de hele nacht aan te laten, al sliep ze er onrustig door. Ze had het geluid nodig, als een jong hondje dat een wekker nodig heeft als herinnering aan het hart van zijn moeder. Het was gek, want haar appartement in een herenhuis in Brooklyn was stil en gedempt, en de geluiden die je er kon horen – voetstappen, stromend water – waren niet anders dan hotelgeluiden, maar ze was bang voor hotels, misschien om geen andere reden dan dat ze de film *Psycho* had gezien toen ze in de tweede klas van de lagere school zat. (Meer geweldig ouderschap van Cedric Fallows: blootstelling aan *Psycho* op haar zevende, aan *Bonnie and Clyde* op haar negende en aan *The Godfather* op haar veertiende.) Als de televisie aanstond, wekte dat misschien de indruk dat ze wakker was en dus niet het meest geschikte doelwit voor een aanval.

Ze zette het blad van de roomservice op de gang, kroop in bed en waakte en sliep tegen het achtergrondgegons van de televisie. Ze droomde van haar geboortestad, van het weerbarstige huis op de heuvel, maar pas om vier uur 's ochtends drong het tot haar door dat de nieuwslezer ongeveer elke twintig minuten het woord *Baltimore* noemde, alsof dezelfde reeks verhalen telkens opnieuw werd afgedraaid.

'... de zaak in New Orleans doet denken aan een zaak in Baltimore, nu meer dan twintig jaar geleden, waarbij een vrouw die Calliope Jenkins heette herhaaldelijk op grond van het Vijfde Amendement weigerde het OM en de politie te vertellen waar haar vermiste zoontje zich bevond. Ze zat zeven jaar in de gevangenis, maar stelde haar verklaring nooit bij, een hoogst unieke juridische strategie die nu weer wordt toegepast...'

Bij 'uniek' kun je geen bepaling gebruiken, dacht Cassandra terwijl ze weer in slaap soesde. *En als iets weer wordt toegepast, is het duidelijk niet uniek.* Toen, als bij nader inzien: *Trouwens, je spreekt het niet uit als Kah-lai-o-pie, zoals het instrument of de muze, maar als Callie-oep, bijna als 'Alley Oop'. Daarom maakte Tisha er Callie van.*

Een seconde later waren haar ogen wijd open, maar het verhaal was al voorbijgeflitst, samen met de beelden die erbij waren geleverd. Ze moest weer een cyclus uitzitten, en zelfs toen kwam de twintig jaar oude foto van een norse vrouw tussen twee gerechtsdienaren zo vluchtig voorbij dat Cassandra het niet zeker wist, hoewel: hoeveel vrouwen uit Baltimore met die naam en van ongeveer die leeftijd konden er zijn? *Kon het... was het...*

het moest wel. Ze kende die vrouw. Nou ja, ze had het meisje gekend dat die vrouw was geworden. Een vrouw die kennelijk iets onzegbaars had gedaan. Letterlijk, om nog maar eens een woord te nemen waar nieuwslezers gek op waren, maar dat ze zelden correct gebruikten. Zeven jaar je mond houden, geen enkele verklaring geven, zelfs niet de beleefdheid van een leugen – wat een onbevattelijke handelwijze. Maar wel in overeenstemming met het stille meisje dat Cassandra had gekend, een meisje dat wanhopig probeerde niet op te vallen.

'Dit is Calliope Jenkins, die halverwege het jaar van school is veranderd,' had de juf van de vierde klas gezegd.

'Callie-ope,' had het meisje haar zacht en aarzelend verbeterd, alsof ze het recht niet had haar naam correct te horen uitspreken. Ze was lang en mager, met een knap gezicht, maar de jongens waren te jong om het te zien en de meisjes waren niet onder de indruk. Ze zou op de proef moeten worden gesteld, ze zou auditie moeten doen, ze zouden haar de maat moeten nemen voor haar rol in de klas van mevrouw Bryson, waar de hoofdrollen – best gekleed; beste danser; beste karakter; beste leerling, Cassandra toevallig – in de derde klas al waren verdeeld, toen de school was geopend. Het waren geen wrede meisjes, maar als Calliope zich uitsloofde of probeerde een rol te spelen die ze in hun ogen niet verdiende, zou ze het moeilijk krijgen. Zij was de nieuwe en de meisjes zouden over haar lot beslissen. De jongens zouden proberen haar een etiket op te plakken, haar een bijnaam te geven – Alley Oop zou inderdaad geprobeerd worden, maar het stripverhaal was zelfs toen al te oud om nog weerklank te vinden. Cassandra zou Calliope vertellen dat ze was vernoemd naar een muze, net als Cassandra zelf bijna, dat haar naam eigenlijk heel chic was, maar Tisha was degene die Calliopes jonge leven in feite redde door haar Callie te noemen.

Daar begonnen Cassandra's herinneringen aan Callie – en daar hielden ze ook weer op. Hoe kon dat? Voor het eerst leefde Cassandra een beetje mee met de buren van seriemoordenaars, de mensen die de gemeenplaatsen leverden over een stille man die een teruggetrokken leven leidde. Iemand die ze kende, iemand die waarschijnlijk op haar verjaardagspartijtjes was geweest, had als volwassene een gruwelijk misdrijf gepleegd en het enige wat Cassandra zich nog kon herinneren was dat... het een stil meisje was geweest. Dat een teruggetrokken leven leidde.

Fatima daarentegen had haar wel goed gekend, want die had ooit in dezelfde buurt gewoond. En Cassandra herinnerde zich een foto van de picknick op de laatste schooldag van de vierde klas waarop de meisjes in een rij stonden, met de armen om elkaars schouders, Callie aan het eind. Die foto had zelfs met een paar andere op het omslag van haar eerste boek gestaan, maar alleen als getuigenis van de zalige onwetendheid van de jeugd; Cassandra's zorgeloze, blije gezicht was er luttele weken voordat haar vader het gezin verscheurde op vastgelegd. Had ze Calliope ooit genoemd, al was het maar in het voorbijgaan? Het was niet waarschijnlijk. Callie was gewoon niet belangrijk genoeg geweest; geen verschoppeling, maar ook geen prinses. Tisha, Fatima en Donna maakten een wezenlijk deel uit van Cassandra's eerste boek. De stille Callie had niet meegeteld.

Toch was zij degene die later het meest dramatische verhaal zou krijgen. Een dood kind. Zeven jaar in de gevangenis zonder een woord te willen zeggen. Wie was dat? Hoe veranderde je van stille Callie in een hedendaagse Medea?

Cassandra keek op de wekker. Het was hier bijna vijf uur, nog geen acht uur in New York, te vroeg om haar agent te bellen, laat staan haar uitgever. Ze trok de hotelbadjas aan en liep naar het bureau, waar haar computer in de slaapstand op haar wachtte. Ze begon aan een e-mail. Het volgende boek zou waar gebeurd zijn en over haarzelf gaan, maar ook over iets groters. Het zou de herinneringen behelzen die haar handelsmerk waren, maar ook een nieuw verhaal, als tegenwicht voor het verleden. Ze zou niet alleen Callie opsporen, maar iedereen die ze zich uit die tijd kon herinneren: Tisha, Donna en Fatima.

Terwijl Cassandra typte, trof het haar hoe betrekkelijk normaal hun namen waren geweest, of hoe eenduidig van spelling ze waren. Alleen Tisha's naam sprong eruit, en dat was een af-korting van Leticia, wat kon verklaren waarom ze er zo snel bij was geweest om Calliope met een roepnaam te redden. Tegen-woordig hadden namen een demografische betekenis en kon je er veel uit afleiden, zoals leeftijd, klasse en ras, maar destijds wa-ren namen minder onthullend geweest. Cassandra voegde die in-val ook toe, met vingers die zich haastten naar de toekomst en het boek dat ze ging scheppen, terwijl haar gedachten hinkelend door het verleden terugkeerden naar de vierde klas, de brugklas, de zesde klas – haar adem bleef steken bij een herinnering die ze jaren geleden had uitgebannen, een herinnering die ze had be-schreven in haar eerste boek. Wat had Tisha dáárvan gevonden? Had ze *Dochter van mijn vader* überhaupt gelezen?

Toch zou Callie het middelpunt van dit volgende boek wor-den. Ze moest hebben gedaan waarvan ze was beschuldigd. Was het een onbezonnen daad geweest? Een ongeluk? Hoe had ze het lijk verborgen en was ze er vervolgens in geslaagd zichzelf al die jaren in de gevangenis niet te belasten? Was er zelfs maar een aannemelijk alternatief waarin Callies zoontje níét dood was? Nam ze iemand in bescherming?

Cassandra keek weer naar het televisiescherm en zag Callie nog eens langskomen. Ze kende de mediacyclus goed genoeg om te weten dat Callie over een paar dagen weer verdwenen zou zijn, dat ze maar een bladwijzer was in het huidige verhaal, het soort voetnoot dat wordt opgerakeld bij gebrek aan nieuwe ontwik-kelingen. Callie was vergeten en zou opnieuw in de vergetelheid raken. Haar kínd was vergeten, achtergelaten in dat blijvende on-gewisse – niet officieel dood, niet eens officieel vermist, alleen maar afwezig, als een artikel op een inventarislijst. Een baby, een zwart jongetje, was zonder enige verklaring verdwenen en toch was er geen reden tot paniek. Zijn moeder, vrijwel zeker de ver-antwoordelijke, had de autoriteiten verslagen door te zwijgen.

Mooi, dacht Cassandra, en ze zette het ook in de e-mail.

Eerste woorden

Ik begon pas te praten toen ik bijna drie was, en dat alleen maar omdat mijn moeder me op een haar na had vermoord. Ons allebei, maar zij had de luxe dat zij kon beslissen. Ik liftte letterlijk met haar mee.

Mijn moeder maakte zich echter geen zorgen om mijn zwijgen. Mijn vader, hoogleraar klassieke talen aan Johns Hopkins University, was degene die er aanhoudend over tobde. De mogelijkheid dat hij een niet-verbaal kind had – met alle andere intellectuele beperkingen die dat met zich mee zou brengen – maakte mijn vader zo doodsbang dat hij mijn moeder niet toestond specialisten te raadplegen. Hij had genoeg zelfkennis om te begrijpen dat een diagnose zijn liefde voor mij zou kunnen schaden. Mijn vader geloofde in onvoorwaardelijke liefde, maar alleen onder bepaalde voorwaarden.

Daar kwam nog bij dat zijn hoop dat ik er om nog onontsluierde redenen het zwijgen toe deed niet ongegrond was. Ik was vroeg gaan lopen en had de andere mijlpalen in de ontwikkeling min of meer op tijd gehaald. En ik was niet stom. Ik had een vocabulaire van drie woorden: 'ja', 'nee' en 'Ric', zoals mijn vader, Cedric, werd genoemd. Ik weet niet goed waarom ik geen woord voor mijn moeder had. Mogelijk was 'Lenore' te subtiel voor mijn kindermond. Ik denk eerder dat ik mijn moeder niet als een afzonderlijke eenheid zag, maar als mijn grotere zelf, die in staat was zich van me los te maken om in mijn behoeften te voorzien. Bij haar gebruikte ik mijn schamele drie woordjes niet eens; ik wees en gromde gewoon om aan te geven wat ik wilde. 'We hadden haar Caliban moeten noemen in plaats van Cassandra,' zei mijn vader.

Ik volhardde in mijn weigering te praten tot bijna een maand voor mijn derde verjaardag. Het had gesneeuwd, zo'n vroege-voorjaarssneeuwstorm die ongewoon gewoon is in Baltimore. Op die dag, een donderdag (niet dat mijn driejarige geest dagen kon onderscheiden, maar ik heb het familieverhaal vergeleken met kranten van die week), ging mijn moeder op pad om te 'markten', zoals ze het toen noemde, bij de oude Eddie's-supermarkt aan Roland Avenue.

Het sneeuwde al voordat we vertrokken, maar volgens de weer man van de radio zou het niet veel voorstellen. In het halfuurtje dat ze boodschappen deed, veranderde de sneeuw in regen die in ijzel veranderde, en ze kwam uit de supermarkt in een waarachtig verraderlijke wereld, met auto's die links en rechts in Roland Avenue onbestuurbaar over de weg tolden. Ze besloot dat de grote wegen wel veilig zouden zijn en zette een route via een omweg naar ons appartement uit, maar ze was vergeten dat Northern Parkway weliswaar breed en bruikbaar was, maar ook zo steil als een achtbaan. De auto slipte al in de afslag naar Northern Park-way om aan te geven hoe gevaarlijk haar keus was, maar er was geen weg terug meer. De spekgladde weg lag voor haar, glanzend van het ijs, met aan de voet een verkeerslicht. Een verkeerslicht waarvoor ze nooit zou kunnen stoppen. Wat nu?

Mijn pragmatische, voorzichtige moeder zette de motor uit, haalde haar voet van de rem en gleed naar beneden alsof onze auto, een zeeblauw-met-bruine stationcar, een slee was. Ik hobbelde mee tussen de tassen met boodschappen, zonder gordel en zonder zorgen. De auto won aan snelheid, meer snelheid dan zelfs mijn moeder had voorzien, maar niet genoeg om haar over het kruispunt te krijgen voordat het licht op rood sprong. Ze deed haar ogen dicht, drukte haar ellebogen in haar zij en pre-velde een schietgebedje.

Toen ze haar ogen weer opende, waren we tot stilstand geko-men in de piepkleine voortuintjes van de huizen langs Northern Parkway. Ze had een brandkraan onthoofd, waaruit een pluim water de lucht in spoot. De druppels, die op weg naar beneden bevroren, hagelden als kiezeltjes op de auto, maar dat laatste zou een detail kunnen zijn dat mijn vader erbij had verzonnen, want hij was degene die het verhaal keer op keer vertelde. Die voorzichtige Lenore, strenge Lenore, die een heuvel af was gegleden met haar enige kind achter in de auto. Mijn moeder kon het verhaal amper één keer vertellen.

Tijdens de maaltijd die avond, tientallen jaren later voor het gevoel van mijn moeder – nadat de politie was gekomen, nadat de auto was weggesleept, nadat we door een brandweerwagen naar huis waren gebracht, samen met de boodschappen, waarvan nog geen ei een barstje vertoonde – hield mijn vader zijn karakteristiek lange verhandeling over zijn dag in de academische omgeving, die hij onvermijdelijk de academische omgeving noemde. Wie wat had gezegd tegen wie, zijn krijgshaftige uitvallen, zoals hij zijn replieken in een verwijzing naar het volkslied van de staat Maryland noemde. Toen hij verslag had gedaan van zijn dag, vroeg hij zoals altijd: 'Nog iets te melden van het thuisfront?'

Waarop ik, zo is me verteld, antwoord gaf, zij het niet in een herkenbare taal. Ik brabbelde; ik maaide woest met mijn mollige kinderarmpjes in een poging de beweging van de auto na te bootsen. Ik klopte op mijn hoofd om de hoofddeksels te beschrijven van de mannen in blauw-met-gele uniformen die ons waren komen redden. Ik gaf zelfs een geloofwaardige imitatie van een sirene ten beste. Binnen vierentwintig uur braken mijn woorden door, als een compleet gebit.

'En vanaf die dag,' besloot mijn vader het verhaal altijd, 'vanaf die dag,' – hij herhaalt graag dingen voor de extra nadruk – 'vanaf die dag kon geen mens je nog stil krijgen.'

Uit *Dochter van mijn vader* door Cassandra Fallows, eerste druk 1998, thans negentiende druk.

Bridgeville
20-23 februari

2

'Cassandra Fallows? Bij wie zit die?'

Gloria Bustamante tuurde naar het ouderwetse roze telefoon-memo dat de uitzendkracht haar met bevende hand voorhield. Het meisje had die dag al drie keer een uitbrander gekregen en stond nu zo strak van de zenuwen dat ze door het kantoor stui-terde, alles liet vallen wat ze aanraakte en in een reflex gilde wanneer de telefoon ging. Ze zou het eind van de week niet halen, een ongewoon hectische week, dat stond vast, gezien alle telefoontjes over de zaak-Harrington. Jammer, want ze was hoogst decoratief, een type dat Gloria's voorkeur had, al was het niet om de redenen die de meeste mensen erachter zochten.

Het meisje inspecteerde haar eigen handschrift. 'Ze is schrijf-ster?'

'Laat je stem niet omhooggaan aan het eind van een declaratie-ve zin, kind,' zei Gloria. 'Dan neemt geen mens je ooit serieus. En als ze over Buddy Harrington belt, ga ik ervan uit dat ze schrijfster is, of journaliste. Ik moet weten voor welke krant of welk tv-programma ze werkt.'

Gloria's stem klonk in haar eigen oren neutraal, maar het meisje deinsde achteruit alsof ze was bedreigd. Ach, ze had waar-schijnlijk op iets veel voornamers gehoopt toen ze zich bij het uitzendbureau inschreef, een baantje bij een van die blinkende nieuwe kantoren aan het water. Toen ze aankwam bij Gloria's kantoor, een negentiende-eeuws herenhuis, moest ze haar ver-wachtingen hebben bijgesteld naar iets ouderwets, maar toch nog steeds deftigs, te oordelen naar de glimmende voordeur, de gerenoveerde buitenkant en het glas-in-lood en de oorspronkelij-ke verlichting op de eerste twee etages.

Die lagere etages waren echter verhuurd aan een juridische firma die meer scrupules had, Gloria's eigen kantoor zat op de derde verdieping, boven aan een armoedige trap met een lopertje waar bij elke stap het stof uit opwolkte en achter een deur die uitkwam op een doolhof aan kamers die zo vol dozen stonden dat bezoekers maar ongezien moesten aannemen dat er meubelen onder stonden. 'Ik wil dat potentiële cliënten weten dat elke cent van mijn niet geringe honorarium wordt besteed aan hun verdediging, niet aan de ambiance,' zei Gloria tegen de weinige vrienden die ze had in de juridische gemeenschap van Baltimore. Ze wist dat zelfs die vrienden, voorzover je ze zo kon noemen, in gedachten aanvulden: *en het gaat ook niet naar je garderobe of je persoonlijke verzorging.* Gloria Bustamante was namelijk een vermaarde, opzettelijk liederlijke slons, al gunde ze zichzelf iets meer dan haar kantoor. De afgetrapte pumps waarop ze liep waren van Prada, de groezelige tricot mantelpakjes die ze droeg kwamen van Saks Jandel in Washington en haar uitgeslagen ringen en kettingen waren aangeschaft tijdens extravagante buitenlandse reizen. Gloria wilde de wereld laten weten dat ze geld had, dat ze zich het beste van het beste kon permitteren – en dat ze het zich kon permitteren het beste van het beste te verwaarlozen.

Het meisje hakkelde: 'Ne-nee, ze is geen journaliste. Ze heeft dat boek geschreven, over haar, eh, vader? Vader. Ik heb het met mijn leesclub behandeld? Ik bedoel, dat is zo, ik heb het met mijn leesclub behandeld.'

'Gaan knappe jonge meiden naar leesclubs? Ik dacht dat die voor lelijke ouwe wijven zoals ik waren. Niet dat je mij ooit in een kamer vol vrouwen zult betrappen met een glas wijn en een boek. Ja, met een glas wijn, misschien.'

De ogen van het meisje schichtten door de kamer, zoekend naar een veilige landingsplaats. Ze vroeg zich duidelijk af wat ze moest doen: de onontkoombare realiteit van Gloria's verschijning ontkennen of doen alsof het haar nog niet was opgevallen dat Gloria oud en lelijk was.

'Het was een moeder-dochterleesclub,' zei ze uiteindelijk. 'Ik ging er met mijn moeder heen.'

'Bedankt voor die verduidelijking, lieverd. Anders had ik nog kunnen denken dat je er met je prepuberale dochter naartoe ging, naar de nobele plaatselijke traditie verwekt toen je zelf nog niet eens in de bovenbouw zat.'

Het meisje zette een paar passen achteruit. Ze had die adembenemende frisheid die je alleen ziet bij meisjes van onder de vijfentwintig, wanneer alles – haar, ogen, lippen en zelfs nagels – nog straalt zonder hulp van cosmetica. Het oogwit van dit meisje bracht Gloria meer van haar stuk dan de lichtblauwe irissen en de roze schelpoortjes, die net zo opmerkelijk waren als de ronde perzikwangen. En ze had het soort jongensachtige figuur dat steeds zeldzamer werd in dit tijdperk van de achteloze plastische chirurgie, waarin zelfs aan de dunste meiden de meest bespottelijk grote borsten leken te ontspruiten. Gloria herinnerde zich de trucjes uit haar jeugd, niet dat zij er ooit de moeite voor had genomen; de opgevulde beha's, de proppen Kleenex. Die waren op hun eigen manier veel geloofwaardiger geweest dan al die pronte meloenen, die er trouwens ook uitzagen alsof ze met ontzettend grote meloenstekers waren gevormd. Echte borsten waren niet zo kogelrond. Ze hoopte dat dit meisje niet zou gaan knoeien met wat de natuur haar had toebedeeld.

'Ik kom uit Ruxton?' zei het meisje, en het was duidelijk dat ze die welvarende voorstad noemde om aan te geven dat zij niet het soort meisje was dat op haar twaalfde een kind kreeg. *O, je zou ervan opkijken, snoes*, wilde Gloria zeggen. *Je zou ervan schrikken hoeveel rijke ouders bij mij op kantoor hebben zitten dubben wat ze moesten doen nadat een van pappies vriendjes, of pappie zelf, zich had vergrepen aan een minderjarige dochter. Het komt voor. Zelfs in Ruxton. Buddy Harrington woonde tenslotte ook in een voorstad niet al te ver van Ruxton.*

'Vast wel,' zei Gloria. 'Zo, dus Cassandra Fallows wil een boek over Buddy Harrington schrijven? Ze moet zo'n waar-gebeurde-misdaad-verhalen-type zijn dat gespecialiseerd is in het in elkaar flansen van een boek in vier à zes weken. We lopen met een grote boog om haar heen.'

Buddy Harrington werd, deze derde volle week van februari, verantwoordelijk gehouden voor tachtig procent van de moorden die dat jaar in de regio Baltimore waren gepleegd. Goed, de regio had dat jaar pas vijf moorden te verwerken gekregen, tegen de rond de dertig van de stad zelf, maar Harrington werd nog altijd verdacht van vier van die vijf moorden: zijn moeder, vader en tweelingzusjes waren allemaal in hun slaap doodgeschoten. De zestienjarige jongen had de politie op een donderdagavond gebeld, nu twee weken geleden, met de bewering dat hij de lichamen had ontdekt bij thuiskomst van een koorrepetitie in Ocean City. Voordat de dag om was, was hij al in staat van beschuldiging gesteld, al had hij nog steeds niet bekend en zette hij Gloria onder druk om hem zijn verhaal wijd en zijd te laten vertellen. Ze hield hem juist vanwege die gretigheid tegen, dat enthousiasme om zijn zegje te doen. Buddy Harrington was namelijk niet het soort jongen dat de gebruikelijke beschrijvingen uitlokte van iemand die was geflipt: stil, introvert. Hij was een uitmuntende leerling, een topsporter en een begaafd zanger, geliefd bij zijn klasgenoten en bewonderd door zijn docenten. De gemeenschap was verbijsterd.

Gloria, die sinds Buddy's aanhouding een aantal uren met hem had doorgebracht, was dat niet. Ze wist ook dat de eigenschappen die Buddy als zijn pluspunten zag – zijn aantrekkelijke verschijning, zijn alledaagsheid – hem de das om zouden doen. Niets joeg mensen meer angst aan dan een door en door Amerikaanse psychopaat. En tot – tenzij – ze had geregeld dat Buddy als minderjarige zou worden berecht, moest ze voorkomen dat hij zijn toekomstige jury nadelig beïnvloedde. Dat zou uiteraard geen jury van zijn gelijken zijn, maar een dozijn moeders en vaders uit de middenklasse die zich uit het lood zouden laten slaan door zijn zelfvertrouwen, zijn beheersing. Zeker – de schim van O.J.! – als hij bij dat help-me-de-echte-moordenaar-vinden scenario bleef.

'Nee, het gaat niet over Buddy. Ze wil u iets vragen over een oude zaak?' Het meisje tuurde naar haar eigen handschrift. 'Iets over een calley-ope?'

'Een calley... Bedoel je Calliope?' Gloria kon het zich veroorloven er een chaotisch kantoor op na te houden en computers waar mogelijk te mijden, want de complete geschiedenis van haar kantoor stond altijd tot haar beschikking. Ze had een fabelachtig geheugen. Die zeldzame keren dat iemand haar durfde aan te spreken op haar drankgebruik, hield ze vol dat het de enige manier was om haar voorsprong in te perken.

Niet dat ze Callie Jenkins ooit zou vergeten, onder welke omstandigheden dan ook. Ze had haar best gedaan.

'Ja, dat is het. Calliope. Calliope Jenks.'

'Jenkins.'

'Ja.'

'Wat wil ze precies weten?'

'Dat heeft ze niet gezegd?'

'Heb je het gevraagd?'

De neergeslagen ogen van het meisje waren een nadrukkelijker antwoord dan wat voor vragende verklaring ze ook maar had kunnen bieden. Gloria leunde over het bureau om het papiertje te pakken, maar het meisje was te ver weg. Ze zette aarzelend een stap naar voren, alsof Gloria haar zou kunnen bijten, en sprong achteruit zodra Gloria het telefoonmemo in haar hand had.

'Het is een nummer van buiten de staat,' zei Gloria. 'New York, denk ik, maar niet Manhattan. Long Island, of Brooklyn misschien. Ik kan al die nieuwe kengetallen niet uit elkaar houden.' Ze was ooit in staat geweest alle kengetallen in één oogopslag te plaatsen. Ze kende ook de hoofdsteden van alle staten, en zij was altijd degene die op feestjes elke reeks namen kon aanvullen – de zeven dwergen, de negen rechters van de hoge raad, de dertien oorspronkelijke koloniën.

'Maar ze is in de stad,' zei het meisje, dolblij dat ze toch een feitje had opgevangen. 'Ze blijft een tijdje, zei ze. Dat is haar mobiele nummer. Ze zei dat ze van plan was hier een tijdje te blijven.'

Gloria verfrommelde het roze papiertje en mikte het in de overvolle prullenbak bij het bureau, waar het uit stuiterde.

'Maar ze is beroemd!' zei het meisje. 'Voor een schrijver, bedoel ik. Ze is bij *Oprah* geweest.'

'Ik praat alleen met mensen als ze iets voor me kunnen doen. Die zaak is lang geleden afgesloten, en we kunnen hem beter vergeten. Callie is weer een gewone burger met haar eigen leven. Dat is wel het minste wat ze verdient.'

Was het dat? vroeg Gloria zich af nadat ze het meisje had weggestuurd. Had Calliope het minste gekregen wat ze verdiende of veel meer? En Gloria zelf? Had ze meer gekregen dan ze verdiende, minder, of precies wat haar toekwam? Had Gloria haar uiterste best gedaan voor Callie, de omstandigheden in aanmerking genomen, of had ze haar in de steek gelaten?

Gloria had echter net zo'n hekel aan het concept schuld als aan het woord 'schuldig' uit de mond van een juryvoorzitter, al had ze het zelden gehoord. Schuldgevoel was verspilling, zonde van de energie. Schuld was een juridische bevinding, een constatering van anderen. Gloria had geen tijd voor schuldgevoel, en ze was er vrijwel zeker van dat ze het niet verdiende, niet in het geval van Callie Jenkins. Vrijwel.

Ze belde het uitzendbureau en zei dat ze het nieuwe meisje na deze week niet meer kon gebruiken. 'Stuur maar een ander. Capabeler, maar net zo knap.'

'Dat mag u niet zeggen,' zei de intercedente afkeurend.

'Sleep me maar voor de rechter,' zei Gloria.

3

'Waarom kom je niet bij mij logeren?' vroeg haar moeder, en niet voor het eerst. 'Dat was toch het plan?'

'Ja, toen ik nog maar een week in Baltimore wilde blijven, maar tien, twaalf weken? Je zou gek van me worden.' *En ik van jou.*

'Maar een hotelkamer, voor al die tijd... Daar kun je niet voor jezelf koken...'

'Het is een appartement, speciaal voor mensen die voor korte tijd zijn uitgezonden.' Cassandra was het volgende bezwaar van haar moeder vóór: 'Zo duur is het niet.'

'Heb je je huis in New York verhuurd?'

'Nee.'

'Dus je betaalt drie maanden lang dubbele woonlasten. En je moet hier een auto hebben.'

'Mam, ik heb mijn eigen auto hier. Ik ben hiernaartoe gereden, hij staat op je inrit.'

'Wat moet je met een auto als je in New York woont?'

'Ik vind het prettig om weg te kunnen, om vrienden te bezoeken die in het noorden wonen, of... aan het strand.' Ze gebruikte het algemene 'strand' in plaats van het specifieke 'de Hamptons', uit angst dat dat laatste weer een paniekaanval zou veroorzaken.

Haar moeder had het moeilijk gehad met de recensies van het laatste boek. Cassandra had het moeilijk gehad met de e-mails van haar moeder. Tot de afgelopen winter had ze niet eens geweten dat haar moeder in staat was zelfstandig een e-mail te schrijven. Ze leek de laptop die ze van Cassandra had gekregen alleen te gebruiken om hartenjagen en patience te spelen, en zich op de antwoordfunctie te verlaten om op Cassandra's sporadische berichtjes te reageren, en zelfs dan was ze uiterst bondig.

'Dank je.' Of: 'Fijn, kind.' Lennie Fallows scheen te denken dat e-mail het equivalent was van een telegram of interlokaal telefoongesprek in de jaren zeventig, een communicatiemiddel dat beperkt moest blijven tot ernstige noodgevallen of speciale gelegenheden, en zelfs dan was beknoptheid een vereiste.

Toen, in januari, waren de e-mails begonnen, zonder 'RE:' in de onderwerpbalk, helemaal zonder onderwerp, wat ze nog beangstigender maakten omdat Cassandra geen idee had wat voor correspondentie haar moeder wilde beginnen.

'Ik zou me maar niet druk maken over Kirkus.' 'PW *is gunstig, als je die bijzin wegdenkt.' 'Jammer van* The New York Times.'

Alleen had ze, nu Cassandra erover nadacht, niet 'de *New York Times*' of zelfs maar '*NYT*' geschreven, maar de achternaam van de recensent, alsof het mens een buurvrouw was, een goede vriendin. Dat detail maakte Cassandra het treurigst. Ze had haar moeder altijd alleen maar het gevoel willen geven dat Cassandra's succes ook het hare was. Dat had ze als tiener al gewild, toen Lennie in feite nog een bron van diepe gêne was, zoals ze door de stad croste in – o, god, de herinnering werkte haar nog steeds op de zenuwen – een werkbroek of overall met verfvlekken, met die vreselijke pet op haar hoofd en gereedschap dat uit haar zakken stak. Toch bleef Lennie volhouden dat Cassandra's prestaties aan de kant van haar ex-man genoteerd moesten worden in het DNA-grootboek. Zelfs het boek waarmee Cassandra haar reputatie had gevestigd, was problematisch geweest voor haar moeder, vanwege die titel die alles naar hém liet overhellen.

Maar het leven dat dat boek Cassandra had gebracht, ja, dat vond haar moeder prachtig, ze was er trots op, en niet alleen omdat het haar materiële voordeeltjes opleverde. Ze vond het heerlijk om de radio aan te zetten en Cassandra's stem te horen, ze zwolg erin wanneer een buurtgenoot in een winkel een opmerking maakte over een televisieoptreden van Cassandra. Cassandra had een keer bij de Giant gezien hoe het in zijn werk ging: haar moeder fronste haar voorhoofd zodra Cassandra's laatste interview ter sprake kwam, alsof ze de media-aandacht voor haar dochter met geen mogelijkheid kon bijbenen. Was het in *Today* geweest? Of bij *Charlie Rose*? Dat rare programma op de kabel waarin iedereen zo schreeuwde?

'U zult wel heel trots op haar zijn,' hield de buurvrouw vol.

En Lennie Fallows (het was nooit in haar opgekomen de achternaam van de man die ze verfoeide af te zweren) zei met een onbuigzame blijdschap: 'Ik ben altijd trots op haar geweest.' In de geheimtaal van haar moeder stond dat ongeveer gelijk aan *val dood*.

Cassandra trok de koelkast open om erin te snuffelen, het voorrecht van een dochter. Het was een immens geval, zo'n dubbelbrede Sub-Zero die je ook in een klein restaurant zou kunnen aantreffen. De keuken was Lennies laatste project geweest, en oppervlakkig gezien was hij prachtig geworden, maar Cassandra kon zien waar haar moeder de hand op de knip had gehouden, een erfenis uit de magere jaren die haar zo angstig hadden gemaakt. De koelkast en het fornuis hadden krassen en deukjes, kleine onvolkomenheden waardoor ze niet voor de volle prijs verkocht konden worden. De nieuwe porseleinen spoelbak zou gekocht zijn bij Lennies 'professionele' discountwinkel en hoogstwaarschijnlijk had ze hem zelf geïnstalleerd, samen met de kraan en de afvalvermaler. Ze had het kleurenschema betrekkelijk sober gehouden. 'Beter voor de verkoop,' zei ze, alsof ze van plan was het huis te verkopen. Zoals Penelope haar aanbidders aan het lijntje hield, bleef Lennie haar eigen werk continu ongedaan maken. Voorzover Cassandra het kon nagaan, was dit de derde renovatie van de keuken. Lennie wilde het huis onder geen beding verlaten, hoewel het groot was geweest voor een gezin van drie, bijna rampzalig voor een alleenstaande moeder met een dochter en domweg bespottelijk voor een vrouw die inmiddels in de zeventig was.

Het gesprek was echter al te beladen om ook nog eens over het huis te beginnen waar haar moeder van was gaan houden en dat ze tegen iedereen verdedigde. Daarom vroeg Cassandra maar: 'Herinner jij je Calliope nog?'

'Een orgel? In de presbyteriaanse kerk, bedoel je? En ik geloof dat je het anders uitspreekt, kind.' Haar vader zou zijn begonnen met de verbetering.

'Nee, uit mijn klas. Callie Jenkins. Van Dickey Hill, vanaf de vierde klas. Ze staat op een van de foto's. Ze droeg haar haar in drie dikke vlechten met van die pomponnetjes aan het eind.'

Cassandra pakte een handvol van haar eigen haar om het geheugen van haar moeder op te frissen.

'Drie... O, dan was ze zeker zwart?'

'Móéder.'

'Wat nou? Het is niet racistisch om zoiets te zeggen. Tenzij je mij bent, neem ik aan. Ik mag iemands huidskleur niet opmerken.'

Cassandra had geen zin om haar moeder de les te lezen. Bovendien had ze gelijk.

'Hoe dan ook, ik zat naar CNN te kijken en ze hadden een reportage over een zaak in New Orleans – er wordt een kind vermist en de moeder beroept zich op het Vijfde Amendement, ze weigert te zeggen waar het kind is. Iemand zei dat er overeenkomsten waren met een zaak die hier jaren geleden heeft gespeeld, met Calliope Jenkins. Ze moet het wel zijn, denk je ook niet? De leeftijd klopt ongeveer en hoeveel Calliope Jenkinses kunnen er helemaal zijn in Baltimore?'

'Meer dan je misschien zou denken.'

Cassandra wist niet of haar moeder het letterlijk bedoelde of iets ergers impliceerde met betrekking tot kindermoord of de stad waarin ze woonde. 'Zou daar geen goed boek in zitten?'

Haar moeder bepeinsde het. Dat was het juiste woord: ze fronste haar voorhoofd en dacht over de vraag na alsof ze Cassandra's literair agent of uitgever was, alsof Cassandra er niet aan kon beginnen zonder dat haar moeder haar zegen gaf.

'Waar gebeurde misdaad? Dat zou eens iets anders zijn voor jou.'

'Niet echt waar gebeurd. Ik zou het verhaal van de volwassen Callie verweven met onze levens als kinderen, onze gezamenlijke schooltijd. Vergeet niet dat ze een van de weinige meisjes was die naar dezelfde middelbare school gingen als ik.'

'Een van de weinige zwarte meisjes,' zei haar moeder met een blik die Cassandra tartte haar te verwijten dat ze Callies ras noemde.

'Ja, dat ook. En ras speelt een rol in het verhaal, denk ik, maar het is vooral Callies verhaal. Als ik haar kan vinden.'

'Zelfs al kun je haar vinden, zou ze dan met je kunnen praten? Ik herinner me de zaak...'

'Echt waar?'

'Iedereen die hier destijds woonde, moet het zich herinneren.' School er een onuitgesproken verwijt in de woorden van haar moeder, wees ze Cassandra erop dat die haar had teleurgesteld door weg te trekken? 'Ik herkende de naam niet, maar ik weet nog dat het gebeurde. Het ging er juist om dat ze niets wilde zeggen, maar als ze haar kind echt heeft vermoord, kan ze nog steeds worden aangeklaagd. Als ze het niet heeft gedaan, waarom heeft ze dan al die jaren geleden niet meegewerkt?'

Cassandra was zich maar al te goed bewust van dit probleem; haar uitgever had het als eerste ter sprake gebracht. Ze waren overeengekomen dat het boek niet afhankelijk zou zijn van een bekentenis, of zelfs een antwoord op alle vragen, maar de lezer zou moeten geloven dat Cassandra een soort conclusie had getrokken aangaande haar oude schoolvriendin. De uitgever noemde haar 'oude schoolvriendin', en Cassandra had in het begin geprobeerd die indruk bij te stellen door de woorden 'klasgenote' en 'kennis' te gebruiken, maar ze had het snel opgegeven. Wat was een 'vriendin' tenslotte, als je tien of elf was? Ze hadden samen op school gespeeld, ze waren op dezelfde verjaardagsfeestjes geweest.

'Ik kan dit boek niet van tevoren plannen. Dat maakt het zo spannend. De eerste twee boeken waren in zekere zin al gevormd. Ik had ze geleefd, ik wist alleen nog niet hoe ik ze zou schrijven. En het waren solitaire ondernemingen. Solipsistisch, zelfs, maar dit boek... Ik wil niet alleen Callie interviewen, als ik haar eenmaal heb gevonden, maar ook andere meisjes uit de klas. Tisha, Donna en Fatima. En Callies advocaat, denk ik, en de rechercheur die haar zaak heeft onderzocht... Hemel, ik weet niet eens of ik aan drie maanden hier wel genoeg heb.'

'En,' zei haar moeder, die in haar thee staarde, 'je komt natuurlijk ook voor al die heisa rond je vader.'

'Het is maar één evenement in een week vol evenementen,' zei Cassandra. 'Een simpel interview op het podium, en ik doe het alleen omdat het geld opbrengt voor de bouw van de nieuwe bibliotheek van de Gordon School. We zijn de school veel schuldig. Bovendien lijkt het me interessant om pap te interviewen voor een geboeid luisterend publiek. Hij is de koning van de afdwalingen.'

'Ja,' zei haar moeder. 'Je vader was gek op áfdwalen.'

'Het stelt niet zoveel voor,' zei Cassandra. Ze vond het jammer, zoals zo vaak, dat ze geen gezin waren dat elkaar makkelijk aanraakte, dat ze haar hand nu niet op die van haar moeder kon leggen.

'Ik weet het,' zei haar moeder. 'Ik vind het alleen vreselijk hoe hij zijn daden... romantiseert, dat hij er zo ver in gaat dat hij er niet eens over wil praten. Of over haar.'

Cassandra respecteerde haar moeder om het feit dat ze al die jaren had vastgehouden aan dat 'haar', dat ze weigerde Annies naam te noemen tenzij het niet anders kon. Het was misschien niet uitgesproken gezond, maar het was indrukwekkend. Cassandra had hetzelfde talent voor rancune als haar moeder – het was, zei ze graag tijdens haar lezingen, een nuttige eigenschap voor de memoiresschrijver om je elke belediging te kunnen herinneren, hoe onbenullig ook. Ze noemden het hun Hongaarse trekje, een verwijzing naar de moeder van haar moeder, die dertig jaar lang niet met haar zoon had gepraat en net lang genoeg had geleefd om mee te maken dat haar kleindochter dat feit vereeuwigde in haar eerste boek. Omie had het niet erg gevonden, absoluut niet. Het had haar een beetje cachet gegeven in het verzorgingshuis waar ze woonde en waar de meeste andere bewoners haar koud lieten. Tijdens wat later Cassandra's laatste bezoek aan haar zou blijken te zijn, had omie erop gestaan met haar naar de eetzaal te gaan, waar ze tegen de andere bewoners kon snoeven op haar geslaagde kleindochter: 'Mijn kleindochter, ze is schrijfster, een echte, ze heeft een bestseller.' Cassandra wist niet eens of haar grootmoeder het boek waar ze zo trots op was wel had gelezen; de exemplaren – het was toen nog maar één boek, maar omie had de gebonden versie en de pocketeditie gekocht – lagen op een tafel in haar kamer. Het waren zelfs de enige boeken in het vertrek, misschien wel de enige boeken die haar grootmoeder ooit had bezeten. Omie had voor een raadsel gestaan, maar was ook trots geweest toen haar dochter met een geleerd man trouwde, zoals ze hem noemde, en trouw aan haar eigen, ondoorgrondelijke principes met betrekking tot loyaliteit was ze Cedric Fallows altijd aardig blijven vinden, ook toen hij haar dochter had bedrogen.

'Ik heb nooit begrepen,' had Cassandra tijdens die laatste lunch gezegd, 'waarom u wel mijn vader, maar niet uw eigen zoon kon vergeven. Wat had hij gedaan?'

Haar grootmoeder wuifde de vraag weg, zoals ze herhaaldelijk had gedaan toen Cassandra aan *Dochter van mijn vader* werkte. 'Pft. Ik praat niet met hem en ik praat niet over hem.'

'Goed, maar wat pap heeft gedaan, was vrij erg. Betekent dat dat oom Leon iets nog ergers heeft gedaan?'

'Je vader, oom Leon... Wie weet?'

'Iemand moet het weten.'

'Het doet er niet toe. Het boek is goed.' Wat betekende: er zijn veel exemplaren van verkocht. 'Het hoeft niet waar te zijn. *Oorlog en vrede* is ook niet waar.'

'Mijn boek is waar, omie. Het zijn memoires, ik vond het belangrijk dat alles klopte.'

'Maar het hangt van de mensen om je heen af of het echt klopt.'

'Bent u boos omdat ik het verhaal over oom Leon en u heb verteld? Ik heb naar uw kant gevraagd.'

Omie wees met haar vork naar haar. 'Ik weet hoe je boos moet zijn en als ik boos op jou was, had je hier niet gezeten.'

Een maand later was ze dood. Cassandra was verbaasd toen ze haar vader bij de uitvaartdienst zag, en wat haar nog meer verbaasde, was dat hij zo tactvol was geweest zonder Annie te komen. Hij ging zelden ergens heen zonder haar. Daar stond tegenover dat toen de rabbijn vroeg of er nog iemand wilde spreken, Cedric de verleiding om een paar woorden te zeggen domweg niet kon weerstaan, hoe gênant het ook was. Oom Leon stond niet op, en Cassandra's moeder evenmin, maar de schoonzoon die al heel lang geen schoonzoon meer was, sprak bloemrijk over een vrouw die hij nooit echt had gemogen.

Later, tijdens de brunch bij haar moeder thuis, trok Cassandra de stoute schoenen aan en zei tegen haar vader: 'Omie zei dat ik niet wist of het waar was wat ik had geschreven, dat ik fouten had gemaakt.' Ze stonden samen bij het buffet, en ze besefte hoe ongewoon het was dat ze hem eens voor zichzelf had.

'Omie was de koningin van de manipulators,' zei haar vader terwijl hij vleeswaren aan zijn vork prikte. 'Weet je waarom ze zo kwaad was op je oom Leon?'

'Nee, ze heeft het me nooit willen vertellen.'

'Omdat ze het niet meer wist. Hij heeft dertig jaar geleden iets gedaan waar ze de pest over in had, maar ze heeft hem nooit verteld wat het was. Toen is ze het vergeten. Ze vergat de aanleiding, maar de wrok zelf is ze nooit vergeten. Je oom Leon wilde het dolgraag goedmaken, maar hij heeft nooit geweten wat hij had misdaan. Als je moeder haar opzocht, probeerde ze te raden wat oom Leon had gedaan, zodat hij zijn excuses kon aanbieden, en dan zei je oma: "Nee, dat is het niet," als een sfinx met vergevorderde alzheimer of een Hongaarse Repelsteeltje die de prinses dwingt zijn naam te raden terwijl hij die zelf niet kent.'

Kon het waar zijn? Cassandra koos ervoor hem te geloven, al had haar vader de feiten nooit een goed verhaal laten verpesten.

'Het is de familie van je moeder, Cassandra,' zei haar vader. 'Goddank lijk jij op mij.'

Nu, meer dan tien jaar later, zei haar moeder: 'Goddank lijk jij op mij, Cassandra. In je veerkracht. Je komt er wel overheen, ik weet het zeker.'

'Waarover?'

'Nou… Ik bedoel gewoon dat ik denk dat je gelijk hebt, dat het vólgende boek iets bijzonders zou kunnen worden.'

Haar moeder wilde niet insinueren dat Cassandra een mislukking was. Lennie kon zich gewoon niet bevrijden uit de context van haar eigen leven, dat ze als een opeenvolging van fouten en teleurstellingen zag. Toch had ze toen Cassandra op de middelbare school zat even plaatselijke roem genoten als 'Lennie de klusjesvrouw', die simpele reparaties demonstreerde in een praatprogramma. Toen was ze die overalls en petjes gaan dragen, tot grote ergernis van haar tienerdochter.

Een vrouw met meer ambities had dat wekelijkse segment kunnen uitbouwen tot een imperium; de medepresentatrice van *People Are Talking* was tenslotte een sprankelende jonge vrouw geweest die Oprah Winfrey heette. Jaren later, toen Cassandra haar plaats bij Oprah op de bank innam, had ze tijdens de reclame gevraagd of Oprah zich de vrouw nog herinnerde die klustips had gegeven, die met het korte donkerblonde haar. Oprah had ja gezegd, en Cassandra wilde geloven dat het waar was. Haar moeder werd altijd makkelijk over het hoofd gezien, een van de redenen waarom ze in de ban was geraakt van de levendige, opvallende Cedric Fallows.

Cassandra had altijd gedacht dat de transformatie van haar moeder de hoofdrol zou spelen in haar tweede boek met memoires, maar de seks had het gewonnen – haar eerste twee huwelijken, de verhoudingen tijdens en eromheen, een slechte gewoonte die ze in elk geval op papier had afgelegd, zij het niet helemaal in het echte leven. Het was zelfs gênant geweest, haar moeder tussen al die seks, maar het verhaal van haar moeder alleen was niet genoeg om een heel boek aan op te hangen. Het was te rechtlijnig, te voorspelbaar. 'Het is een beetje mager,' had haar eerste uitgever gezegd. 'En verschrikkelijk triest.' Dat laatste had Cassandra verbaasd, want ze dacht dat ze met trots en genegenheid over haar moeder had geschreven.

'Zit het je dwars,' vroeg Cassandra nu aan Lennie, 'dat ik nooit zo over jouw leven heb geschreven als over dat van pap?'

'O, nee,' zei haar moeder. 'Het is het liefste wat je ooit voor me hebt gedaan.' Ze herstelde zich snel en vervolgde: 'Niet dat het slecht is, wat jij doet. Het is gewoon niets voor mij om zo te kijk te staan. Dat is meer iets voor je vader. En voor jou.'

'Net zei je nog dat ik op jou leek.'

Lennie stond bij het aanrecht borden te spoelen, met haar rug naar Cassandra toe. Ze had tegenwoordig een van de betere, duurdere afwasmachines, maar ze hing de overtuiging aan dat borden pas in de afwasmachine konden als je ze had gewassen. 'Je lijkt in sommige opzichten op mij, maar in andere op hem. Je bent sterk, net als ik. Je stuitert terug. Maar... je komt in de openbaarheid, je legt je hele ziel en zaligheid bloot. Dat heb je van je vader.'

Cassandra bracht haar lege beker naar het aanrecht en probeerde niet te denken dat haar eigen moeder haar op haar beleefde manier zojuist een slet en een exhibitioniste had genoemd.

4

Kachel heet.
Kindje stout.
Kachel heet.
Kindje stout.
Kachel stout.
Kindje heet.
Kachel stout.
Kindje koud.

Kachelkindjeheetkoud. Kachelkindjeheetkoud. Kachelkindjeheetkoud. Koude kachel. Koud kindje. Hete kachel. Heet kindje. Stoute kachel. Stout kindje. Kindjekachel, kindjekachel, kindjekachel.

Ze werd wakker, badend in het zweet. Het scheen bij de menopauze te horen, maar ze dacht dat het in haar geval niet de hele verklaring was. Ze had deze droom tenslotte al meer dan tien jaar. Al was het niet echt een droom, want er was niets te zien, er waren alleen woorden die over elkaar heen buitelden, rammelend als kleingeld in een droogtrommel.

Maar zelfs als die niet-droom de zweetaanval van deze nacht had veroorzaakt, wist ze dat de menopauze haar kwam halen. Tot een jaar geleden had ze echt geloofd dat er nog tijd was voor één kind, om de prijs te pakken die haar herhaaldelijk was ontzegd. Eerst Rennay, toen Donntay. Ze vroeg zo weinig. Soms dacht ze dat dat het probleem was. Ze had te weinig gevraagd. Hoe minder je vraagt, hoe minder je krijgt. De meisjes die het zelfvertrouwen hadden om de maan te vragen, kregen de maan en een paar sterren erbij. Zij lieten hun prijs niet zakken. Een man kocht wat ze te koop hadden of niet. Zodra je begon te onderhandelen, zodra je liet merken dat je bereid was met minder genoegen te nemen dan wat je vroeg – nee, niet vroeg, maar nodig had, niet kon missen – pakten ze je alles af.

De benauwdheid was over, maar ze kon niet meer in slaap komen. Ze trok een droge nachtpon en haar ochtendjas aan en ging naar de serre, die uitkeek op haar keurige achtertuin en die van de buren verderop. Het was een nette straat, niet rijk, maar goed onderhouden. Mooi huisje, mooi stadje, mooi leventje. Bridgeville, Delaware.

Ze zat nog liever in de gevangenis.

Eigenlijk zat ze ook in de gevangenis, alleen was er nu niets meer om haar staande te houden, geen hoop, droom of belofte. Nee, geen gevangenis. De hel. Ze was in de hel. Die geen oord met zwavel en vuur bleek te zijn, van lichamelijk lijden en martelingen. De hel was een mooi huisje in een mooi stadje, met genoeg eten in de koelkast en genoeg geld op de bank. Niet veel, maar genoeg, meer dan ze ooit had bezeten. Haar geest was vrij van alledaagse zorgen, dus had ze alle tijd van de wereld om stil te staan bij wat er mis was gegaan en nooit meer goed kon komen. *Stel dat zij...? Stel dat hij...? Als ze nu eens...?* Bridgeville, Hel-op-aarde. De meeste mensen zouden denken dat het een beter lot was dan ze verdiende.

Ze hadden gelijk.

Amo, amas, amat

Ik was vijf toen mijn vader besloot dat ik Grieks en Latijn moest leren. Geen mens die het vreemd vond. Hij was immers hoogleraar klassieke talen? Hij had me vernoemd naar Cassandra, de door niemand geloofde profetes. Dat was nadat mijn moeder had geweigerd Antigone, Afrodite, Andromeda, Atlanta, Artemis, de negen muzen en, zijn persoonlijke favoriet, Athena in overweging te nemen. Athena was tenslotte volledig gevormd aan het hoofd van haar vader ontsproten, terwijl haar moeder, Metis, in hem opgesloten bleef. Mijn vader had bewondering voor die regeling.

Mijn moeder had me het liefst Diana genoemd, zoals Artemis bekendstaat in de Romeinse mythologie, maar mijn vader verafschuwde de Romeinse namen en foeterde vaak op hun vooraanstaande plaats in onze cultuur. Toen ik de namen van de planeten moest leren, kon ik geen ezelsbruggetjes gebruiken (Maak Van Acht Meter Japanse Stof Uw Nieuwe Pyjama) omdat ik ze in mijn hoofd moest omzetten: Hermes, Afrodite, Aarde ('Gaia!' blafte mijn vader dan), Ares, Zeus, Chronos, Uranus ('De enige Griek tussen dat stelletje Romeinen, die lepe hond, en nog incestueus op de koop toe,' zei mijn vader graag), Poseidon en Hades.

Wederom was er geen mens die het vreemd vond, en ik al helemaal niet. Mijn vader was iemand met veel uitgesproken meningen, die hij verkondigde met de felheid van bellers naar WBAL die over de Orioles en de Colts tieren. De Griekse goden waren te verkiezen boven de Romeinse. Nixon was een misdadiger – het vonnis van mijn vader, ver voor Watergate. Mr. Bubble was slecht voor de huid én de ingewanden. Van Jiffy Pop-popcorn kreeg je kanker. Pornografie was te verkiezen boven door anonieme groepen geschreven romans, zoals die van Nancy Drew en de Hardy Boys. Meisjes hoorden lang haar te hebben.

Dat laatste werd althans in mijn verdediging aangevoerd toen mijn vertwijfelde moeder het mijne wilde afknippen omdat ik me zo verzette wanneer ze het waste. 'Zorg jij dan verder maar voor haar haar,' zei ze uitdagend tegen mijn vader, en dat deed hij. Hij vond een zachte crèmeshampoo en een kam met grove tanden die mijn weerbarstige manen temden. 'Voor een meisje is het te veel haar, maar later, als je een vrouw bent, zul je er blij mee zijn,' zei hij vaak. Hoe ik daar in die nooit echt voltooide badkamer van mijn ouders stond terwijl mijn vader de kam door mijn haar haalde, vasthoudend maar nooit wreed, behoort tot mijn gelukkigste herinneringen. Mijn vader, die nog geen bal kon gooien en de meeste sporten saai vond, had geen kant op gekund met een zoon. De enige man die hij begreep, was hijzelf.

Dus in de wereld volgens Ric Fallows was het allerminst vreemd dat hij taallessen voor zijn enige kind eiste, al vroeg iedereen zich wel af waarom hij me niet zelf onderwees. Hij kon beide talen lezen, al was hij veel vaardiger in het Latijn. In plaats daarvan bracht hij me naar het huis van een collega, Joseph Lovejoy, die ik mr. Joe moest noemen, zoals dat gebruikelijk was in Baltimore.

Mr. Joe en zijn zus, miss Jill, woonden in onze buurt in een huis dat ik het onderstebovenhuis noemde. Het stond op een klif boven de Gwynns Falls, en de woonkamer was helemaal boven, met daaronder de keuken en eetkamer, en de slaapkamers waren op het niveau van de tuin. Mr. Joe ging met me in de studeerkamer op de bovenste verdieping zitten, terwijl mijn vader miss Jill hielp met de thee – niet alleen de drank, maar een echt theepartijtje met broodjes en zoetigheid. De Lovejoys waren Britten, en ze waren hier in het kader van een soort universitair uitwisselingsprogramma. Miss Jill had wat mijn vader die fameuze Engelse huid noemde, al zag ik er niets bijzonders aan. Mr. Joe was lang en broodmager, en geen enkel land zou zijn huid opeisen.

Op een bijzonder warme zaterdagmiddag in mei zong de fluit-
ketel een verdieping lager. Hij bleef bijna een minuut fluiten en
mr. Joe besloot op onderzoek uit te gaan. Ik hoorde hem beneden
me rondlopen, en toen nam hij de trap naar de begane grond.
Toen hij een paar minuten later terugkwam, zei hij dat we klaar
waren voor vandaag. Mijn vader kwam tevoorschijn, maar miss
Jill en de broodjes lieten zich niet zien.

'Krijgen we nog thee?' vroeg ik.

'Er is vandaag geen thee,' zei mr. Joe.

'Is de ketel drooggekookt?'

'Is de... Ja, ja, inderdaad.'

'En de broodjes, en de cakejes?'

'Cassandra, denk om je manieren,' zei mijn vader.

Ik was bijna vijftien toen ik het eindelijk snapte. Tegen die tijd
wist ik dat mijn vader veel romances had – 'Geen romances!
Flirts. De enige romance die ik ooit heb gehad, was met Annie,
en met haar ben ik getrouwd.' Maar ik wist niets van die anderen tot hij mijn moeder voor Annie verliet en ik de lange on-
trouwhistorie van mijn vader in elkaar begon te puzzelen. Hij
wijst het woord ontrouw ook af. 'Ik ben nooit ontrouw of trou-
weloos geweest waar het je moeder aanging. Seks zei me niets,
het was een lichaamsfunctie. Dat was het probleem. Ik wist niet
dat je het allebei kon hebben, seks en liefde, tot ik Annie leerde
kennen.'

Dat gesprek hadden we een paar dagen voordat ik naar de universiteit ging. Mijn vader had besloten me een preek te geven
over de dubbele moraal, me ervan te overtuigen dat mijn eigen
maagdelijkheid iets kostbaars was. Daar kwam hij iets te laat
mee.

'En miss Jill?'

'Miss Jill? O, die rooie Britse. Ja, die ook, maar niet meteen.
Het was geen vooropgezet plan. Nou ja, een beetje wel, misschien.'

'Wat vond haar broer ervan?'

'Haar broer? Haar broer?' Mijn vader begreep het echt niet.

'Mr. Joe.'

'Mr... O, lieverd, dat was haar man. Hoe kom je erbij dat ze broer en zus waren?'

Tot op de dag van vandaag spit ik in mijn geheugen in de zekerheid dat ik het moment van de leugen zal ontdekken. Misschien kwam het doordat mijn vader erop stond dat ik hen mr. Joe en miss Jill noemde, een plaatselijk gebruik dat hij anders kleineerde, maar waarom wilde hij me eigenlijk een rad voor ogen draaien? Als ze broer en zus waren geweest, had mijn vader mr. Joe geen hoorntjes opgezet, maar het was geen excuus voor wat mijn getrouwde vader met miss Jill deed terwijl ze 'iets lekkers voor bij de thee maakten'. Lekkers, begrijp ik nu, dat geen voorbereiding vergde: de cakejes kwamen uit de winkel en de broodjes werden lang voor onze komst gesmeerd; het brood zonder korstjes was droog van de lucht, maar vochtig van de plakjes komkommer die erop hadden gezweet.

Waarom dacht ik dat ze broer en zus waren? Omdat zelfs mijn vijfjarige zelf voelde dat er iets niet pluis was. Mijn taallessen werden gestaakt toen de Lovejoys die zomer teruggingen naar Engeland. Miss Jill – mevrouw Lovejoy – stuurde ons nog een paar jaar een kerstkaart, maar mijn moeder zette het stel nooit op onze lijst. Ik bracht mijn derde studiejaar in Londen door en ontdekte dat ik de sociale conventie van het theepartijtje verfoeide, maar ik was gek op Britten, vooral die met rood haar – *gingers* – en neukte er zoveel als ik kon.

Banrock Station
25-28 februari

5

Cassandra was aan haar laatste twee projecten begonnen door zich een weekend met haar laptop terug te trekken in een hotel in een poging de toevallig gunstige omstandigheden rond het begin van haar eerste boek na te bootsen. *Dochter van mijn vader* was bijna uit zichzelf begonnen, een ongelukje dat was voortgekomen uit een gebroken hart en verveling: een romantisch uitstapje naar West Virginia was een soloreis geworden toen haar eerste man haar verliet nadat hij had opgebiecht dat zijn gokverslaving al hun bankrekeningen had opgeslokt, schamel als ze toch al waren, en dat hij een tweede en derde hypotheek had afgesloten op hun appartement in Hoboken waardoor het zo goed als waardeloos was geworden, ondanks de florerende onroerendgoedmarkt van halverwege de jaren negentig.

Ontroostbaar en doodsbang voor de toekomst, maar zich er ook van bewust dat de kamer al betaald was, had ze uren door het winterse landschap gereden – God sta haar bij, het was het weekend voor Valentijnsdag – met het idee twee dagen te huilen, te drinken en te eten, maar ze was veel sneller dan verwacht door de wijn en chocola heen. De tweede nacht, zaterdag, was ze om twee uur met een vreemd helder hoofd wakker geworden. Ze schreef het eerst toe aan de afnemende effecten van de alcohol, maar toen ze een uur later nog wakker was, trok ze de donzige ochtendjas van het pension aan – een van de twéé donzige ochtendjassen, zag ze, zich pijnlijk bewust van haar pas gebroken hart – en liep als in trance, maar toch lucide, naar het pittoreske en dus woedend makende bureautje, dat niet echt bedoeld was om aan te werken.

Ze vond wat postpapier in de middelste la en kraste met de beroerde pensionpen de eerste bladzijden van wat *Dochter van mijn vader* zou worden. Ze had die bladzijden bewaard, en hoewel het boek de zes maanden daarop ingrijpende veranderingen onderging terwijl zij schreef om haar pijn en angst te verdringen, bleven die eerste bladzijden hetzelfde: *Ik begon pas te praten toen ik bijna drie was.* Later, toen ze op zoek ging naar een agent, had een beroemde gezegd dat hij haar wel wilde vertegenwoordigen, maar alleen als ze dat begin schrapte.

Tijdens de lunch die hij haar had aangeboden, legde hij haar zijn gekoesterde letterkundige theorie uit, die erop neerkwam dat de eerste vijf bladzijden altijd waardeloos waren.

'Het is keelgeschraap,' zei hij bij de teleurstellend bescheiden maaltijd, die bestond uit spinaziesalade en een flesje water. Cassandra had op iets chiquers gehoopt, iets decadenters bij een van de vermaarde restaurants waar uitgeverijtypes zich vertoonden, maar de agent wilde net weer eens stoppen met drinken en moest zijn vaste plekken mijden.

Hij vervolgde: 'Tegen een microfoon tikken. Doet-ie het? Hullo? Hullo?' (Hij was Brits, al had hij zijn geboorteland lang geleden al verlaten.) 'Het is kapot geschreven, te verfijnd. En wat die proloog betreft... Breek me de bek niet open over prologen.'

Cassandra geloofde echter dat ze een boek had geschreven over een vrouw die haar eigen stem vindt, haar eigen verhaal, al deed de titel anders vermoeden. Haar vader was simpelweg de charismatische meiboom in het midden; zij danste en wikkelde haar linten om hem heen. Ze vond een andere agent, een zuidelijke charmeur die bijna net zo beroemd was, maar lief en uitbundig, royaal met complimentjes, als de moeder die Cassandra nooit had gehad. Jaren later, toen ze de eerste agent weer tegenkwam bij de National Book Awards – ze had in de jury gezeten – scheen hij te denken dat ze elkaar nooit eerder hadden ontmoet. Ze moest zich wel afvragen of hij dat geheugenverlies niet veinsde om zijn gezicht niet te verliezen.

Ze was aan het tweede deel begonnen in een kuuroord in de Berkshires, met weer een stukgelopen huwelijk achter zich, maar deze keer was zij tenminste degene die was weggelopen. Paul, haar tweede echtgenoot, had zijn opwachting gemaakt in de laatste pagina's van haar eerste boek; ze had samen met miljoenen lezers gedacht dat hij het sprookjesachtige einde was. De waarheid vertellen over die rampzalige verhouding – en alle andere, voor, na en tijdens het huwelijk – had riskant geleken, en een deel van haar oorspronkelijke lezers had er niet in mee willen gaan, maar er bleven er genoeg over, en de recensies van *De eeuwige echtgenote* waren nog lovender geweest dan die van het eerste deel. Dat kwam natuurlijk doordat *Dochter van mijn vader* vrijwel geen recensies had gekregen toen het net uit was.

Toen, nog maar anderhalf jaar geleden – te weinig tijd, stelde ze nu vast, ze had de roman niet laten sudderen, zoals de memoires, had ze een kamer genomen in het Greenbrier, ook weer in West Virginia, maar ver verwijderd, zowel in kilometers als in faciliteiten, van dat trieste, zogenaamd romantische pension waar ze aan haar debuut was begonnen. Wellicht was dat het probleem: ze had te hard haar best gedaan om de omstandigheden van die eerste, koortsachtige schrijfperiode terug te halen en ook nog eens te verbeteren. De vrouw die die eerste pagina's had opgetekend in een pension in West Virginia had een onschuld en verwondering gekend die in de vijftien jaren daarna verloren waren gegaan.

Misschien was het probleem nog simpeler: ze was geen romanschrijfster. Haar gave was niet het verzinnen van dingen, maar het terughalen van dingen die er waren geweest. Ze was een tovenares van het voorbije, een orakel dat omkeek naar het verleden. Ze was Cassandra, zoals haar vader had verordonneerd, niet bij machte iets anders te vertellen dan de waarheid.

Alleen had ze de antwoorden deze keer niet al in zich, de meeste niet. De vorige avond was ze in haar steriele huurappartement begonnen te schrijven, een innerlijke monoloog, alles wat ze zich kon herinneren. Haar lijst beperkte zich niet tot Calliope, maar besloeg elk detail van het leven op Dickey Hill, de lagere school, hoe nietig ook, want de ervaring had haar geleerd

dat kleinigheden iets groters naar boven konden halen. De herinneringen aan de schooltijd hadden zich als vanzelf aangediend:
trefbal op het schoolplein, het kerstspel, juf Klein die ons over
Picasso en Chagall vertelde, de meidengroep. De meidengroep
– ze had er in geen jaren aan gedacht, al was het een sleutelscène
in het eerste boek geweest. Now and Later-toffees – bestonden
die nog wel? – de schooloptocht op Onafhankelijkheidsdag, haar
eigen korte televisieoptreden, ongemakkelijk in een balletpakje,
dat demonstreerde dat tienermeisjes tijdens een bepaalde fase
van hun ontwikkeling geen sit-ups kunnen doen waarbij ze hun
tenen aanraken. Ze wist niet wat grappiger was: haar gretigheid
om op tv te komen of het feit dat mensen geloofden dat die sit-
ups ergens goed voor waren.

Maar waar was Calliope in dit alles? De jonge vrouw die het
middelpunt van Cassandra's verhaal zou moeten zijn, bleef een
raadsel, stil en teruggetrokken. Hoe hard Cassandra ook probeerde herinneringen op te roepen aan Callie, ze wás er alleen maar.
Ze werkte zich niet in de nesten, ze werkte zich niet níét in de
nesten. Was dat een aanwijzing? Was ze het soort kind dat dieren
kwelde? Stal ze? Er was een jaar een plaag geweest van lunch-
trommeltjesdiefstal; al het lekkers van de meisjes was gestolen.
Had iets bij Callie thuis haar al vroeg geleerd dat je je beter op de
achtergrond kunt houden? Cassandra had een vage indruk – een
herinnering kon je het niet eens noemen – van een boze, afwe-
rende vrouw die snel bang was dat ze voor gek werd gezet of oneerlijk werd behandeld, zo'n vrouw die de neiging heeft kinderen
aan hun bovenarm mee te sleuren of te sissen: *Nog even en je
krijgt een pets.* Dat had ze op een verjaardagsfeestje gedaan toen
ze Callie kwam halen. Nee, wacht, Fatima's moeder was het
tweetal komen halen, en die zou het kind van een ander nooit op
zo'n manier hebben beetgepakt. Toch geloofde Cassandra dat ze
had gezien dat het Callie was, niet Fatima.

Mishandeling – onvermijdelijk, in zo'n verhaal, maar ook een
tikje, nou ja, afgezaagd. Ze hoopte dat het niet zo simpel zou
zijn: mishandeld kind mishandelt later haar eigen kinderen. Ze

liep tegen de muur van haar eigen geheugen op, maar aarzelde nog om de echte, levende Calliope op te zoeken en besloot dus een middag naar de bibliotheek te gaan om uit te vinden wat anderen te weten waren gekomen over de volwassen vrouw die haar eigen kind zou hebben vermoord.

De Enoch Pratt Bibliotheek was een van de plaatsen waar haar vader haar na de scheiding op zaterdagmiddag mee naartoe had genomen. Het was de paradox van echtscheiding in de jaren zestig: vaders die zich nooit echt om hun kinderen hadden bekommerd, werden plotseling geacht elke veertien dagen iets met ze te dóén. In het gezin Fallows lag het nog moeilijker, want Ric wilde Annie bij de uitstapjes betrekken, terwijl Lennie dat expliciet had verboden. Ric ging tegen de wens van zijn ex-vrouw in door zogenaamd toevallige ontmoetingen met zijn vriendin te ensceneren. In de bibliotheek, de dierentuin, de bioscoop en het bowlingcentrum aan Route 40: *Kijk nou eens wie we daar hebben!* Je kon niet eens zeggen dat hij verbazing veinsde; het was meer alsof hij veinsde dat hij veinsde. Annie had tenminste nog het fatsoen zich te schamen voor hun doorzichtigheid. En er nerveus van te worden, waar ze alle reden toe had. In 1968 voelden de mensen zich niet op hun gemak met gemengde stellen, en ze zagen er geen been in hun bezwaren kenbaar te maken.

Cassandra mocht Annie graag. Iedereen mocht haar graag, behalve Cassandra's moeder, natuurlijk, en dat kon je haar moeilijk kwalijk nemen. De uitstapjes waren zelfs leuker wanneer Annie erbij was, want Annie wekte niet de indruk zich vernederd te voelen door de dingen die een tienjarige leuk vond. Annie was pas zesentwintig, en jong voor haar leeftijd bovendien, maar haar belangstelling voor Cassandra was altijd van moederlijke aard. Lang voordat iemand anders het voor mogelijk hield, Ric incluis, vermoedde zij al dat ze Cassandra's stiefmoeder zou worden. Ric dacht dat hij een geweldige romance had, en daar hoorde een huwelijk niet bij.

Annie ging er evenwel van uit dat ze zijn echtgenote zou worden. 'Hij was onder een hoedje te vangen,' zei Cassandra's moeder met veel verbittering, en Cassandra probeerde zich voor te stellen hoe zo'n hoedje eruitzag. Een verpleegsterskap? Iets kokets met een strik? (Ze was het soort tienjarige dat woorden als *koket* kende.) Ze stelde zich de hoed voor die Scarlett O'Hara in de film uit de doos van Rhett Butler tilde, het meisje in *Hello Dolly!* dat linten op haar rug wilde en de moeder uit *A Tree Grows in Brooklyn* die haar jadegroene fluwelen hoedje zwierig schuin zette, maar ze kon zich Annie met haar ronde gezicht en korte afrokapsel niet voorstellen met een hoed op, laat staan dat ze geraffineerd zou zijn.

Annie was haar vader letterlijk in de armen gevallen, met een gescheurde jurk, terwijl de menigte rondom hen woedde. Terwijl Ric probeerde haar uit het gedrang te bevrijden, was hij erin meegezogen, met veel ernstiger gevolgen. 'Een oproer is... vreemd,' had Annie jaren later tegen Cassandra gezegd toen die probeerde de scène voor haar eerste memoires te herscheppen. 'Weet je nog toen de orkaan Agnes langskwam en de rivier overstroomde en die man uit zijn stationcar stapte en hem gewoon weg zag drijven, terwijl hij erbij stond en zich aan een boom vastklampte? Zo was het, maar het water bestond uit mensen, de wind bestond uit mensen. Ze wisten niet meer dat ze mensen waren. Kun je daar iets mee?'

Cassandra had er wel degelijk iets mee gekund, en toen het boek uitkwam, werden juist de passages van Annie vaak geciteerd in de recensies. Toch was Annie degene die de pers nooit te woord had willen staan, hoe ze ook werd belegerd. 'Ik was jou mijn verhaal schuldig,' zei ze tegen haar stiefdochter, 'maar verder niemand.' Vijf jaar later, toen haar woorden in achtentwintig talen waren vertaald en haar beeltenis in de vorm van een omslagfoto landen had bereikt waar Annie zelf nog nooit van had gehoord, was Annie overleden aan eierstokkanker, op haar negenenvijftigste. Cassandra was bang geweest dat haar vader zo'n man zou blijken te zijn die wegkwijnde na de dood van zijn vrouw, temeer daar ze zoveel jonger was, maar hoewel hij allerlei kwaaltjes had, bleef hij sterk. Té sterk, volgens het bestuur van het verzorgingshuis waar hij nu woonde. Cassandra moest de directeur zien te paaien bij haar volgende bezoek, en ze zag er als een berg tegen op, maar nu moest ze eerst naar de bibliotheek.

Cassandra moest een langdradige uitleg aanhoren over hoe alles werkte – waar ze de microfiches kon vinden, hoe ze ze moest plaatsen, hoe ze artikelen kon printen, waar ze de spoelen moest inleveren wanneer ze ermee klaar was – voordat ze achter een microfichelezer mocht gaan zitten. Nadat ze zich had georiënteerd trok ze laden met kaartjes open met het gevoel dat ze aan het begin stond van een plundertocht. Calliopes leven als krantenkop was samengevallen met de fusie van de laatste twee stadskranten, de *Beacon* en de *Light*, wat inhield dat Cassandra maar één krant hoefde te bestuderen, maar het was nog altijd meer dan ze had verwacht. Ze had via internet het juiste jaar gevonden, maar niet de maand waarin het incident had plaatsgevonden, en het archief van de krant zelf ging niet zo ver terug. Ze zou in januari 1988 moeten beginnen en het hele jaar moeten afwerken, maar het filmfragmentje dat ze op CNN had gezien, was duidelijk in een koude, winterse maand opgenomen; er had een kale boom op de achtergrond gestaan.

Het duurde even voordat ze een efficiënte, maar toch alomvattende manier had gevonden om te zoeken: de voorpagina doornemen, dan doorspoelen naar het stadskatern, op volle snelheid vooruit naar de lege ruimte tussen twee kranten en dan weer opnieuw beginnen. De geur en de flakkeringen maakten haar misselijk. Had ze iemand moeten inhuren voor deze vervelende taak? Ze had nog nooit iemand betaald om haar eigen werk op te knappen. Bovendien vond ze het leuk om zich onder te dompelen in de microfiches, die ze ook had gebruikt voor delen van het onderzoek voor haar eerste boek. Kon ze die opgewonden onwetendheid van toen maar terughalen, de vreugde van het schrijven zonder enige verwachting, de bescheidenheid van haar dagdromen.

Ze vond Calliope verstopt tegen het eind van de maand maart, die dat jaar flink zijn staart moest hebben geroerd. Ja, het weer speelde zelfs een rol in het verhaal. In februari had het flink geijzeld. Dat was althans het excuus van Marlee Dupont, de maatschappelijk werkster die het kind in de gaten had moeten houden: de wegen waren onbegaanbaar geweest, zeker in Calliopes buurt in het westen van Baltimore, die altijd pas op het laatst door de sneeuwploegen werd aangedaan. De maatschappelijk werkster had wel opgebeld, maar de telefoon was afgesloten. Dat verklaarde waarom er een maand was voorbijgegaan zonder een bezoek; voor de tweede maand kwam nooit echt een verklaring. Toen de maatschappelijk werkster uiteindelijk bij het appartement aan Lemmon Street aankwam, had ze daar alleen Calliope aangetroffen.

'Waar is je kindje?' had ze volgens het artikel gevraagd.

'Dat kan ik niet zeggen,' had Calliope geantwoord.

Het was min of meer het enige wat ze de zeven jaar daarna had willen zeggen.

Wanneer was de verdedigingstactiek, het beroep op het Vijfde Amendement, in het spel gekomen? Het was moeilijk te zeggen, want de pers was het verhaal pas laat op het spoor gekomen, toen er al veel was gebeurd. Het was niet eens duidelijk waarom Calliope onder toezicht van de maatschappelijk werkster was gesteld. Cassandra sprong vooruit naar de ontknoping en vond meer gegevens in de verhalen over Callies vrijlating, bijna exact zeven jaar later. Ze tekende een tijdbalk in haar Moleskine-notitieboekje. Maart 1988: maatschappelijk werkster ontdekt dat Calliopes drie maanden oude baby wordt vermist. Dus, teruggerekend, december 1987: Calliopes zoon Donntay wordt geboren. Een eerder kind, ook een jongetje, was Callie afgenomen wegens verwaarlozing, maar het maatschappelijk werk weigerde op grond van de wet op de privacy er iets meer over te zeggen dan dat dit incident niet de reden was waarom Donntay bij zijn geboorte onder toezicht was gesteld.

Een kind afgenomen. Dat detail had in het televisieverslag ontbroken, en ook hier kreeg het weinig aandacht. Calliope was zeven jaar eerder uit de ouderlijke macht ontzet. Dat kind moest nu – een snelle rekensom – zevenentwintig zijn. Het wekte verwachtingen. Wat was er van dat kind geworden? Was het een deel van Callies verhaal? Hoorde het dat te zijn? Cassandra had voor *De geverfde tuin* onderzoek gedaan naar adoptieprocedures in de jaren tachtig en ze wist dat in de jaren negentig verschillende groeperingen begonnen aan te dringen op meer openheid, maar dat kon Callies eerste zoon niet meer helpen. Hij zou zijn moeder alleen kunnen vinden als ze allebei via een register toestemming voor openbaarmaking gaven.

Microfichebeelden zijn vaak korrelig, zeker als je ze afdrukt, maar Cassandra drukte toch op de toets om de foto van Callie uit 1988, toen ze voor het eerst was veroordeeld wegens minachting van de rechtbank, uit te printen. Callies gezicht stond hard, met holle ogen, en de strakke pezen in haar hals zagen er bijna pijnlijk uit. Toch was er, zelfs al droeg ze een vormeloze winterjas, de suggestie van een opvallend figuur, een modellenfiguur. Drugs? Cassandra had eens opgevangen dat heroïnegebruikers een moordlijf hebben, dat hun spijsvertering op hol slaat door de drugs en dat dat altijd zo blijft, zelfs al kicken ze af. Callie had neergeslagen ogen op de foto, maar haar advocate, die haar bij de arm hield, keek recht in de lens. Dat was de vrouw die Cassandra nog steeds niet had teruggebeld, een onvoorziene ontwikkeling. Tegenwoordig belde iederéén Cassandra terug. Goed, ze had niemand kunnen vinden die haar wilde helpen contact te leggen met de voormalige rechercheur die de zaak had onderzocht, maar die weigeraars hadden tenminste nog uit fatsoen en beroepseer de telefoon opgenomen.

Kijkend naar de jongere versie van de advocate merkte ze dat ze die allerlei eigenschappen toeschreef. Een buldog. Onaantrekkelijk. Genadeloos, maar het klopte. Hoe was het om lelijk te zijn? Cassandra, die zoals alle vrouwen die ze kende vol onzekerheden zat over haar eigen uiterlijk, werd elke dag een paar keer teleurgesteld door het gezicht dat ze in de spiegel zag. Hoe ouder ze werd, hoe vaker het voorkwam. Toch wist ze ook, diep vanbinnen, dat niemand haar ooit 'lelijk' zou noemen. Hoe zou dat zijn? Ze zou het natuurlijk niet leuk vinden, hoewel – het schoot haar opeens te binnen – lichamelijke aantrekkelijkheid weinig te maken leek te hebben met het vinden van een partner. De gewoontjes uitziende vrouwen die ze kende, leken het er op relatiegebied beter van af te brengen. Er was onlangs een zogenaamd economische verklaring voor gegeven, een weerzinwekkend staaltje populaire journalistiek dat neerkwam op het gebruikelijke advies: *Je wordt er niet jonger op, dus je kunt maar beter pakken wat je pakken kunt.*

Cassandra, die het huwelijksspel twee keer had verloren, was niet van plan zich weer op de vrijgezellenmarkt te vertonen, zeker niet na de poging van haar tweede man de huwelijkse voorwaarden te schenden. Het was pure chantage geweest, en het was hem gelukt: ze had hem meer gegeven dan hem toekwam in de hoop dat hij niet over haar uit de school zou klappen. Ze hield nog steeds van mannen – ze had zelfs een getrouwde minnaar, die ideaal was en vrijwel geen aandacht vergde – maar ze hoefde niet meer te trouwen. Haar vader had gelijk: het huwelijk had niets te maken met romantiek. Het eind van haar eerste huwelijk was ronduit tragisch geweest: haar liefje van de universiteit, te gronde gericht door demonen die hij al die jaren verborgen had gehouden en die hen beiden financieel hadden geruïneerd. Het tweede huwelijk was een vergissing geweest, niet meer en niet minder, en haar verslag ervan was een waarschuwing geweest met de volgende strekking: *Als je je op de vooravond van je huwelijk afvraagt of je een verschrikkelijke vergissing begaat, dan is het echt zo.*

Ze plaatste de spoel van 1995, die met het verhaal van Callies vrijlating, om te zien of de foto iets zou onthullen over de ervaring van zeven jaar in de gevangenis. Grappig, Callie was vrijgekomen rond de tijd dat Cassandra begon te schrijven. Op de tweede foto zag Callie er lichamelijk beter uit, maar haar gezicht stond ongelooflijk treurig. Cassandra zag geen vrouw die vond dat ze in het gelijk was gesteld, maar waarom zou ze dat ook vinden? Al was ze vrij, Callie werd er nog steeds van verdacht dat ze haar kind had vermoord en haar straf had ontlopen door iets wat veel mensen een maas in de wet zouden noemen, een list.

De onooglijke advocate was nu vervangen door een man. Een opvallend aantrekkelijke man. Hij leek tenminste wel tevreden; hij grinnikte niet echt, maar stond zichzelf een strak glimlachje toe dat een zweem van een kuiltje liet zien. Reginald Barr – de naam kwam haar vaag bekend voor. Tisha was Tisha Barr geweest en ze had een broertje gehad, maar dat werd Candy genoemd, deels omdat hij een schatje was, een echte charmeur, maar er was nog een reden voor die naam, een specifiekere. De Reggie-reep met karamel en chocola? Nee, die was later gekomen. Candy dankte zijn bijnaam aan het dansje dat zijn handelsmerk was, de manier waarop hij een obscure zanggroep imiteerde.

Cassandra's gedachten stormden op een verdwaalde herinnering af als een paard op een hindernis. Of ze klapte op de beperkingen van haar eigen geest, óf ze zeilde eroverheen en vond wat ze zocht, maar dít wist ze; het was ter sprake gekomen in haar eerste boek. De Astors, nog zo'n kwartet Temptations-imitators. Ze had ze in een muziekprogramma gezien – *American Bandstand* of Baltimores eigen Kirby Scott? – en haar vader wist van geen ophouden: 'De Astors! De Astors! Hoeveel van het familiefortuin zouden zij hebben geërfd?'

Maar er was een stukje waarin de zangers als bijen rond het hoofd van het leuke meisje gonsden, en daar had Candy Barr een sketch van gemaakt door zogenaamd bang naar de zwerm te slaan. Hij had ook een rare heupbeweging, hop-hop, heel vroegwijs, een beetje schunnig. Wanneer hij daarmee begon, joeg Tisha hem de kamer uit. 'Gee-whiz...' en dan nog iets.

Dus Tisha's broer had Callie verdedigd. Het was weer die kleine wereld waar Baltimore om bekendstond, zeker in de hechte zwarte gemeenschap van het noordwesten. Daar kwam nog bij dat het echt iets voor Tisha was om een oude klasgenoot te hulp te schieten, te proberen Callie weer te redden. Cassandra wist precies hoe ze het ging aanpakken: ze zou zich door Reg naar Tisha laten leiden, en dan zou ze zich door Tisha naar... alle anderen laten leiden. Ze schreef tenslotte over hen allemaal, al was Callie het middelpunt. Ze zou niet te koop lopen met haar belangstelling voor Callie, niet meteen, al zou ze blijven proberen die rechercheur op te sporen. *'Gee-whiz,'* zoals de Astors zongen. *'Have you seen our girl?'*

6

Banrock Station, waar is dat in godsnaam?

Teena Murphy zette de doos met drie liter chardonnay op de lopende band bij Beltway Fine Wines, iets wat ze – verdomme – gemiddeld elke zes dagen deed, en het zou iets vaker kunnen zijn, maar in het weekend mocht ze wodka drinken van zichzelf. Toch was deze ijzige dag in februari de eerste keer dat ze zich geroepen voelde na te denken over de naam van de doordeweekse wijn die ze had uitgezocht. Wijn in dozen had veel voordelen: de prijs, de betrekkelijke lichtheid van de verpakking, een serieuze overweging voor Teena, maar ze gaf er vooral de voorkeur aan omdat je niet zag hoe snel de hoeveelheid slonk.

'Geef je een feestje?' vroeg een plagerige tenorstem achter haar. 'Waarom ben ik niet uitgenodigd?'

Ze keek om, verbaasd dat iemand bij Beltway Fine Wines zulke grapjes tegen haar maakte. Teena was een lekker ding geweest in haar hoogtijdagen, maar die lagen ver achter haar. Ze had haar haar ook grijs laten worden, waardoor ze er nog ouder uitzag, net als door haar kleine, frêle uitziende postuur. Mensen flirtten niet met licht in elkaar gedoken, grijze dametjes in de avondspits na het werk bij Beltway Fine Wines.

Tenzij ze je van vroeger kenden.

'Lenhardt,' zei ze. 'Wat doe je in mijn tweede huis?' Als zij het grapje zelf maakte, kon het niet waar zijn, toch?

Haar vroegere collega lachte. Hij was ook ouder geworden, maar het was ook minstens vijftien jaar geleden dat ze elkaar voor het laatst hadden gezien. Teena werd nog uitgenodigd voor de kerstborrels, de pensioenfeesten en zelfs de reünies van de afdeling Moordzaken, maar ze ging nooit. Haar uitnodigingen

mochten dan op hetzelfde papier en in dezelfde envelop ver-
stuurd worden als alle andere, maar er hing een vleugje medelijden omheen. Medelijden en minachting.

'Je ziet er goed uit, Teenie,' loog hij. Zelfs in zijn wildere tijd,
tussen zijn twee huwelijken in, had Lenhardt een vrouw een
complimentje kunnen maken zonder het te laten overkomen als
een versierpoging.

'Jij ook,' zei ze, en dat was minder vergezocht. Hij zag er nog
net zo goed uit als altijd. Lenhardt, die nu in de vijftig was, was
altijd al een beetje gezet geweest, en hij had maar een beetje grijs
in zijn donkerblonde haar.

'Waar woon je tegenwoordig?'

'Aan Chumleigh Road, een zijstraat van York Road,' zei ze
snel, afwerend, zich altijd bewust van de roddels die haar pech
haar hadden opgeleverd. 'Aan de wéstkant van York Road. En
toen ik het kocht, was het nog niet zo duur.'

'Chumleigh!' Hij lachte om haar niet-begrijpende gezicht.
'Herinner je je Tennessee Tuxedo niet meer? Die pinguïn met
zijn vriendje Chumley de walrus? En Don Adams deed de stem
van de pinguïn? Nee? Nou, als ingezetene van Baltimore ben je
een van de burgers die ik moet beschermen en dienen, niet noodzakelijkerwijs in die volgorde. Heb je werk?'

'Bij Nordstrom.'

'Dat verklaart je chique kleren. Maar je hield altijd al van kleren, Teenie. Ik weet nog...'

'Ja,' zei ze om de rest van de zin niet te hoeven horen: ... *hoe
blij je was toen je bij de recherche kwam, dat je je eigen kleren
mocht dragen.* Toen ze eenmaal uit de uniformdienst was, had
ze zich prachtig gekleed. Het was in de jaren tachtig, niet de gun-
stigste modetijd, achteraf gezien, en ze had zich een creditcard-
schuld op de hals gehaald voor die buitenissige garderobe. Het
was de tijd geweest van de onzinnige overdaad: brede schouders,
grote sieraden, wilde motieven. Ze herinnerde zich een rok met
enorme koolrozen. O, en die grote truien van Adrienne Vittadine,
die iemand van Teena's lengte zo ongeveer als jurk kon dragen.

Haar collega's hadden haar geplaagd en gezegd dat ze net een punk was, want ze begrepen niet dat haar stijl een romantische kijk was op de straatmode. Ze was zelfs op het matje geroepen, ze moest zich matigen, maar haar vakbondsvertegenwoordiger was tussenbeide gekomen en had gezegd dat haar kleding binnen de richtlijnen viel. Het bureau was wel gewend aan modeplaatjes, maar dan in de mannelijke vorm: haantjes die rondparadeerden in dure pakken en dassen. De andere vrouwen bij Moordzaken gingen alle twee voor die saaie carrièrekleding bestaande uit mantelpakken en sjaaltjes. Dan had Teena net zo lief haar uniform weer aangetrokken.

Nu droeg ze donkere, sombere tricotstoffen die ze met haar personeelskorting kocht. Ze had gemerkt dat je andere vrouwen beter dure kleding kon verkopen als je er zelf neutraal uitzag, als het merk en de prijs er niet van af te lezen waren. Want dat was natuurlijk de paradox als je het bemiddelde vrouwen naar de zin maakte, het onuitgesproken verwijt dat je naar je hoofd geslingerd kreeg wanneer zo'n vrouw erachter kwam dat ze iets wat nieuw en trendy was niet kon dragen: *Wat weet jij er nou van? Jij kunt zoiets niet betalen.* Teena kende de kleren echter beter dan wie ook. Ze leefde ermee, dag in, dag uit. Ze zag haar bestaan bij Nordstrom als vergelijkbaar met een functie in een vreemd dierenasiel, vol exotische beesten die een nieuw baasje zochten. Ze was voorzichtig in het toewijzen van haar pupillen aan hun toekomstige bezitsters, vastbesloten de zeldzaamste alleen toe te vertrouwen aan cliënten die ze waard waren.

'Wat toevallig dat ik je hier tegenkom,' zei Lenhardt. Zijn karretje lag vol met wat Teena in gedachten 'fatsoenlijke' aankopen noemde: drie flessen wijn, een fles whisky en een krat Foster's-bier. Ze vroeg zich af hoe lang hij ermee zou doen, hoe vaak hij hier kwam, of hij één flesje bier bij het eten dronk, of twee, of drie. 'Nog maar een dag of wat geleden ben ik gebeld door iemand die je zocht, maar zo gaat dat. Je ziet een oude vriendin jaren niet meer en dan, *pats*, hangt de naam opeens in de lucht. Is het je wel eens opgevallen?'

De bediende zette haar doos terug in het karretje. Beltway Fine Wines had een eigen geur die Teena nooit helemaal kon plaatsen, een combinatie van hout, vochtig karton en iets kruidigs. Ze vroeg zich af of de verschillende dranken onder het dak zich in de lucht drongen. Ze voelde zich altijd een beetje... ánders wanneer ze hier was, maar ze kwam hier dan ook meteen uit haar werk, midden in de overgang van werk-Teena naar thuis-Teena. Geen mens noemde haar nog Teenie, maar ze kon nog steeds haar onverkorte naam, Sistina, niet gebruiken.

'Heeft iemand jou gebeld om naar mij te vragen?'

'Het informatiecentrum van de gemeente had haar nul op het rekest gegeven, denk ik, en toen is ze gaan wroeten en heeft een paar van je oude makkers gevonden, degenen die het zinkende schip begin jaren negentig hebben verlaten. Ik vermoed dat ze dacht dat we een wrok koesterden, dat wij eerder uit de gelederen zouden breken. Ze had half gelijk.'

Lenhardt was weggegaan toen een nieuwe commandant had geprobeerd de afdeling Moordzaken wisseldiensten op te leggen. Teena had aan de uittocht mee kunnen doen, maar een paar maanden later had ze dat ongeluk gekregen.

'Ze?'

'Een schrijfster. Tamelijk beroemd, geloof ik – ik weet nog dat mijn vrouw een van haar boeken las voor haar leesclub. Ze werkt aan een nieuw boek.' Hij haalde zijn betaalpas door de gleuf en nam zijn ingepakte aankopen van de bediende aan. Teena besefte dat ze andere klanten op weg naar de uitgang de weg versperde. Ze rolde haar karretje langzaam naar voren, maar Lenhardt haalde haar makkelijk in en voegde zijn tred naar de hare.

'Waarom wil ze me spreken?'

Hij keek haar veelbetekenend aan. 'Wil jij háár spreken?'

'Nee.'

'Dat dacht ik al. Ik heb haar niets verteld. Ik had niets te melden, maar anders had ik het nog niet gedaan, Teena. Dat weet je.'

'Maar... waarom? Waarom nu?'

'Ze besefte dat ze – hoe heette ze ook alweer, die vrouw die nooit iets heeft gezegd? – dat ze die kende.'

'Calliope Jenkins.' Ze voelde zich als een kind dat de boeman tart. Als je de naam drie keer zegt, komt ze tevoorschijn. Niet dat Teena bang was voor Callie Jenkins. Niet echt.

'Ja. Ze hebben op dezelfde school gezeten.'

'En dat is een boek?' Het laatste woord kwam er een beetje schril uit, maar het zoeven van de automatische deuren bood dekking. Ze stonden nu buiten, in de snijdende wind met speldenprikjes regen die pijn deden op blote huid. Teena was vergeten handschoenen aan te doen en haar handen waren pijnlijk. De medisch deskundigen die de andere kant had ingehuurd tijdens de arbitrage hadden gezegd dat Teena's ziekte van Raynaud toevallig was, dat ze niet kon bewijzen dat het een direct gevolg was van het ongeluk. Tengere vrouwen waren er vatbaar voor, hadden ze gezegd, maar vóór het ongeluk had Teena nooit last gehad van de kou.

'Ze heet Cassandra Fallows,' vervolgde Lenhardt. 'Die schrijfster, bedoel ik.' Hij was meegelopen naar haar auto en ze schaamde zich even voor het feit dat die zo gewoontjes was. Een regelrechte roestbak was nog minder vernederend geweest dan die groene, goed onderhouden Mazda die de hele wereld leek te verkondigen hoe nietig en saai haar leven was. 'Ik zag aan haar nummer dat ze uit New York kwam. Het begon althans met een 9. Voor het geval ze je toch vindt. Ik geef toe dat ik het heb geprobeerd, gewoon uit nieuwsgierigheid, maar je hebt een geheim nummer, al is je adres makkelijk genoeg te vinden via Kentekenregistratie. Maar dan moet ze wel naar het hoofdkantoor in Glen Burnie rijden. Maar toch, ook al is ze nog zo'n kluns, ze kan je adres vinden. Tenzij... Huur je of heb je een koophuis?'

'Koop.'

Hij trok een grimas. 'Nou, dat is goed... Ik bedoel, huren is weggegooid geld, maar dan ben je wel makkelijker te vinden. Sorry, ik praat tegen je alsof ik je vader ben. Ik ben ook vader. Van een jongen en een meisje, Jason en Jessica.'

'Gefeliciteerd.' Ze meende het. Vader zijn, ouder, leek haar iets wonderbaarlijks, zoals alle normale dingen, maar ze kon nu even niet aan Lenhardts kinderen denken. Een schrijfster die aan een boek werkte. Toen de zaak nog verser was, kreeg ze zo om de paar jaar een brief van een verslaggever, meestal een groentje van de *Beacon-Light*, een jonge hond die net op het verhaal was gestuit. Ze had het kunnen verwachten nu Calliopes naam weer werd opgerakeld, hoe vluchtig ook, door die zaak in New Orleans. Ze was zelf ook geschrokken toen ze het nieuws hoorde, maar ze had het al heel lang met niemand meer over Callie gehad. Dat was ook een reden om geen politiefeestjes te bezoeken. Geen verhalen over vroeger, geen indianenverhalen.

'Tot ziens, Lenhardt. Het was leuk je te zien.'

'Misschien kruisen onze wegen elkaar nog eens,' zei hij.

'Misschien,' beaamde ze. *Zeker als je hier regelmatig komt.*

Ze reed naar huis en was zoals zo vaak verbaasd toen ze er een kwartier later zomaar was, panisch in het besef dat ze zo afwezig had gereden. Ze was altijd gevoelig geweest voor dat wegdromen, en het was een van de redenen waarom ze buitenshuis vrijwel nooit iets dronk – met haar lengte en gewicht kon een royaal glas wijn al méér zijn dan ze volgens de wet mocht hebben. O, ze werd er niet dronken van – als je keek naar de hoeveelheid dooswijn die ze dronk, was daar vrij veel voor nodig, maar wie zou dat geloven wanneer Teena Murphy in haar dure kleren en onopvallende auto werd aangehouden? Ze zouden ervan uitgaan dat ze dronken was. Het zou verklaren hoe ze het overleefde Teena Murphy te zijn.

Toen ze haar parkeerplaats op reed, hoorde ze iets, misschien een krakende tak, en schrok zich kapot. Het geluid was de enige herinnering die ze had, en ze wist niet eens of haar brein dat niet achteraf had gefabriceerd, maar ze raakte in paniek van elk knappend of krakend geluid. Ze wist het niet zeker, maar ze dacht dat ze pas had geschreeuwd toen ze het geluid hoorde, al die krakende, brekende botjes, als twijgen onder de voet van een reus. In haar oren had het als hoongelach geklonken, iemand die de spot met haar dreef. Niet dat Calliope Jenkins ooit had geglimlacht, laat staan hardop had gelachen, al die keren dat ze haar door de jaren heen aan de praat had willen krijgen, maar Teena had altijd gedacht dat ze vanbinnen lachte, verrukt over haar vermogen hun allemaal te slim af te zijn.

Het ongeluk was een paar maanden na Calliope Jenkins' aangekondigde vrijlating gebeurd. Dat was echt zuiver toevallig. Teena was een vrouw gaan halen, de moeder van een jongen die zojuist in staat van beschuldiging was gesteld wegens moord, en de vrouw was door het lint gegaan. Teena was er altijd trots op geweest dat zij niet de fout beging haar wapen te snel te trekken, iets wat vrouwelijke politiemensen werd aangewreven. Hoe klein ze ook was, ze kon en zou klappen in ontvangst nemen, maar ze was moe geweest, die ochtend – níét dronken – en ze had haar wapen gegrepen, en de vrouw had het uit haar hand geslagen, waarna het onder een auto was gerold. Toen Teena ernaar reikte, was de auto achteruit gerold.

Ze liet zichzelf binnen in het kleine, nette rijtjeshuis dat ze had gekocht van het smartengeld van de fabrikant van de auto, de diepe beurs die uiteindelijk de verantwoordelijkheid voor haar ongeluk had geslikt. O, ze hadden niet toegegeven dat de handrem niet had gefunctioneerd, en ze hadden genoeg onderzoek gedaan, zei haar advocaat van de politiebond, om te weten dat ze haar geloofwaardigheid voor de rechtbank konden vernietigen. Ze hadden gewoon vastgesteld dat het goedkoper was om de zaak te schikken en wat niets was voor een grote autofabrikant, was meer dan genoeg om dit huis aan Chumleigh Road te kopen, contant. *Chumley!* Nu wist ze het weer. Ze had die tekenfilm gezien. Ze was het gewoon vergeten. Ze vergat veel. Ze was zesenveertig jaar oud en ze kon nauwelijks geloven dat ze ooit een klein meisje was geweest dat naar tekenfilms keek, dat had besloten dat ze naar de politieacademie wilde vanwege Angie Dickinson in *Police Woman*.

'Ze loopt mee in de kneuzenparade, hoor,' zei haar vader, en dan doelde hij op de andere populaire politieseries uit die tijd. 'Je hebt die vent in die rolstoel, die blinde en die vetzak. Zij is een vrouw, en die handicap is op zich groot genoeg.' Hij bedoelde het niet gemeen, en hij had beslist niet geweten dat het een profetische uitspraak was, dat zijn dochter nog eens dubbel mee zou doen aan de kneuzenparade. Hij had gewoon nooit begrepen waarom een knappe meid – en, al had hij het nooit gezegd, een heteroseksuele meid – voor een carrière bij de politie van Baltimore zou kiezen. Teena durfde het niet hardop te zeggen, maar ze dacht dat ze de eerste vrouwelijke commandant in de geschiedenis van het korps kon worden, de eerste vrouw van het land die een groot korps aanvoerde. In de jaren zeventig was het niet gek om zulke kul te geloven. Vreemd, maar nu er echt vrouwen korpshoofd waren – in Des Moines; in Jackson, Mississippi – leek het haar minder haalbaar. Toen zij in 1986 bij Moordzaken was gekomen, was ze de derde vrouwelijke rechercheur geweest. Nu, tweeëntwintig jaar later, waren er... twéé vrouwelijke rechercheurs.

Teena tilde de doos wijn uit haar kofferbak, waarbij ze haar rechterhand ontzag, en zette hem op haar heup, zoals een vrouw een kind kon dragen. Ze zou iets eten, een diepvriesmaaltijd, soep en een broodje, om het eerste glas wijn net lang genoeg uit te stellen om te bewijzen dat ze er af kon blijven. Ze zou afwassen en de keuken aan kant maken. Pas dan, en niet eerder, zou ze de trein nemen naar Banrock Station, en langs alle andere stadjes op de route tuffen, al die plekken die ze nooit zou kennen of bezoeken.

7

'De Elizabeth Perlstein Bibliotheek komt hier, en van de oude bibliotheek wordt meer lesruimte gemaakt, die we goed kunnen gebruiken.'

Cassandra keek met geveinsde belangstelling naar de blauwdrukken. Ze had geen goed ruimtelijk inzicht en kon het toekomstige gebouw niet voor zich zien, maar de rector – een nieuwe, wiens naam haar al was ontschoten – was duidelijk enthousiast over de toevoeging aan wat eerlijk gezegd altijd een rottig schooltje was geweest, een van de tweederangs particuliere onderwijsinstellingen van Baltimore, voor wie de stand bijhield. Dat bleken er velen te zijn. De gevestigde inwoners van Baltimore waren geniaal in het verwerken van een verwijzing naar Gilman, Friends, Bryn Mawr, Roland Park Country, Park School en zelfs Boys' Latin in anekdotes die daar niet echt om vroegen. Sommigen verbaasden zich erover dat de Gordon School nog bestond, en niet was verdwenen in de as van zijn eigen softe goede hippiebedoelingen. Het was echter nooit het *Harrad Experiment*/vrije-liefdefiasco geworden dat zich in de verbeelding van het grote publiek had genesteld. De school had hoge intellectuele eisen gesteld, niet alleen naar het model van het vrije experiment, maar ook naar dat van Engelse kostscholen en het op de klassieken gebaseerde programma van St. John's College. De befaamde ruimdenkendheid was beperkt gebleven tot het ontbreken van kledingvoorschriften en het niet geven van cijfers, wat ertoe had geleid dat er in wezen valse gegevens naar universiteiten werden gestuurd. Voordat die praktijk aan het licht was gekomen en verboden werd, had de Gordon School leerlingen op uitstekende universiteiten kunnen plaatsen. Gelukkig was Cassandra tegen die tijd al afgestudeerd aan Princeton.

Wat er ook aan Gordon mankeerde, de school had haar onbevoegde moeder wel wiskunde laten doceren in de onderbouw, en bovendien had Cassandra een beurs gekregen voor de laatste drie jaren van de middelbare school. De combinatie van de softe cultuur en hoge intellectuele eisen, maar zonder competitie, was ideaal geweest voor een leerling met haar instelling, en ze was echt blij dat ze nu de kans kreeg iets terug te doen.

Waar ze minder blij mee was, was de onophoudelijke druk die op haar werd uitgeoefend om meer van haar eigen geld aan het project bij te dragen. Het was gek hoe verkeerd anderen haar inkomen inschatten. De meeste mensen dachten dat ze veel minder had dan het geval was, omdat ze zich niet konden voorstellen dat een schrijver iets kon verdienen, maar sommigen, zoals deze rector van de Gordon School, vergisten zich naar de andere kant. De man had haar voorgesteld donateur te worden op 'diamantniveau', dat nota bene begon bij honderdduizend dollar. God mocht weten hoeveel je moest geven om je naam op een gebouw te krijgen; Elizabeth Perlstein, eindexamenklas 1988, moest óf een IT-miljardair zijn, óf er een aan de haak hebben geslagen. Gelukkig had Cassandra zich de kunst van het beleefde uitstel eigen gemaakt, het vermogen een definitief nee te mijden zonder ooit ja te zeggen. In plaats van een toezegging had ze afstand gedaan van haar honorarium als spreker, dat aanzienlijk was, en haar vader overgehaald zich bij haar op het podium te voegen om geld in te zamelen, waarbij zij hem, voor de allereerste keer, door een openbaar gesprek zou leiden over wat hem tijdens de rellen van 1968 was overkomen. De kaartjes voor alleen het gesprek kostten vijftig dollar, en dan was er nog een besloten diner voor degenen die bereid waren tweehonderdvijftig dollar neer te tellen. De school verwachtte bijna vijftigduizend dollar aan het evenement over te houden. Geen diamantniveau, maar wel platina, en meer dan voldoende naar Cassandra's maatstaven.

'We mogen van geluk spreken,' zei de rector. 'We waren bang dat de universiteit van Baltimore u al had ingepikt voor het congres.'

'O, dit betekent veel meer voor me,' zei Cassandra. In werkelijkheid had de universiteit van Baltimore haar niet eens benaderd, en ze hadden haar vader evenmin gevraagd zijn verhaal te vertellen voor het uitgebreide webarchief. Het had haar gekwetst, maar niet verbaasd, want toen *Dochter van mijn vader* eenmaal een commercieel succes was geworden, was er een tegenstroom op gang gekomen. Het punt van kritiek, dat het eerst te berde was gebracht door een middelmatige, lesbische, zwarte romanschrijfster, was dat Cassandra zich een ingrijpende politieke gebeurtenis had toegeëigend en er – ze kende de woorden uit haar hoofd – '... een verhaal van heeft gemaakt over het verjaardagspartijtje van een blank meisje, dat is verpest door de aanslag op dr. Martin Luther King, bochochoe'. Het had haar gestoken, maar ze was nooit zo dom geweest erop in te gaan. Op rustige momenten, wanneer die bijtende kritiek weer bovenkwam, discussieerde ze echter in gedachten met haar wraakgodin, een literaire eendagsvlinder die volgens de geruchten minstens drie boeken schuldig zou zijn aan drie verschillende uitgevers. *Schrijf me niet uit de geschiedenis. Juist jij zou moeten weten hoe het is als ze je het zwijgen opleggen, als ze zeggen dat je geen rol speelt – vanwege je ras of sekse, vanwege je seksualiteit. Mijn verhaal is mijn verhaal. En mijn vader, al was hij nog zo'n gecompliceerde, niet echt bewonderenswaardige man, heeft die dag een vrouw het leven gered.* Ja, haar kussen had het vaak gehoord.

Maar dit was nog maar het veertigjarige jubileum. Misschien mochten ze er bij het vijftigjarige wel bij horen. *Vijftig, over tien jaar.* Overrompeld door het besef dat ze op een leeftijd was gekomen waarop ze, statistisch gezien, niet meer mocht aannemen dat haar vader er over tien jaar nog bij zou zijn, miste Cassandra een opmerking van de rector. Ze glimlachte en knikte. Glimlachjes en knikjes verdoezelden een veelheid aan onachtzaamheden.

'Pedant,' zei Ric Fallows een paar uur later, toen hij haar verslag van de bespreking had aangehoord.

Het was een van zijn lievelingswoorden, zijn universele verwerping. 'Pedant', 'pedanterie', 'pederast'; het laatste leek onderling uitwisselbaar te zijn met *pedant*, al wist hij natuurlijk wel beter. De ironie was uiteraard dat Cedric Fallows veel pedanter was, in de letterlijke zin des woords, dan degenen die hij het etiket opplakte.

De pedanterie van die dag was afkomstig van een buurvrouw die zo vermetel was geweest zich erover te beklagen dat meneer Fallows in zijn ochtendjas op zijn terras had gezeten. En verder niets. Gezien het dorpse karakter van het verzorgingshuis, met aanleunwoningen rond gezamenlijke hofjes, konden de buren een glimp opvangen van Ric Fallows' ontklede toestand.

'Alleen als ze hun best doen,' merkte hij op toen Cassandra het ter sprake bracht.

'Nou,' zei Cassandra, 'dat doen ze dan blijkbaar. En met die ochtendjas kunnen ze wel leven, alleen moet er ook iets onder.'

'Dat was afgelopen zomer. Waarom begin je er nu over?'

'Omdat het voorjaar is *icumen* in,' zong ze. '*Lhude* zong de *cuccu* in zijne ochtendjas.'

Hij glimlachte. 'Het betekent "zomer", dat *icumen*. En je Middelengels is erbarmelijk.'

Maar ze had het spel volgens zijn regels gespeeld door een geleerde verwijzing te gebruiken om de spanning van het moment te verlichten. Ze kon het onderwerp laten varen en overstappen op een bespreking van hun aanstaande optreden op de Gordon School.

'Ik weet niet of ik wel wil,' zei hij tot haar verrassing. Ze had gedacht dat hij zou smachten naar dat beetje erkenning. Hij had nooit de academische carrière gemaakt die hij voor zich had gezien, nooit dat grote boek in zijn hoofd uitgebracht dat naar zijn idee de interpretatie van mythes radicaal zou veranderen. 'Joseph Campbell kan de pest krijgen,' foeterde hij van tijd tot tijd. Cassandra wist nog steeds niet of hij Campbell zag als de usurpator van zijn ideeën of de antithese van wat hij had willen zeggen.

'We kunnen niet meer terug,' zei ze nerveus, denkend aan de blauwdrukken en de kaarten die al waren verkocht. 'Ze hebben reclame gemaakt...'

'O, ik kom wel, als het moet, maar waarom kun jíj het niet vertellen, net als in je boek?'

'Omdat het jouw verhaal is.'

'Dat was het, maar op de een of andere manier is het het jouwe geworden.'

Ze woog zijn woorden. Deed hij zijn beklag? Erkende hij een literaire waarheid? Of was het iets ertussenin?

Toch had haar vader altijd trots geleken op haar boek. Ze herinnerde zich de eerste plaatselijke signeersessie, toen er niemand was gekomen, bij een onafhankelijke boekwinkel in het centrum van Baltimore die het hoofd net boven water wist te houden. Cassandra had niet veel vrienden meer in de stad. Haar vrienden stamden uit haar studententijd, de jaren in New York. Op haar allereerste feestje ter ere van haar allereerste boek was de winkel vol vrienden en uitgeverijtypes geweest, en daarna hadden ze gedineerd in een restaurant. In Baltimore, waar ze binnen zou worden gehaald als meisje uit de eigen stad dat het goed had gedaan, zo had de uitgever gedacht, waren welgeteld vijf mensen: haar vader en Annie, haar moeder met haar beste vriendin en een vrouw die de thematiek van het boek kennelijk verkeerd had begrepen en dacht dat het over de burgerrechtenbeweging in Baltimore ging. Toch was het een gedenkwaardige avond geworden, want het was de eerste keer sinds Cassandra's diploma-uitreiking van de middelbare school dat haar ouders en Annie in één ruimte waren geweest (toen ze haar kandidaats had gehaald, midden in het jaar, had ze de uitreiking laten schieten; ze had gewoon haar spullen gepakt en was naar haar onderhuurkamer in de Lower East Side gegaan, toen de Lower East Side de Lower East Side nog was).

Ze was die avond zenuwachtig geweest, want ze moest voorlezen waar haar ouders bij waren. En Annie. De passage die ze had uitgekozen voor optredens in de boekhandel leek opeens ongepast, want die draaide om haar poging het moment dat haar vader Annie leerde kennen te herscheppen. Haar ouders hadden haar bijgebracht dat ze onomwonden en nuchter over seks moest praten, maar gold dat ook voor hun eigen seksuele leven? Haar moeder had haar de biologische beginselen uitgelegd toen ze acht was, terwijl haar vader haar zijn leven lang bleef onderrichten in de minder benoembare aard van de begeerte. Ze was zes of zeven geweest toen haar vader een vrouw bij de kraam van Konstant Kandy op de Lexington Market had aangewezen. 'Die vrouw,' zei hij wijzend met zijn ijslepel, 'heeft een schitterende kont. In *Portnoys klacht* vergeleek Philip Roth zo'n kont met een perzik, het kan ook een nectarine zijn, maar dat is mij iets te platvloers. Wat denk jij? Een cello, wellicht, of een amaryllisbol, met de ruggengraat als de stengel en het hoofd als bloem?' Nee, die datering klopte niet, want Roths boek was er op haar zesde echt nog niet geweest. Ze herinnerde zich zelfs dat ze het gele omslag op het nachtkastje van haar vader had zien liggen, in het appartement waar hij met Annie woonde, en dat ze had gedacht: *Hij zegt dat hij te krap bij kas zit om nieuwe schoenen voor me te kopen, maar hij koopt wel gebonden boeken voor zichzelf.* Haar vader vond boeken evenwel net zo onmisbaar als eten. Hij zou perplex hebben gestaan als iemand had geopperd dat hij een boek niet hóéfde te kopen op het moment dat hij het wilde hebben. Bovendien was de bibliotheek van haar vader een goudmijntje voor een meisje met schunnige gedachten. Cassandra had Roth, Updike en Mailer gelezen. Ze had *Candy* gelezen, al begreep ze het pas toen ze op de universiteit Voltaire moest lezen. Haar vaders moderne boeken waren een veel betere voorbereiding op de wereld die ze betrad dan zijn klassieke bibliotheek. De boeken weerhielden haar er niet van een stomme verhouding te beginnen met een docent, maar ze wapenden haar wel met de informatie dat de docent minder macht had dan een jong meisje zou kunnen verwachten.

Ondanks Cassandra's zuurverdiende literaire wereldwijsheid kon ze de passage over haar vader en Annie niet in hun aanwezigheid voorlezen. Of, godbetert, in aanwezigheid van haar moeder en haar vriendin, die stijve Lillian. Ze las dus maar een stuk uit de proloog, maar ze had het niet voorbereid en struikelde over woorden alsof ze ze nooit eerder had gezien. Na afloop namen Annie en haar vader haar mee uit eten bij Tio Pepe's – hadden ze de tos gewonnen of verloren, vroeg Cassandra zich cynisch af – waar haar vader insinueerde dat Lillian een latente lesbienne was die al jaren verliefd was op Lennie, maar dat had zelfs Annie bespottelijk gevonden. 'O, Ric,' zei ze met een beverige zucht, en hij keek naar haar alsof hij niet kon geloven dat ze echt van hem was.

Wat was het een zoete wraak geweest om drie jaar later terug te keren naar Baltimore en een lezing te houden in de aula van de Pratt Bibliotheek, die uitpuilde van de mensen die het boek in pocketvorm hadden ontdekt. Voornamelijk vrouwelijke leden van leesclubjes, maar ook een paar veel jongere meiden, die hun eigen problematische vaders hadden, en zelfs een paar mannen op leeftijd, het type dat haar foto op het omslag iets te aandachtig had bestudeerd en dacht haar te kunnen helpen met haar pappieprobleempjes, of ze dat nu aan zichzelf konden bekennen of niet.

Ze vroeg zich nu af of haar vader, in weerwil van al zijn jaren voor de klas, last had van plankenkoorts.

'Je maakt je toch niet te sappel?'

'Wanneer heb ik me ooit te sappel gemaakt voor een verschijning in het openbaar?' kaatste hij terug. 'Trouwens, jij doet al het werk toch? Jij stelt de vragen en ik geef de antwoorden.'

'Nou, het staat aangekondigd als een gesprek. Jij zou mij ook best een paar dingen mogen vragen.' Haar stem haperde; ze was op oud psychisch zeer gestuit, het gebrek aan belangstelling van haar vader voor haar leven. Cassandra kende de verschillende manieren waarop haar vader een vrouwenkont kon beschrijven, maar hij wist niet goed wat haar beide echtgenoten voor de kost hadden gedaan. Nee, maar als ze hem dat had aangewreven, had hij gezegd: 'Ach, het waren toch geen blijvertjes.'

'Goed,' zei hij. 'Ik zal je een paar makkelijke ballen toespelen.'

'En wil je ook over Annie praten?' Tastend, omzichtig.

'Hoe bedoel je?'

'Over jullie eerste ontmoeting, de omstandigheden.'

'Zo nodig, maar weet je, het doet er niet toe...'

'Natuurlijk doet het er wel toe.'

'Er was geen oproer voor nodig. Ik had haar toch wel ontmoet, op de een of andere manier. Annie was mijn lotsbestemming.'

Zo had hij het altijd gerationaliseerd, maar het leed geen twijfel dat hij het zelf was gaan geloven. Hij had haar moeder niet bedrogen; hij had zijn lotsbestemming getroffen en was wel zo wijs geweest het Orakel van Delphi niet te tarten. Al weigerde hij het lot een rol te gunnen in welk ander aspect van zijn leven dan ook.

Cassandra kon zich maar moeilijk verzoenen met het feit dat haar vader zo'n grote, overheersende passie had gekend, veel groter dan zijzelf ooit had ervaren. Ja, ze wist hoe het was om je in het begin van een verhouding te laten meeslepen, maar ze verwonderde zich over diegenen die nooit over die ongeremdheid, die gekte heen leken te komen. Was het makkelijker geweest als de passie van haar vader haar moeder had gegolden, of moeilijker? In sommige opzichten was ze blij dat de ware liefde van haar vader niet haar moeder was geweest, want nu had ze die tenminste nog om haar gezelschap te houden. Bij Annie en haar vader had ze zich eenzaam gevoeld, het derde wiel aan de wagen. Zeker als tiener kon ze zich niet verzetten tegen het gevoel dat ze de hele tijd hoopten dat ze eens weg zou gaan, zodat ze weer met elkaar naar bed konden. Tieners denken natuurlijk dat de hele wereld de hele tijd om seks draait, maar zelfs nu, als volwassene met twee huwelijken achter de rug, geloofde Cassandra nog steeds dat de seksuele passie van haar vader en Annie een ongebruikelijk lang leven had gehad. Als Annie ook maar even de kamer uit liep, zat haar vader er verweesd bij. Als ze terugkwam, was de opluchting die over zijn gezicht trok bijna pijnlijk om te zien. Hij was gek op haar. Zo'n zin zou haar vader in een opstel met rood hebben onderstreept: te vaag, onnauwkeurig, overdadig. Toch was het in zijn geval waar, en Cassandra had geen flauw idee waarom.

Annie was mooi, ja, en de kleine tekortkomingen van haar gezicht – het spleetje tussen de voortanden, de appelwangen, de zware wenkbrauwen waar ze nooit iets aan deed – waren een tegenwicht voor de tekenfilmachtige volmaaktheid van haar lijf. Ze was ook lief. Niet van intelligentie gespeend, maar ook niet pienter. Dat had Cassandra nog het meest dwarsgezeten, toen en nu. Als haar vader, snob die hij was, een vrouw met een gemiddelde intelligentie kon kiezen, wat betekende dat dan voor zijn dochter? Na een tienertijd waarin ze zich buitengewoon opgelaten had gevoeld, was Cassandra een redelijk aantrekkelijke vrouw geworden. Niet noodzakelijkerwijs knap, maar wel sexy en aantrekkelijk. Toch werd ze er bij elk bezoek aan haar vader aan herinnerd dat de eigenschappen die hij haar had geleerd te waarderen – intelligentie, een snelle geest – niets te maken hadden met de vrouw die hij tot liefde van zijn leven had uitgeroepen. Een eersteklas geest, zei haar vader vaak, F. Scott Fitzgerald citerend, was in staat twee tegenstrijdige gedachten vast te houden zonder krankzinnig te worden. Cassandra keek naar zichzelf, ze keek naar Annie, en ze constateerde dat haar vader een eersteklas geest had.

'Etenstijd,' zei haar vader. Hoewel hij een keuken in zijn appartement had, gebruikte hij de maaltijden in de gezamenlijke eetzaal, maar hij wilde voor het eten altijd een cocktail. Hij leek een beetje beverig uit zijn stoel te komen, en Cassandra reikte hem de hand.

'Ik red me wel,' snauwde hij. 'Een beetje duizelig van die dure gin die je me opdringt. Er zit veel meer alcohol in.'

Hij had zijn eigen gin gebruikt en zijn cocktail gemixt naar zijn eigen precieze maatstaven, maar het gaf niet.

'Kom op, pap,' zei Cassandra. 'Laten we samen de berg beklimmen.'

Hij glimlachte, blij dat ze een van zijn favoriete gedichten aanhaalde. 'Maar ik ben er eerder dan jij.'

Bergneder stromplend

Dickey Hill, lagere school 201, nieuw in het najaar van 1966, ging open in een complete chaos. Ik stond in de hal bij het kantoor van de hoofdmeester en probeerde uit alle macht niet de hand van mijn vader te pakken. Nog maar vijf minuten eerder had ik zijn hand afgeschud toen hij me naar school bracht, een zeldzame verwennerij. We waren langs de Wakefield Apartments de heuvel op gelopen, wat aanleiding was geweest tot een onvermijdelijke voordracht van 'John Anderson'. Met Schots accent, nog wel.

John Anderson, mijn trots, John,
Wij klommen hier te gaar.
En menig blijden dag, John,
Beleefden we aan elkaar.
Nu stromplen wij bergneder,
Maar hand in hand, eens-lots;
Zoo slapen we aan den voet der rots!
John Anderson, mijn trots.

Het was voor het eerst dat ik me een tikje geneerde voor het gedrag van mijn vader. Vluchtig, zeker – het zou nog jaren duren voordat alles aan mijn ouders ondraaglijk werd, voordat ik al in elkaar kromp als mijn moeder iets zei, in de auto, waar niemand anders het kon horen – maar ik herinner me dat ik iets sneller ging lopen om te voorkomen dat de leerlingen die met de auto en de bus kwamen me in verband zouden brengen met die rare man.

'Weet je ook wat "schots" betekent, Cassandra?' overhoorde

mijn vader me naar aanleiding van een andere regel uit het gedicht: 'Uw haar is wit en schots.'

Ik deed alsof ik zeer geïnteresseerd was in de Wakefield Apartments, en mijn belangstelling werd al snel oprecht. Ik vond flats in het algemeen glamoureus, en hoewel dit gebouw niet strookte met mijn dromen over penthouses, hadden de wooneenheden met hun balkons het soort compactheid dat kleine kinderen vaak aanspreekt. Ik wilde vrienden maken onder de mensen die er woonden, zien wat er achter hun deuren en ramen school. Daar was ik vaak benieuwd naar, wat later zou leiden tot mijn armzalige poging in mijn levensonderhoud te voorzien als freelance journalist voor woontijdschriften. Waar ik ook kwam, of het nu de stoep langs de Wakefield Apartments was of de lange lanen met rijtjeshuizen die naar verschillende bestemmingen in het centrum voerden, ik wilde weten hoe de huizen van de mensen eruitzagen, hun levens, hun gedachten.

Aangezien mijn ouders me aanmoedigden alles te vertellen wat er door mijn kwikzilverige breintje speelde, vertelde ik mijn vader wat ik dacht.

'Ik hoop dat er kinderen in die flats wonen en dat ze bij mij in de klas zitten en dat ze mijn vriendjes worden en dat ik dan na school mee mag naar hun huis om daar te spelen.' Het was eenzaam aan Hillhouse Road, waar ik het enige kind in de vijf huizen was. Er waren wel tieners, maar die wilden mij er niet bij hebben. We hadden zo weinig gemeen dat ze net zo goed beren, marsmannetjes of salamanders hadden kunnen zijn.

'Dat zal je moeder niet fijn vinden,' zei mijn vader.

'Waarom niet?'

'Omdat je moeder een snob is.'

Ik liet het bezinken. Een snob vindt zichzelf beter dan andere mensen. Dat kwam niet overeen met mijn idee van mijn moeder, die altijd spijt leek te hebben van dingen. Ze putte zich altijd uit in verontschuldigingen, vooral tegen mijn vader. Voor de avondmaaltijd: het tijdstip van opdienen, de gerechten. Omdat ze me stiekem naar series als *Peyton Place* en, een paar jaar later,

Love, American Style liet kijken, wat mijn vader zo weerzinwekkend vond dat hij niet kon ophouden ernaar te kijken. De
door mijn vader verachte televisie zou een vast element worden
van mijn weekendbezoekjes aan hem, een betrouwbare manier
om me 'te vermaken'. Op vrijdagavond zat ik in vervoering voor
de televisie, die strijk en zet was afgestemd op ABC, en ging op in
de ene fantasie na de andere: de gecombineerde wereld van *The
Brady Bunch*, de huiselijke magie van *Nanny and the Professor*,
het harmonieuze bestaan van *The Partridge Family*, *That Girl*
(mijn persoonlijke idool) en *Love, American Style*. Het was leuk,
of dat had het kunnen zijn als mijn vader geen doorlopend commentaar had geleverd. ('Dus dit is er van de klucht geworden...
vergeet Sheridan, vergeet Wilde... Loopse maagden en een stel
holtorren.') Ik wist op mijn elfde al wel wie Sheridan en mrs.
Malaprop waren, en wie Oscar Wilde was, die had gezegd dat iedereen zich goed kon gedragen op het platteland, en ik wist zelfs
wat maagden waren: mensen die nog moesten proberen baby's te
maken. Het was mijn vader echter gelukt me te onthouden wat
'holtorren' waren, en ik moest maar aannemen dat het torren
waren die hard konden hollen. Als je loops was, kon je hard lopen en dus hollen. Pas op mijn eenentwintigste kwam ik achter
de werkelijke betekenis.

Op de eerste dag van de derde klas maakte 'holtor' nog geen deel
uit van mijn vocabulaire, al kende ik wel andere bijzondere woorden. 'Zuipschuit', bijvoorbeeld, mijn vaders lievelingsterm voor
mensen die veel dronken. 'Delaine', een prachtige stof waar mijn
moeder naar hunkerde toen ze ons huis met de karigste middelen
moest inrichten. 'Potentiaalvereffeningswandcontactdoosafdek-
plaatje', destijds het vermoedelijk langste woord uit het woorden-
boek. Ik kon het niet alleen spellen, maar had ook, op aandringen
van mijn vader, achterhaald wat het betekende, zo ongeveer. En ja,
ik wist wat 'schots' was, al moest ik het uit de context afleiden:
warrig, wanordelijk. Nu ik naar de derde klas ging, was ik van
plan die woorden superterloops te gebruiken om me te positione-
ren als een intellect waar je rekening mee moest houden.

Ik diepte mijn rooster op, nam afscheid van mijn vader, waarbij ik probeerde geen paniek te tonen, en liep de trap op naar het lokaal van juf Klein. Juf Klein was jong en knap, de twee beste dingen die een lerares kon zijn. Het lokaal liep snel vol en ik keek om me heen in een poging een beste vriendin uit te kiezen. Ik herkende een verlegen blond meisje dat ik wel eens in de buurt had gezien, maar keurde haar af. Ze had een rare blik in haar ogen, en donkere kringen eronder. Ik drentelde naar het groepje dat het meeste zelfvertrouwen uitstraalde, dat bestond uit drie meisjes. De tafels stonden in groepjes van vier en zij hadden een begerenswaardig kwartet bemachtigd, in het midden, bij het raam.

'Mag ik hier komen zitten?' vroeg ik aan de kleinste van de drie.

Ze keek snel naar de andere twee. De ene was lang en mollig, maar ik zag meteen dat niemand haar ooit zou durven pesten met haar gewicht. De andere was knap, maar te verlegen om oogcontact te maken. Het waren alle drie negerinnen, het woord dat ik toen zou hebben gebruikt, en met trots. Er zaten evenveel blanke als zwarte kinderen in de klas, heel anders dan op Thomas Jefferson, waar maar twee zwarte meisjes hadden gezeten. Het was niet waarom ik dat groepje koos, ik was me er zelfs niet al te sterk van bewust. Later zouden mijn ouders me erop wijzen; ik zou me er zelfs voor gaan generen. Mijn vader prees mijn vriendinnen veel te vaak, en mijn moeder was zo ongeveer trots op het feit dat ze de moeders zo áárdig vond, zo beleefd. Behalve die van Fatima.

Mijn vader was vooral dol op Donna, die hij Donna met de damhertenogen noemde, altijd met die woorden, Donna met de damhertenogen, maar hij mocht Tisha en Fatima ook graag. Ze zouden niet mijn enige vriendinnen op Dickey Hill zijn. Ik zou op den duur meisjes ontdekken die in de Wakefield Apartments woonden, bij hen thuis komen en dat bijna net zo boeiend vinden als ik had gehoopt, met die kleine, snoezige kamers, als iets wat een muis zou kunnen bouwen. Tijdens de schooldag bleef dit echter mijn groepje. Wij waren de slimme meiden, de aanvoerders, met alle vier een scherp omlijnde rol. Ik haalde goede cijfers (net als de anderen, maar de mijne waren het hoogst). Donna was de kunstenares. Fatima was de avontuurlijke, voorbestemd om alles als eerste te doen, en Tisha was de baas die op ons allemaal paste. We dachten dat wij de toekomst waren.

Glazen huizen
1-2 maart

8

'Goedemorgen, schat.'

Cassandra sliep diep en degenen die haar echt goed kenden, zoals haar ouders en haar twee ex-mannen, wisten dat ze de telefoon in haar slaap kon opnemen en dan zelfs een paar samenhangende zinnen kon uitbrengen. Die ochtend was ze uitgesproken gedesoriënteerd; ze wist niet waar ze was – o, ja, *Baltimore, het huurappartement* – en wie haar belde. Ze had gedroomd, en het was prettig geweest, maar meer herinnerde ze zich niet.

'Bernard,' prevelde ze nadat ze een paar zinnen door de nevel van de slaap hadden uitgewisseld. En toen: 'Wat voor dag is het vandaag?'

Hij lachte alsof ze een grapje maakte, maar de vraag was gemeend. Na meer dan tien jaar als voltijds schrijfster was Cassandra er nog niet aan gewend hoe het leven als kleine zelfstandige de dagen gelijktrok en alle verschillen liet vervagen. Maandag. Maandag? Ze had niet alleen vertrouwen in die dag, ze was er zelfs op gesteld. Naarmate de werkweek vorderde, kon ze het rijzende tij van vrolijkheid van de mensen die ze om zich heen zag, in cafés en koffietentjes, wel waarnemen, maar er geen deel aan hebben. Ze miste vooral de roes van de vrijdagmiddag en de weelderige leegte van de zaterdag, maar niet zo erg dat ze de dieptepunten van de werkweek weer zou willen meemaken. Het was een beetje alsof je op medicijnen zat, nam ze aan; elke nieuwe dag min of meer hetzelfde als de vorige.

Niet dat ze ooit medicijnen had gebruikt. In dat opzicht was ze echt de dochter van haar vader. Ric Fallows ging er prat op dat hij zelfs nooit een aspirine of iets tegen hooikoorts had geslikt, en hoewel Cassandra wist dat het standpunt van haar vader min of meer schijnheilig was, omdat het voortkwam uit de goede gezondheid waarmee hij was gezegend, moest ze zijn mening wel delen. Ze had het bijna komisch gevonden toen hij een cholesterolremmer moest gaan slikken.

Er was een periode geweest, kort voor de eerste scheiding, waarin ze een recept had gekregen, maar ze had het nooit opgehaald, al had ze de psychiater wijsgemaakt dat ze het middel slikte. Nadat ze dat in haar tweede bundel memoires had onthuld, had hij haar een verontwaardigde e-mail gestuurd. Verontwaardigd! Door de hele wereld – nou ja, een stuk of achthonderdduizend lezers, zo ongeveer – te vertellen dat ze zijn advies als psychiater niet had opgevolgd, redeneerde hij, had ze hem gebrandmerkt als incompetent, onwaardig. En het maakte niet uit dat ze zijn naam niet had genoemd, vervolgde hij, haar verdediging al voorziend.

Ik mag u erop wijzen, vervolgde hij gepikeerd, *dat het volgens de wet al smaad is als iemand herkenbaar is voor sommige mensen, niet voor iedereen. Uw exechtgenoot zou bijvoorbeeld kunnen weten dat die passage op mij slaat, dus de deducties zouden lasterlijk van aard kunnen zijn.*

Ze had teruggeschreven: *Mijn ex-echtgenoot kan nauwelijks een nog lagere dunk van u krijgen dan hij al had, gezien sommige 'adviezen' die u destijds hebt gegeven. Uiteindelijk ben ik tevreden over de gang van zaken, dus maakt het me niet veel uit dat u een onethische stommeling was en dat u niet bepaald goed kon luisteren. Als u zich zorgen maakt om uw reputatie als psychiater, let er dan op dat er een koppelteken hoort te staan tussen 'ex' en 'echtgenoot' en dat alleen de lezer kan deduceren; het woord dat u bedoelde, zal 'implicaties' zijn geweest, niet 'deducties'. Groetjes van uw voormalige patiënt, weer helemaal in orde, maar niet dankzij u.*

Tegenwoordig zou ze zo'n e-mail niet meer schrijven uit angst dat hij op internet terecht zou komen, maar destijds was het lekker geweest. Ze had er goed aan gedaan de medicijnen die de psychiater haar had opgedrongen niet te slikken. Niets voelen was niet de sleutel tot het geluk.

Bernard was dat evenmin.

'Het is zaterdag,' zei Bernard, 'en Tilda is een weekendje naar haar zus in Connecticut. Kan ik naar je toe komen?'

'Dat zou kunnen, als ik in Brooklyn was,' zei ze, 'maar ik zit in Baltimore voor mijn nieuwe project, dat had ik je toch verteld?' Ze was nu wakker en hoorde alles, ook wat niet hardop werd uitgesproken.

'Ik dacht dat je in de weekends terug zou komen.'

'Niet alle weekends. En het was niet in me opgekomen dat jij op een zaterdag vrij zou zijn.'

'Ik had het ook niet voorzien,' zei hij, 'maar jij was de eerste aan wie ik dacht.'

'Lief van je,' zei ze en ze onderdrukte een geeuw. Bernard was echt lief. En tactvol, niet alleen ten opzichte van haar, maar ook ten opzichte van zijn vrouw. Goed, hij bedroog haar, maar op de hoffelijkste, zorgzaamste wijze die je je maar kon denken. Cassandra had de verhouding kunnen goedpraten op grond van het feit dat die echt om seks draaide – seks en een beetje gezelschap. Ze hoefde niet meer te trouwen en de mannen met wie ze omging, konden dat uiteindelijk niet verkroppen. Bernard, die oprecht van zijn vrouw hield, had de ideale oplossing geleken omdat je hem kon inplannen, meestal weken van tevoren.

Alleen was hij de laatste tijd kleverig geworden, veeleisend. Hij hield niet van Cassandra, maar hij kon het niet verdragen dat zij niet van hem hield. Ze liepen op hun laatste benen. Ze hoopte dat het niet al te akelig zou aflopen. Ze had er eigenlijk op gerekend dat hij haar ontwend zou raken in de tijd dat ze in Baltimore was, dat haar afwezigheid de weg zou vrijmaken voor een pijnloze breuk.

'Misschien kan ik naar jou toe komen,' zei hij. 'In het weekend ben je er zo met de auto.'

'Ik ben aan het werk,' loog ze in een reflex.

'Op zaterdag?'

'Ik heb een paar interviews afgesproken.'

'Hoe gaat het?'

'Goed,' zei ze, en ze hoopte dat het waar was. Ze wist het werkelijk niet, maar Bernard, die ze een jaar eerder bij een lezing had leren kennen, moest geloven dat ze nooit twijfelde als het op haar werk aankwam. Hij had de roman in manuscriptvorm gelezen en briljant verklaard. Bernard werkte op Wall Street, en zijn voorspellingen ten aanzien van geld waren veel betrouwbaarder dan zijn meningen op literair gebied. Had hij die conservatieve, de-zeepbel-moet-uit-elkaar-spatten-mentaliteit maar toegepast op haar laatste boek. Alle grondstoffen krijgen een keer een dreun, had hij pas nog gezegd. Hij doelde op olie, maar Cassandra vroeg zich onwillekeurig af of het niet ook op haar sloeg.

'Ik mis je,' zei hij op een toon die deed vermoeden dat hij veel gevoel in die drie woorden wilde proppen. Hij had tenminste niet 'ik hou van je' gezegd. Dat was rampzalig geweest.

'Ik jou ook,' verzekerde ze hem. In zekere zin was het waar. Ze had hem nu graag in haar bed gehad. Hij was een attente minnaar en het feit dát hij een verhouding had, zijn eerste, beweerde hij, wond hem al op. Cassandra geloofde het niet helemaal, maar ze begreep dat hij zichzelf ervan had overtuigd. Ze vermoedde dat Bernard serieel monogaam was en twee evenwijdige sporen volgde: hij was Tilda trouw, hij was zijn minnaressen trouw. Zoiets als een treinverbinding met een intercityspoor en een boemelspoor. Het boemeltje was zijn leven met Tilda, een blonde vrouw met een lief gezicht die soms in het zondagse stijlkatern van de *Times* stond, een ouderwetse New Yorkse echtgenote met een geweten die uit plichtsgevoel veel goede werken deed. In de intercity snelde hij door verhoudingen met vrouwen met wie hij nooit echt een band kon smeden. Cassandra was zijn eerste creatieve type, en als ze het fatsoen had gehad te doen alsof ze verliefd op hem was, had hij nu waarschijnlijk al genoeg van haar gehad. Ze had er gewoon de fut niet voor.

'Ik...' begon hij en ze onderbrak hem snel, om de verklaring tegen te houden die ze niet kon aanhoren.

'Ik kom na volgende week terug, op maandag of dinsdag, om met mijn uitgever te praten. 's Avonds kun je toch meestal wel weg?'

'Ja, als ik het bijtijds weet.'

'Ik zal je ruim op tijd waarschuwen.' *En de afspraak op het laatste moment afzeggen.* Waarmee ze op de korte termijn niets zou bereiken. Als ze zo afstandelijk bleef doen, kon hij op het idee komen Tilda te verlaten. 'Tot ziens, liefje,' voegde ze eraan toe, in de hoop dat hij er genoegen mee zou nemen.

Ze was nu pas echt wakker, en het leek een koude, maar heldere dag in maart te zijn. Vreemd, hoeveel invloed het weer op je stemming had. Of de lucht nu grijs was of blauw, haar omstandigheden bleven elke dag hetzelfde. Was ze gelukkig? Ze wist dat ze het zou moeten zijn. Ze had geld, haar gezondheid en zelfs een ziektekostenverzekering. Ze leefde zoals ze wilde. Ze had geen man of kinderen, maar die zaken werden overschat. Ze had Bernard, al had die verhouding een terugval. Haar tweede boek was geëindigd met de bewering dat ze de inhoudsloze verhoudingen achter zich had gelaten, dat ze tevreden was in haar eentje.

Was ze gelukkig? Was ze zelfs maar tevreden? Ze moest wel denken dat een echt gelukkige, tevreden vrouw zich niet zo verwoed tegen de veroudering van haar lichaam zou verzetten, maar haar haar grijs zou laten worden, de gezichtsbehandelingen zou laten voor wat ze waren en bovenal de sportschool zou laten doodvallen, die sisyfusachtige strijd tegen de zwaartekracht, maar Cassandra was ook bang dat haar leven te makkelijk was, dat kleinigheden werden uitvergroot door al het comfort, en de sportschool was de enige plek waar ze op actief verzet stuitte. Tot de verschijning van haar roman, althans.

Had er niet iemand in een gedicht geschreven dat het de kleine dingen waren, zoals het rafelen van een schoenveter, die je geest konden breken? Ze liep naar haar laptop, googelde 'rafelen schoenveter' en kreeg negen treffers, waarvan de helft over *De mezzanino* ging, het boek van Nicholson Baker, maar ze vond ook een blog waarin het gedicht werd toegeschreven aan Charles Bukowski, dus zocht ze opnieuw, nu op de termen 'Bukowski' en 'schoenveter'. En daar was het gedicht, dat ook 'De schoenveter' heette. O, hij rafelde niet, hij knápte, en dat kan een man (of een vrouw, voegt Bukowski er in een moment van bovennatuurlijke politieke correctheid aan toe) naar het gekkenhuis sturen.

Ze las door, onder de indruk van een dichter die ze nooit veel aandacht had geschonken. Hoe progressief haar vader ook mocht zijn, hij verafschuwde de 'nieuwe' stemmen, zoals hij ze noemde: Bukowski, Ginsberg, Kerouac, Burroughs. Wie van zichzelf beweerde dat hij revolutionair was, kon het niet echt zijn, zei Ric Fallows, en zo slaagde hij erin te verkondigen dat hij wél revolutionair was, want hij liep er niet mee te koop. Cassandra, die op allerlei manieren tegen haar vader in ging, sprak hem deze keer niet tegen. Ze had het te druk met Sidney Sheldon en Judith Krantz en dat ene echt choquerende boek – *Laurel Canyon*? – waarin een meisje met uitgesproken masochistische trekjes zich aanbiedt voor een groepsverkrachting waar weer een andere man naar kijkt vanwege het seksuele genot. Welk tienermeisje had tijd voor Bukowski zolang er ook zulke boeken waren?

Nu las ze echter door, geïnteresseerd in Bukowski's lijst van dingen die tot krankzinnigheid konden leiden. Autopech, gebitsproblemen, een avocado van vijftig cent (merkwaardig, dacht ze). Het waren voornamelijk juist die dingen waar ze tussen haar twintigste en veertigste zo tegen op had gezien. Autoreparaties, tandartsbehandelingen... nooit voldoende gedekt, hoe goed je verzekering ook was. Voeg daar nog de Bulgaarse wijn aan toe die haar eerste man en zij waren gaan drinken omdat die maar vijf dollar per fles kostte; het stelen van wc-papier bij de Burger King, wat ze een aantal keren had gedaan toen ze de eindjes aan elkaar moest zien te knopen als assistente in de uitgeverij; bladderende nagellak terwijl je die pedicure niet eens had kunnen betalen of rechtvaardigen. Bukowski had uiteraard ook een politieke litanie, maar ze kon zich niet voorstellen dat iemand gek zou worden van wat er in de wereld gebeurde. Niet rechtstreeks.

Dat was het probleem, vermoedde ze. De gesprongen gloeilamp in de hal kon je laten krijsen aan het eind van een lange, frustrerende dag, maar zou je ongerustheid over de opwarming van de aarde je ertoe aanzetten de volgende keer een spaarlamp te nemen? Ze haatte de term 'onverschillige natie', maar als ze die mocht invullen, zou ze tekeergaan tegen de gelatenheid van de mensen, hoe ze gewend leken te zijn aan hun eigen machteloosheid. Lakse natie. Tegenwoordig ging je als je veter knapte achter de computer zitten, las over het nieuwste krankzinnige sterretje, surfte naar Zappos en bestelde nieuwe schoenen, want wie had er nog tijd om véters te zoeken?

Ze klikte terug naar de rechthoekige robotmond van Google, die altijd bereid was zich te laten vullen. Dan was het maar zaterdagochtend, nietwaar? Ze was in Baltimore, ze had niets te doen en ze hoefde nergens naartoe. Ze zou echt aan het werk kunnen gaan, de leugen tot waarheid maken. Ze begon met 'Leticia Barr'. Niets. Ze probeerde 'Tisha', maar dat leverde ook geen resultaten op. 'Donna Howard' leverde te veel op; het was ook de naam van een Texaanse politica en een helderziende. Fatima, groter dan levensgrote Fatima. Die moest toch zeker haar stempel op de wereld hebben gedrukt? Weer niets. Waren ze allemaal getrouwd, hadden ze de naam van hun man aangenomen? Dat deden veel vrouwen, zelfs brave feministen, vooral als er kinderen kwamen. Het schoot Cassandra te binnen dat ze één naam kende die vrucht zou afwerpen: Reginald 'Candy' Barr, maar dan zonder de bijnaam. Ze vond meteen de officiële pagina van zijn juridische firma, Howard, Howard & Barr.

Wauw, wat een kanjer. Dat had ze op de krantenfoto niet gezien. Misschien was deze op de een of andere manier geretoucheerd? Photoshop verdoezelde een veelheid aan zonden, zoals uit haar eigen auteursfoto bleek.

Ze wilde op 'contact' klikken, maar bedacht zich. E-mail was te zakelijk. Het formulier zou bij een administratief medewerker terechtkomen, en het bestaan ervan alleen al zou erop wijzen dat ze iets wilde; het zou haar status als smekeling bekrachtigen. De telefoon? Wie zou er op zaterdag op kantoor zijn? Ze keek naar het adres, een kantoortoren in het centrum waarin meer bedrijven waren gevestigd, een plek waar een toevallige ontmoeting geloofwaardig kon zijn. Ja, zo zou ze beginnen.

Zou hij haar herkennen? Veel mensen herkenden haar, en ze zeiden dat haar gezicht weinig was veranderd ten opzichte van tien, twintig, dertig of zelfs veertig jaar geleden. Cassandra wist nooit wat ze ervan moest denken, of het een compliment, een leugen of een belediging was. Een gezicht hóórde in de loop der jaren te veranderen, en ze dacht dat het hare was opgeknapt sinds de hamsterwangetjes uit haar jeugd. Nog belangrijker: zou zij hem wel herkennen, was er nog een spoor van de kleine Candy Barr die ze had gekend? Ja, er was nog een glimp van de kuiltjes, zelfs op dit beroepsmatige portret dat ernst en bekwaamheid, 'ik zorg dat u krijgt wat u verdient', moest uitdragen.

Haar plan was haalbaar, nét. Het enige minpunt was dat ze tot maandag zou moeten wachten. Ze keek zuchtend naar de programmering van de buurtbioscoop, vroeg zich af of ze iets ingewikkelds zou koken en vond het jammer dat ze niemand had om voor te koken. Als het rafelen, nee, knappen van een schoenveter naar het gekkenhuis leidde, waar ging je dan naartoe als je nooit hoefde te tobben over veters en avocado's van vijftig cent? Hier, op negen verdiepingen boven een stad waarin ze ooit thuis was geweest, voelde Cassandra zich in de watten gelegd, te ver verwijderd van dagelijkse beslommeringen. De sportschool kon haar lichaam hard houden, maar wat hield haar géést sterk? Ze wist hoe ze haar leven niet wilde definiëren – aan de hand van een man of zelfs maar haar werk – maar ze had geen idee wat iemand nog meer kon karakteriseren. Ze zou nooit weer drieëntwintig willen zijn, blut en maar net rondkomend, maar ze miste het avontuur van het opdiepen van Bulgaarse wijn uit de koopjesbakken van de buurtslijter, het lachen om het etiket en de prijs. Lachen om zichzelf, een vermogen dat het risico liep te atrofiëren.

9

In tegenstelling tot hun tegenhangers in New York ontkennen flatgebouwen in Baltimore het bestaan van de dertiende verdieping niet. Gloria was altijd blij geweest om dat gebrek aan bijgelovigheid in haar geboortestad, de weigering te doen alsof het weglaten van een getal op een liftpaneel het getal helemaal kon laten verdwijnen. Met de dertiende verdieping de veertiende noemen bereik je niets; alleen maak je van elke verdieping vanaf de dertiende een leugen.

Toch was het zuiver toeval dat ze op de dertiende verdieping van het dertien verdiepingen tellende Highfield House terecht was gekomen. Ze had jaren om het gebouw heen gedraaid, een ontwerp van Mies van der Rohe uit het begin van de jaren zestig, wachtend tot het juiste appartement vrijkwam, en daarna had ze nog een jaar gewacht terwijl het vanbinnen werd gesloopt en gemoderniseerd door een plaatselijke architect. Het flatgebouw had weinig gemeen met zijn buren, torens in rode baksteen die een meer voor de hand liggende voornaamheid nastreefden. Het was gemaakt van glas en witte stenen, stond op stelten en wilde een aanvulling zijn op het landschap. Gloria had geprobeerd diezelfde sfeer te scheppen in haar appartement, om haar collectie abstracte kunst en art-decomeubelen uit te kunnen stallen. Als Gloria ooit bezoek zou ontvangen, zouden haar gasten versteld staan van het onberispelijke, moderne appartement, dat zo botste met de persoonlijke verschijning van zijn eigenares.

Maar Gloria ontving nooit bezoek. Ze was heel bezitterig ten aanzien van haar huis, dat ze alleen voor zichzelf wilde houden.

Vanochtend was ze ontwaakt in het bloedeloze winterlicht en had zichzelf de zaterdagse luxe gegund langzaam aan de dag te wennen. Een pot koffie, geroosterd kaasbrood van Eddie's en de geruststellende stem van Scott Simon van NPR die op de achtergrond rammelde. Ze luisterde niet echt naar wat hij zei, maar ze hield van zijn stem, die haar suste. Er was een voorpagina-artikel over haar padvinder, Buddy Harrington, en Gloria wist genoeg van de pers om te beseffen dat de *Beacon-Light* het verhaal te zwak vond voor de voorpagina van de zondagskrant. Het was wat krantenjongens een 'zoethoudertje' noemden; het bood niets echt nieuws. De journalist had de moorden in een landelijke context geplaatst en middels statistieken aangetoond hoe zelden kinderen hun ouders vermoordden. Nou, daar zou iedereen die met zijn gezin aan het zaterdagse ontbijt zat, vast van opknappen. Vader- en moedermoord zijn statistisch gezien zeldzaam. Laten we eerst wat spullen in het winkelcentrum gaan kopen om het te vieren en dan op weg naar huis bij McDonald's langsgaan.

Maar hoe groot was de kans dat een kind door zijn ouders werd vermoord? Veel groter. Gloria had die zaken nagetrokken voor het geval ze haar padvinder à la de broertjes Menendez zou moeten verdedigen. Ouders vermoordden vaker kinderen dan andersom, al moest je erbij zeggen dat ze zich maar zelden tegen hun tienerkinderen keerden. Nee, het waren de jonge kinderen die onder hun ouders moesten lijden. En wanneer een kind van nog geen jaar oud werd vermoord, was de dader vrijwel altijd de moeder, en die moeder was vrijwel zeker arm en waarschijnlijk geestesziek.

Net als Calliope Jenkins. Die, zou Gloria zich haasten tegen een verslaggever op te merken – niet dat ze ooit met iemand over Callie praatte, laat staan met een verslaggever – officieel geen moordenaar was, en evenmin officieel krankzinnig verklaard. Ze had zeven jaar in de gevangenis gezeten, ongeveer net zo lang als ze voor moord had kunnen krijgen, zo niet langer, maar je mocht haar geen moordenaar noemen.

Gloria had bij Howard & Howard gewerkt toen de firma de zaak kreeg. Pro deo, zoals de Howards soms werkten, maar moord was niets voor Andre Howard en Julius, zijn broer, dacht nog steeds dat hij ooit burgemeester of gouverneur zou kunnen worden, al geloofde verder niemand er nog in. Dus hadden ze dit pro-deobotje naar een jonge hond gegooid.

En Gloria, ambitieuze laatbloeier die ze was, was zo stom geweest te denken dat het een beloning was, of toch in elk geval een vuurproef.

Ze was al in de dertig toen ze jurist werd, nadat ze de tijd vanaf haar twintigste grotendeels had verspild aan het schoolsysteem van Baltimore. Ze had Engels gedoceerd aan een middelbare school, en zelfs dat had een verbluffende prestatie geleken voor de onwettige dochter van een vrouwelijke conciërge. In Baltimore was lang het gerucht gegaan dat Gloria's vader burgemeester of raadslid was geweest, maar die legende was pas naderhand gecreëerd, een oorsprongmythe om te verklaren waar die harde advocate vandaan was gekomen. Gloria had geen idee wie haar vader was, maar dit wist ze wel: haar succes als jurist zat haar niet in het bloed, ze was er niet voor in de wieg gelegd. Ze had zichzelf ertoe gedwongen toen ze in de gaten kreeg hoe sterk anderen aan haar twijfelden.

Ze herinnerde zich haar eerste ontmoeting met Calliope wel. Die was toen nog niet in hechtenis genomen, nog niet, en hoewel ze zo stom was geweest toe te stemmen in een politieverhoor zonder advocaat erbij, was ze niet zo stom geweest iets te zeggen. Voorzover Gloria het begreep, had de politie een huiszoekingsbevel aangevraagd voor haar woning, en de rechter die het bevel had getekend, had kennelijk iemand getipt, die de zaak onder de aandacht van de gebroeders Howard had gebracht. Gloria had de opdracht met plezier aangenomen. Het bescheiden honorarium dat ze als pro-deoadvocaat in rekening mocht brengen, zou maken dat ze niet langer een van de topverdieners was, maar dit was duidelijk belangrijk voor de Howards. Was ze misschien op weg partner te worden? In die tijd was er nog nooit een blanke vrouw als partner in de firma opgenomen; het was al moeilijk genoeg voor een blanke man.

Ze reed naar het rijtjeshuis aan Lemmon Street, waar ze aankwam toen de politie allang weer weg was. Calliopes ogen hadden over haar heen gedwaald, niet echt achterdochtig, maar zeker ook niet vol vertrouwen. Haar blik sloeg Gloria uit het lood. Was Callie krankzinnig? Mogelijk. Gloria had altijd het gevoel dat Calliope zowel meer als minder zag dan er te zien was.

'Ik heb niets te zeggen,' zei ze.

'Ik ben je advocaat,' zei Gloria. 'Ik werk bij Howard & Howard, en mijn firma zal je pro deo vertegenwoordigen. Kosteloos.'

'Dat wéét ik wel,' zei Calliope met een scheef glimlachje, maar het was Gloria niet duidelijk of ze bedoelde dat ze de betekenis van 'pro deo' kende of er gewoon van uit was gegaan dat ze gratis rechtsbijstand zou krijgen.

'Als je advocaat wil ik dat je weet wat je opties zijn. Je hebt je beroepen op het grondwettelijke recht niet tegen jezelf te hoeven getuigen...' – waarom drukte ze zich zo omslachtig uit, met al die grote woorden? Calliope Jenkins had iets wat haar op de zenuwen werkte. Niet iets boosaardigs, zoals de padvinder die ze vertegenwoordigde, maar iets wat maakte dat Gloria haar bijna wanhopig graag wilde behagen, imponeren. 'En dat is een legitiem recht, maar een rechter kan je van minachting van het hof beschuldigen en je in de cel zetten om je te dwingen de verblijfplaats van je kind te onthullen, dus als je je zoontje kunt laten zien en kunt bewijzen dat hij veilig is, zou je die optie in overweging moeten nemen.'

'De rechter heeft mijn eerste kind afgepakt,' zei Calliope vlak en lusteloos. 'Donntay zou me ook worden afgenomen.'

'Die angst is redelijk,' zei Gloria, die probeerde niet te laten merken dat het noemen van het eerste kind haar van haar stuk had gebracht. Ze had alleen maar geweten dat dit kind, dat als vermist was opgegeven door Jeugdzorg, vanaf de geboorte in de gaten was gehouden door het systeem. Was Calliope al eerder een kind kwijtgeraakt? Gloria vroeg zich af of ze dat stil zouden kunnen houden, maar nee, Jeugdzorg zou het lekken, via een achterdeurtje. Hoewel? Ze zaten daar ongetwijfeld zelf ook met de gebakken peren, nu ze een moeder die haar kind verwaarloosde drie maanden niet hadden gecontroleerd. De wet zei duidelijk dat eerdere mishandeling en verwaarlozing niet konden worden aangevoerd om een kind uit voorzorg weg te halen, maar de massa zou schreeuwen om het bloed van degenen in de hogere regionen.

'Ik hoef niets te zeggen.' Het was een mantra, een litanie, telkens herhaald om zichzelf erop te wijzen, niet om Gloria uit te dagen.

'Nee, dat klopt. Geen mens kan je dwingen iets te zeggen, maar nogmaals, de rechter zal je zwijgen niet lichtvaardig opnemen. De rechter... de rechter is in zekere zin de vertegenwoordiger van je zoontje, en hij zal doen wat hem in het belang van je zoontje lijkt...'

'Mijn zoontje.' Calliopes gezicht vertrok; haar stem was een lage jammerklacht. Ze zag eruit alsof ze in geen dagen had gegeten of geslapen. Ze had zich in elk geval niet gewassen. Calliope stonk. Ze rook schimmelig, misschien doorweekt van de urine. Later zou ze zweren dat ze geen drugsverslaafde was, maar Gloria had het nooit echt geloofd. Al was ze wel afgekickt. Hoe kon het anders, na zeven jaar in de gevangenis?

'Als je je zoontje kunt laten zien, als je kunt aantonen dat hij het goed maakt...' – ze woog haar woorden op een goudschaaltje om maar niets te zeggen wat een bekentenis kon uitlokken. Hoewel het niet met zoveel woorden was gezegd, had Gloria het gevoel dat de zaak alleen boeiend was voor Howard & Howard vanwege het grondwettelijke aspect. Andre Howard wilde dat ze vasthoudend zou zijn op dat front, om de firma goed te laten overkomen. 'Als hij het goed maakt, moet je dat aantonen.'

'Nee, maar,' zei Calliope. Ze maakte een verwarde indruk. Hoe had ze een verhoor van vijf uur doorstaan zonder iets prijs te geven? 'Nee, ik ga niets aantonen. Ik wil me beroepen tot... met...'

'Beroepen op. Maar maak je niet druk om de woorden. Je kunt gewoon zeggen dat je niet wilt praten. Ik ben erbij om het juridische gedeelte uit te leggen. Er komt een hoorzitting. Na afloop daarvan word je misschien opgesloten, maar ik blijf bij je.'

'Sta jij achter me?' Het klonk hoopvol, verbijsterd.

'Ja.'

'Hoe lang het ook gaat duren?'

'Hoe lang het ook gaat duren.' Ze was nooit oprechter geweest. En, zo was gebleken, ze had er nooit verder naast gezeten. Calliope Jenkins had zeven jaar in de gevangenis gezeten, en Gloria was maar vijf van die zeven jaar haar advocate geweest. Toen was ze bij Howard & Howard weggegaan om haar eigen praktijk te beginnen, en ze had Calliope overgedragen aan Reggie Barr, ooit haar beste vriend bij de firma, haar vertrouweling, maar ook haar rivaal als het om een plek in de maatschap ging. Ze had Calliope verraden, en het ergste was nog wel dat Calliope niet boos of zelfs maar verbaasd was geweest. Verraad hoorde tot de natuurlijke orde der dingen in Calliopes wereld.

De enige troost was geweest dat Calliope een van de weinige vrouwen op aarde was gebleken die niet warm of koud werden van Regs charme. 'Zijn geurtje staat me niet aan,' zei ze uiteindelijk toen Gloria bleef vragen waarom ze niet blij was met haar nieuwe raadsheer. 'Te weeïg.'

Te weeïg. Het waren zo ongeveer de laatste woorden die Gloria ooit van Calliope Jenkins had gehoord. Te weeïg. In de jaren daarna was Gloria door cliënten verketterd en van vreselijke dingen beticht, ze hadden haar gevraagd vreselijke dingen te doen en bij één gedenkwaardige gelegenheid had ze zelfs een klap gekregen, maar niets had zoveel pijn gedaan als Calliope Jenkins' emotieloze berusting, haar onverschilligheid ten opzichte van Gloria's verbroken belofte. Het kwam er zelfs op neer dat Calliope rekening had gehouden met Gloria's gevoelens en had geprobeerd haar te verzekeren dat haar nieuwe advocaat prima was. Afgezien van zijn geurtje.

Een vliegtuig doorkliefde de fletse ochtendlucht op weg naar de luchthaven, een aanblik waar ze altijd van opmonterde. Gloria, die alleen voor haar plezier reisde, en nooit in de toeristenklasse, kon zich niet voorstellen dat iemand zich in een vliegtuig ongelukkig zou voelen. Elke reis was vreugdevol, wat haar betrof, en iedereen in een straalvliegtuig was op weg naar een fantastische persoon of bestemming. Toch was het Gloria, die sinds halverwege de jaren negentig in Highfield House woonde, niet opgevallen dat de lucht in het oosten deel uitmaakte van het lokale vluchtschema, tot de vliegtuigen in de nasleep van 11 september meer dan een week wegbleven. De lucht was opeens leeg en het duurde even voordat ze doorhad wat eraan ontbrak, wat er was veranderd. Het was ijzingwekkend, het besef dat iets alleen door afwezigheid zijn aanwezigheid kenbaar kon maken.

In het jaar waarin Donntay Jenkins was verdwenen, had de afdeling Jeugdzorg van Maryland honderden onderzoeken ingesteld naar meldingen van mishandeling en verwaarlozing, maar Donntay Jenkins, het kind dat niemand ooit had gezien – een kind van wie geen andere foto bestond dan die uit het ziekenhuis die bij zijn geboorte was gemaakt, met spleetoogjes, harig, als een marsmannetje – werd hét kind om wie iedereen zich bekommerde. Tot het volgende kind kwam. Een meisje dat was verhongerd, een peuter die methadon had gekregen. Toen nog een, en nog een. Het gebeurde zo eens in de twee jaar, en elke nieuwe zaak verving de vorige in de herinnering van de massa, zodat de eerdere kinderen een treetje zakten. Tot de zaak in New Orleans zijn naam boven water had gehaald, had geen mens meer aan Donntay gedacht, al jaren niet meer. Zelfs Donntays vermeende toestand bij zijn geboorte, zijn status als crackbaby, bleek niet waar te zijn, een verzinsel van de media. Soms betwijfelde Gloria bijna of Donntay wel ooit had bestaan en vroeg ze zich af of al haar inspanningen verspild waren geweest aan een fantoomkind dat alleen had geleefd in de verwarde, rommelige geest van Calliope Jenkins.

Dan hoorde ze die jammerklacht weer: 'Mijn zoontje... mijn zoontje.' Wat Calliope ook mocht zijn – een junkie, een gestoord mens, een koelbloedige moordenaar – ze was onmiskenbaar een moeder geweest. Al het andere aan haar bleef echter een raadsel, dankzij het juridische advies van een van de beste advocatenkantoren van de stad.

10

Hoewel het haar niet was verboden terug te gaan naar Baltimore – niets aan de regeling was ooit expliciet kenbaar gemaakt – wist ze dat ze werd geacht weg te blijven, zich nooit verder naar het westen te wagen dan, laten we zeggen, de outletwinkels aan Route 50. Waarschijnlijk zouden ze het liefst hebben dat ze helemaal niet meer in Maryland kwam, maar ze begrepen wel dat ze haar moeder moest bezoeken, die nu in een verpleeghuis in Denton zat. Ze mocht in elk geval onder geen beding de Bay Bridge oversteken. Waarom zou ze? Haar moeder was de enige familie die ze had. De énige familie die ze had. En wiens schuld was dat? De hare, natuurlijk.

Nee, alleen een dwaas zou het risico nemen zich weer in Baltimore te vertonen, maar de anderen zouden dwaas zijn als ze niet begrepen dat ze dat nu juist was, een dwaas, en dat ze haar dwaasheid niet kon afleggen alleen maar omdat dat préttiger zou zijn voor alle anderen.

Had ze maar... Nee, ze moest haar gedachten niet zo ver laten afdwalen, ook al denderde haar auto op een bestemming af die ze zou moeten mijden. Ze begreep nu hoe broos haar geest was. Bij gebrek aan liefde en zorg van anderen had ze geleerd goed voor zichzelf te zijn. Ze mocht domweg niet aan bepaalde dingen denken, anders kon ze weer instorten, net als na de geboorte van haar eerste zoontje. Ze wilde nooit meer terug naar het ziekenhuis, nog geen dag. Ja, ze wist dat ze er nu anders over dachten, dat als er weer zoiets met haar gebeurde als toen ze in de twintig was, ze haar waarschijnlijk medicijnen zouden geven in plaats van op haar in te praten en haar intelligentietests af te nemen. Misschien, dacht ze af en toe vluchtig, was ze echt op te lappen met pillen, maar wat was het doel, wat was ermee te winnen? En te verliezen?

Callie wist door de manier waarop ze was opgegroeid dat er altijd een addertje onder het gras zat. Ze was nog maar drie of vier toen haar moeder met haar door de buurt liep en haar de junkies en alcoholisten aanwees die de buurt naar beneden haalden. 'Ze denken dat ze gelukkig zijn,' beet ze haar dochter toe terwijl ze een ruk aan haar arm gaf, 'maar ze stinken.' Geur moest dus iets verschrikkelijks zijn, de geur verried je. Geur was het enige wat Callie en haar moeder scheidde van de armen. Ruik nooit ergens naar. 'Moet mevrouw Myra Tippet je leren hoe je je wast?' zei Callies moeder als Callie ook maar een vleugje van iets bij zich droeg. Hoe proper Myra ook was, het was niet in haar opgekomen de achternaam van Callies vader op te eisen, de schijn te wekken dat ze getrouwd waren geweest. Callie vond het niet erg dat ze een andere achternaam had. Soms hielp het om haar moeder in gedachten 'Myra Tippet' te noemen, alsof het niet haar moeder was. Myra Tippet had Callie elke avond geboend tot ze rood zag, niet haar moeder; Myra Tippet had aan haar oksels gesnuffeld toen ze twaalf werd; zij had later beweerd dat ze Callies menstruatiebloed kon ruiken, en misschien kon ze het echt. Myra Tippet dacht dat alles om de schijn draaide.

We hebben niets of niemand nodig, bracht Myra Callie bij, en je vader al helemaal niet. En zijn familie? Callie had graag ten minste één grootouder gehad, misschien een tante, en Myra had geen familie. Ik heb er lak aan, zei Myra. Dat deed Callie denken aan de correctielak voor stencils, die vellen van vroeger die paars afgaven op haar handen, die overweldigende geur. Toen ze die geur rook, was ze doodsbang geweest om haar werk te doen, destijds op school 88, bang dat haar moeder haar een uitbrander zou geven als ze stinkend thuiskwam. Maar als ze slechte cijfers haalde, zou haar moeder net zo boos zijn. Callie kon nooit voorzien wat haar moeders woede wekte. 'Moet mevrouw Myra Tippet een meisje een lesje leren?' kon ze beginnen. Alsof Callie haar dwong, alsof Myra haar dochter absoluut niets wilde doen, maar haar dochter haar geen keus liet. Een cijfer onder de acht? Een uur in de hoek staan. De melk niet in de koelkast teruggezet? Opdrinken dan maar, zuur of niet. Te dicht bij het fornuis? Kom dan nog maar iets dichterbij, laat me je hand ertegenaan houden, dan kom je er wel achter hoe heet het kan zijn, tot de huid de vlam echt raakte. Moet mevrouw Myra Tippet een meisje een lesje leren?

Het was vreemd haar nu verschrompeld en behoeftig te zien, op meer manieren afhankelijk van Callie dan ze ooit zou weten of toegeven. Haar enige macht was die van het klagen. Nog maar twee dagen geleden, toen ze de gebruikelijke grieven van haar moeder aanhoorde, had Callie het westen voelen trekken, de roep van de brug, en overwogen na haar bezoek aan het verpleeghuis door te rijden naar Baltimore. Ze was de grens met Maryland tenslotte toch al overgestoken, al was het maar een stukje. Waarom zou ze niet doorrijden? Ze had het stemmetje die middag de mond kunnen snoeren. Nu reed ze hier, op zondagochtend om vier uur, met honderddertig kilometer per uur boven de Chesapeake Bay.

Wat was de aanleiding geweest voor dit reisje? Slaapproblemen, om te beginnen. Wellicht de manier waarop haar naam de afgelopen maand even was komen bovendrijven in het nieuws en toen weer weggezonken. Het was pijnlijk te zien hoe snel haar beeld kwam en ging, er weer op gewezen te worden dat ze iemand 'van geen belang' was, zoals haar destijds herhaaldelijk te kennen was gegeven, voor eeuwig een voetnoot, wel in staat anderen mee de afgrond in te sleuren, maar niet bij machte zichzelf te verheffen. *Stoute meid, achterbakse meid, stomme meid.* Dat laatste was tenminste onmiskenbaar waar.

Het uitstapje kon echter ook voortvloeien uit niets meer dan het gevoel dat de winter ten einde liep. De seizoenswisselingen maakten haar altijd rusteloos. Ze vond het verbazingwekkend dat een rit van maar honderddertig kilometer haar twintig, dertig jaar terug in het verleden kon voeren. Daar aangekomen belde ze niemand. Er was niemand om te bellen. Ze zorgde dat niemand haar zag, al lukte het haar meestal wel hem vanuit de verte te zien. Zijn aantrekkingskracht op haar had met het jaar minder sterk moeten worden, maar zo werkte het niet. Telkens wanneer ze hem zag, verlangde ze weer naar hem.

Ze had echter een afspraak gemaakt, hoe vaag sommige van de voorwaarden ook mochten zijn. Zij had haar huisje, haar autootje en haar leventje. Haar moeder werd verzorgd. Dat kon allemaal afgelopen zijn als ze de verkeerde mensen tegen zich in het harnas joeg. Toch moest ze zo nu en dan haar huisje achterlaten en in haar autootje stappen. Haar leventje? Dat nam ze overal mee naartoe.

Het was ergens geruststellend om te zien dat hij ook ouder was geworden, al deed het niets af aan zijn aantrekkelijkheid. Toch maakte het dat ze het minder erg vond dat de tijd haar zo wreed had behandeld. Dat was de prijs die ze moest betalen voor die zeven jaar in de gevangenis. Ze was verzwakt, afgetapt in haar poging sterk te blijven. De geest had zich gevoed met het lichaam. Toen ze uit die gevangenis kwam, was ze voortijdig oud op haar zesendertigste. Een mager, maar week lichaam. Een hard, maar toch slap gezicht. Aan de kust, in de uitgesproken zoute lucht, zag je oude barrels, kantachtig van het roest, maar met een krachtige motor. Zo was zij ook.

Maar man, wat was ze ooit knap geweest, die schoonheid die op je achttiende of negentiende uit het niets tevoorschijn komt na de lelijkst denkbare tienertijd – haar als een schuurspons, mager, zonder borsten, niet opgroeiend maar uitbottend, zo sprietig als een bidsprinkhaan. Haar plotselinge metamorfose had haar brutaal gemaakt. Te brutaal, zou je kunnen zeggen. Ze had te hoog gevlogen, ze was vergeten waar ze vandaan kwam, ze had al die mooie woorden geloofd. *Kansen, toekomst. Dromen.* Toen ze viel, was ze hard neergekomen.

Ze herinnerde zich nog dat de eerste maatschappelijk werkster op de stoep had gestaan, toen Rennay nog een baby was. Voor zover ze destijds kon denken, was ze ervan uitgegaan dat ze haar wilden betrappen op een man in huis. De sociale dienst zocht toen altijd naar bewijs dat er een man in huis was: een paar schoenen, scheergerei. Ze kende de routine van haar moeder, die ook van tijd tot tijd controle kreeg, als ze was verklikt door buren die dachten dat ze bijverdiensten moest hebben om zo te kunnen leven als ze deed, maar Myra's extra geld kwam van haar zwarte schoonmaakbaantjes, niet van een man.

'Er is hier geen man,' had Calliope met een schorre lach tegen de maatschappelijk werkster gezegd. 'Dat is het probleem juist. Er is hier geen man geweest en er zal er ook nooit een komen. Ik sta er alleen voor, dat kind blijft maar brullen en ik word gek.' Ze had het niet letterlijk bedoeld, maar later hadden ze dat 'gek' tegen haar gebruikt.

Was ze gek? Ze had echt niet gezien dat er zoveel afwas in de spoelbak stond, ze rook de stank van de luier niet, ze rook haar eigen zure lijflucht niet. Desondanks zorgde ze zo goed als ze kon voor Rennay. Tot op de dag van vandaag weigerde ze te geloven dat er een kakkerlak uit het oor van haar zoontje was gekropen. Het was gelogen. Misschien had hij in het wiegje gezeten en was hij van achter zijn hoofd tevoorschijn gekomen, wat niet goed was, dat begreep ze nog wel, maar dat was de schuld van de huisbaas, het ongedierte in het gebouw. En oké, ze had het afval al dagen niet meer buitengezet, en er stond eten buiten de koelkast, maar er had geen kakkerlak in het oor van haar zoontje gezeten. Daar zou een kind waarschijnlijk aan doodgaan. Ja, ze had al in geen dagen gegeten en inderdaad, ze zou wel knetterstoned lijken, al gebruikte ze toen niet, maar ze was alleen ziek van verdriet. Maar Rennay mankeerde niets, ze zou hem nooit iets aandoen, hoe angstig en verward ze ook was.

En er had geen kakkerlak in het oor van haar zoontje gezeten.

Ze bleef er maar op terugkomen, of ze wilde of niet, telkens weer, toen en nu. De haar toegewezen advocaat probeerde haar steeds duidelijk te maken dat het er niet toe deed. 'Callie, concentreer je, alsjeblieft. Ze willen je uit de ouderlijke macht ontzetten. Dit is wel het minste van je problemen.' Die advocaat was niet veel ouder dan Callie zelf en, om een geliefde uitspraak van Myra Tippet te citeren, zo dom als een doos kiezels. Later, de tweede keer, was het die herinnering die haar ertoe had aangezet de particuliere advocaat te accepteren, met het idee dat ze dan beter geholpen zou worden. Ze vroeg zich af of ze er goed aan had gedaan. Ze twijfelde aan al haar keuzes. Je zou kunnen zeggen dat ze het er vrij goed af had gebracht. Callies moeder dacht bijvoorbeeld dat ze het fantastisch voor elkaar had. Niet dat ze het ooit zou zeggen, maar die waarheid school onder al haar kritiek. Klagen was een soort voorrecht. Myra Tippet had jarenlang alleen tegen haar dochter kunnen klagen; nu had ze al het personeel om naar haar grieven te luisteren. Het was hemels voor haar om te klagen over het wasmiddel dat voor haar lakens werd gebruikt, de droogheid van de cake bij de lunch, het ontbreken van betaalkanalen op haar tv'tje. Ze was in het paradijs nu ze zoveel verwijten kon spuien.

Callie kwam in het donker in de stad aan, met nog maar een streepje licht aan de oostelijke horizon. Het voelde alsof ze een wedloop hield met de zon op weg naar zijn buurt, een wedloop met de tijd zelf, zodat er bij elk kruispunt meer jaren wegvielen. Ze vond het prettig dat hij nooit was verhuisd, en niet alleen omdat hij daardoor makkelijk te vinden was. Ze wilde wedden dat zijn vrouw hem eeuwig aan zijn kop zeurde over die beslissing.

Het was lastig om hem te bespieden zonder zelf te worden gezien, en het was nog zondag ook, een niet echt voorspelbare dag als het op de gewoontes van mensen aankwam, maar hij was vroeg op, zoals meestal, en ze was er nog geen uur toen hij al naar buiten kwam om de krant te pakken. O, zo fatsoenlijk, in zijn ochtendjas en op zijn pantoffels, een levensechte dokter Huxtable. Zelfs in elkaar gedoken achter het stuur kon ze alles aanwijzen wat er fout of bespottelijk aan hem was. Jaren geleden had ze al zijn tekortkomingen opgesomd voor ze in slaap viel, als een toverspreuk die kon voorkomen dat ze verliefd op hem werd, maar het had toen niet gewerkt en het werkte nu ook niet. Ze zag dat het huis zelf er in het winterlicht een beetje aftands uitzag. Hij was belachelijk, hij was verschrikkelijk, hij had haar bedrogen, hij was een monster.

Ze hield van hem.

Ze draaide de contactsleutel net iets te vroeg om en hij leek te schrikken van het geluid van de motor in de stille straat, maar hij draaide zich niet om en keek niet over zijn schouder. Hij zag haar niet. Soms vroeg ze zich af of hij haar wel ooit had gezien, zelfs wanneer hij haar een beschrijving van haarzelf gaf. Haar ogen, haar mond, haar huid, haar lichaam. Hij had haar lof gedetailleerd bezongen, alsof ze blind was, alsof ze nooit in de spiegel had gekeken. Destijds, toen mobiele telefoons iets uit een sciencefictionfilm leken te zijn, waren die stiekeme gesprekken lastiger, meer beladen met de angst voor ontdekking. Hij belde haar vanuit telefooncellen in de stad of, nog spannender, vanuit zijn kantoor of een toestel in zijn eigen huis, jachtig alle woorden in die korte tijd persend, al die complimenten, zijn zaak voor haar bepleitend. Destijds kon ze al schrikken als ze een telefoon zag. Uiteindelijk, toen ze tegen haar zeiden dat ze verder moest gaan met haar leven, dat ze een ander moest zoeken, was het de herinnering aan de tijd ervoor, met al die woorden, die het onmogelijk maakte. Er waren twee versies van hem, en alleen zij mocht beslissen welke van de twee oprecht was, authentiek. Ze geloofde de man die had gezegd dat hij van haar hield, niet de man die haar had verraden.

Ze zuchtte. Kon ze maar ergens anders naartoe, had ze maar een andere herinnering om in te porren en te wroeten. Haar geboortestad was een leegte voor haar, een schetsmatige achtergrond, zo simpel als een kindertekening. Een streep groen bij wijze van gras, wat blauwe krabbels voor de lucht en een gele cirkel als zon. Op de lagere school, toen alle meisjes een passie hadden voor tekenen, waren het de mensen in die tekeningen geweest die ze met haar aandacht overlaadde, die fantasiegezinnen van vier mensen, zo anders dan haar trieste gezinnetje van twee. Een mammie, een pappie, een zoon en een dochter. Ze besteedde de meeste tijd aan de vrouwen, die gedetailleerd uitgewerkte jurken, sieraden en kapsels kregen, en een tas en schoenen, allemaal vol aanbidding getekend. De mannen? Hun gezichten waren nietszeggende, lege cirkels boven slordige blauwe pakken en rode stropdassen. Het was als proberen God te tekenen.

Glad ijs

Mijn moeder leerde me schaatsen. Ze was bangelijk, maar ze was de enige moeder in onze buurt die zich niet angstig afvroeg of je veilig kon schaatsen op de vijver boven de dam. Ze stond er ook op dat ik het op echte schaatsen leerde, niet op de kinderachtige schaatsen met dubbele ijzers die de andere kinderen kregen. Soms maakte ze zich even van me los om een duizelingwekkende pirouette te draaien, of zelfs een sprong te maken, maar ze besteedde het grootste deel van haar tijd aan mijn lessen. Ik begrijp nu pas hoe onzelfzuchtig het van haar was dat ze haar eigen plezier opzijzette, mijn wanten in haar handschoenen nam en haar bewegingen aan de mijne aanpaste, zodat ze zelf ook strompelend vooruitkwam. Mijn vader, die geen muts of handschoenen droeg, alsof hij nog een tiener was, keek toe vanaf een gebarsten betonnen richel en riep me bemoedigend toe.

Hij was maar liefst zevenendertig, jonger dan ik nu ik dit schrijf. Ouders lijken altijd stokoud, afgedaan, in de ogen van hun kinderen, maar de mijne leken me toen nog heel groot. Ik zag ze als Zeus en Hera en kwam er pas jaren later achter dat die vergelijking té toepasselijk was. Mijn vader kwelde zijn vrouw met zijn ontrouw, net als Zeus. Had mijn moeder Hera's toorn maar kunnen oproepen, hem leer om leer kunnen geven. Anderzijds waren het altijd Zeus' veroveringen die door Hera werden gestraft; hijzelf ging keer op keer vrijuit.

Wat mijn vader ook voor buitenissige dingen beweerde over de totstandkoming van zijn tweede huwelijk, het was niet gebeurd als zijn liefde voor mijn moeder niet al een aantal jaren eerder was bekoeld. Hoe kon dat? Met een mislukt huwelijk achter me moet ik het begrijpen, anders heb ik straks twéé mislukte huwelijken achter me. Als ik aan Lenore Fallows denk als aan een vrouw, niet als mijn moeder, besef ik hoe... aantrekkelijk ze was. Nee, niet mooi. Ze had een rond gezicht en zware wenkbrauwen. Haar figuur was altijd aan de bobbelige kant geweest, ook al voordat ik me eraan vergreep door op de wereld te komen via een ouderwetse keizersnee die een litteken en een blijvend hangbuikje achterliet. Ze was wel pienter, de eigenschap die mijn vader boven alle andere waardeerde, naar hij zelf zei. Als je slim was, vergaf mijn vader je alles – maar hij verwachtte ook dat je hem alles vergaf omdat hij slim was.

Lenore Fallows-Baker was meer dan intelligent, al zouden haar verbluffendste talenten pas na haar scheiding aan het licht komen. Waarom zou iemand niet meer van haar houden? Hij zei dat dat het niet precies was, dat hij altijd van haar was blijven houden, maar dat hij op een dag niet meer verliefd op haar was, een simplistisch staaltje retoriek dat hij in een opstel van een student rood zou hebben onderstreept als verwerping van het cliché dat het is.

Misschien blijf ik me de rest van mijn leven afvragen hoe en waarom mijn vader ophield van mijn moeder te houden, maar op het wannéér kan ik de vinger leggen. Ik herken het als de dag dat hij haar niet langer Lenore noemde, maar koos voor het meer androgyne Lennie waarmee iedereen haar aansprak. Mijn vader had die roepnaam altijd verafschuwd, zowel vanwege de achteloosheid als de mannelijkheid ervan. 'Als jij Lennie bent, zal ik George wel zijn,' kon hij zeggen, een verwijzing naar *Van muizen en mensen* van John Steinbeck. 'Wil je me over de konijnen vertellen, Lennie?' Mijn moeder lachte erom, verrukt als ze was dat mijn vader vond dat ze haar volledige vrouwelijke naam verdiende.

Tot hij er op een dag, schijnbaar uit het niets, anders over ging denken.

'Lennie,' zei hij aan het ontbijt tegen mijn moeder, 'heb je dat stuk in de *New York Review of Books* gezien?' Mijn moeder, die gejaagd was, zoals veel moeders 's ochtends, liet mijn geroosterde brood met jam op de vloer vallen. Ze ruimde het op en begon opnieuw, met een half oog op de klok. Ik zat in de eerste klas en ging nog met de bus naar de Thomas Jefferson School, en ze moest me de heuvel af werken en met me bij de bushalte wachten, waarna ze meteen door moest naar de Gordon School, waar ze lesgaf.

'Nee,' zei ze. 'Daar heb ik geen tijd voor gehad.'

Zelfs als argeloze zesjarige die deed alsof ze *Mr. Tweedy* op de strippagina las, hoorde ik de onheilspellende klank in de stem van mijn moeder, maar mijn vader hoorde het niet, of gaf er niets om.

'Laat je geest niet verslappen, Lennie, wat je verder ook maar verwaarloost.' Hij legde nadruk op de naam, om zich ervan te verzekeren dat ze die hoorde.

De lucht in de keuken werd droog en stil, die stilte voor een bijzonder zware onweersbui, het soort onweer dat over een stad trekt terwijl de zon blijft schijnen. (Ook hier kan ik me voorstellen dat mijn vader 'cliché, cliché, cliché' in de kantlijn schrijft. *Niet zo gemakzuchtig, Cassandra. Een onweersbui als omschrijving van een echtelijke twist? Je kunt wel beter.* Hij keek echt al mijn opstellen thuis nog eens na, en vaak maakte hij van de tien die ik op school had gekregen een acht of zelfs een zesje.)

Mijn moeder dacht even over haar antwoord na.

'De *New York Review of Books* kan mijn rug op,' zei ze toen. 'Ik heb geen tijd voor dat gelul.'

Ik zag aan mijn vader dat hij perplex stond van de woorden van mijn moeder. Dit waren woorden die het heelal konden splijten, een waarschuwingsschot voor zijn boeg. (*Geen metaforen door elkaar halen, Cassandra*, zou hij hier schrijven.)

'Joan Didion...' vervolgde hij alsof mijn moeder niets had gezegd.

'Joan Didion kan ook mijn rug op,' zei mijn moeder. 'Met dat hondje van haar erbij.'

Eindelijk iets wat ik begreep. Mijn geest dregde het angstaanjagende beeld op van gestreepte sokken onder het huis in *The Wizard of Oz*, de manier waarop ze opkrulden en verdwenen als goedkope rotjes.

Pas nu ik dit schrijf, begrijp ik wat er gebeurde in de keuken, die dag dat mijn vader mijn moeder niet langer 'Lenore' noemde. Hij zei: *Ik zie je nu zoals anderen je zien. Slim, zeker. Capabel, altijd. Een goede moeder. Goed gezelschap, zelfs, maar ik kan geen romantische gevoelens meer voor je opbrengen, jij bereider van geroosterd brood met jam, dweiler van keukenvloeren. Je bent geen seksueel wezen meer voor me.*

Mijn moeder antwoordde: *Ik zie jou ook. Ik zie dat je je ontrouw rationaliseert, dat je een slippertje maakt of op het punt staat er een te maken, en een excuus zoekt, hoe zwak ook. Waarschijnlijk slaap je met een vrouw die de* New York Review of Books *leest, maar daar heb ik geen tijd meer voor, want ik heb een baan, de zorg voor een kind en dit monsterlijk grote huis, dit huis dat jij per se moest hebben, ook al moet er zoveel aan gedaan worden en is het zo afgelegen dat ik zo goed als alleen ben wanneer ik thuiskom. Zelfs als jij er bent, ben ik alleen.*

Pietje Pek

3-5 maart

11

Er was een koffietentje, een relikwie uit voorbije tijden, in de overigens gelikte hal van het gebouw waarin de firma Howard, Howard & Barr was gehuisvest. Cassandra zat met aangebrand smakende koffie aan een tafel die uitzicht bood op de straat en de hal. Ze had een krant voor zich liggen, maar keek er niet naar; het was gewoon een rekwisiet. Ze voelde zich zowel onnozel als avontuurlijk, iets tussen Nancy Drew en Mata Hari in. Ze vond zichzelf door de bank genomen een eerlijk, rechtdoorzee mens, afgezien van haar uitstapjes op ontrouwgebied, die meestal wraakacties waren geweest.

Ze had haar tweede man alleen bedrogen omdat hij haar bedroog. Hoewel ze haar tweede huwelijk had gezien als een schoolvoorbeeld van hegeliaanse synthese, had het haar uiteindelijk tot het inzicht gebracht dat haar eerste huwelijk, ondanks alle problemen, het huwelijk was waarvoor ze had moeten vechten. God, haar eerste man en zij hadden zich gedragen als kinderen die elkaar zand in de ogen gooien, maar ze hadden zo goed mogelijk van elkaar gehouden. Met de wijsheid die achteraf komt had Cassandra geconstateerd dat op je tweeëntwintigste trouwen óf goed uitpakte, óf op een ramp uitdraaide; een tussenweg was er niet. Het was als een marathon lopen: óf je haalt de finish, een prestatie op zich, ongeacht je snelheid, óf je valt onderweg dood neer. Zij hadden de eerste helft niet eens gehaald, omdat ze wegens een blessure moesten stoppen.

Haar tweede huwelijk? Daar kon ze geen wedstrijdloopmetafoor voor bedenken, of het moest een ouderwetse driebenenrace zijn waarbij haar man en zij waren vastgebonden aan iemand van wie ze echt hielden, maar met wie ze niet konden leven. Ze hadden niet eens gedaan alsof, maar waren elkaar op de proef blijven stellen om te zien wie het eerst horendol van wie zou worden. De tweede keer was het haar beurt geweest om weg te lopen, en ze had ontdekt dat het niet leuker was dan zelf verlaten worden. Ze had zelfs ontdekt dat het eind van de afschuwelijkste huwelijken altijd nog pijnlijker was dan iemand kon vermoeden.

Nou ja, dit kon ze. Ze was de afgelopen tien jaar vaak genoeg in de openbaarheid getreden om de gladde façade van de sociale leugenaar te ontwikkelen. Het was meer een defensieve instelling dan iets anders; een zekere mate van vaardig veinzen werd onmisbaar wanneer anderen eenmaal besloten dat ze iets van je wilden. Ze had snel geleerd te draaien en dansen – sierlijk, hoopte ze – om niet alleen de eindeloze verzoeken om geld en tijd te ontwijken, maar ook de opdringeriger verzoeken om vriendschap. Ze had zich ten doel gesteld zo openhartig mogelijk over haar leven te schrijven, en iedereen dacht haar te kennen.

Het was waar en niet waar. Het leven dat in haar twee bundels memoires werd getoond, was gefilterd. Het filter liet bijna alles door, maar toch was het er. Ze was waarheidsgetrouw, maar er was veel wat ze niet prijsgaf. Bijvoorbeeld: ze zou nooit over haar huidige minnaar schrijven, ook al kon ze zijn identiteit afdoende verhullen. Haar lezers vergaven haar de fouten waarvan ze had geleerd, de zonden uit haar jeugd en zelfs daarna. Ze was veertig geweest toen ze een hopeloze puinhoop maakte van haar tweede huwelijk, maar dat was een les in nederigheid geweest, en de verhoudingen een manier om dat aan zichzelf toe te geven. Haar lezers zouden Bernard niet goedkeuren. Cassandra keurde hem zelf eigenlijk niet goed. Ze zou een manier moeten verzinnen om hem te laten gaan zonder dat zijn trots werd gekrenkt, alsof het zijn eigen idee was geweest. Hij dacht tenslotte ook dat de verhouding zijn idee was geweest, terwijl Cassandra alles had geregisseerd.

Toch vroeg ze zich af of ze listig genoeg was om die zogenaamd toevallige ontmoeting met Reggie Barr te laten slagen. Zou hij niet vermoeden dat er iets niet pluis was als ze te snel over Calliope begon? Wat dan nog, besloot ze. Hij was advocaat. Hij had zijn eigen foefjes. Misschien vond hij haar doorzichtigheid wel charmant.

Aangenomen dat hij zich liet zien. Hoe kouder haar koffie werd, hoe bespottelijker ze zich voelde. Om nog maar te zwijgen van oververhit en, naar de normen van Baltimore, overdreven gekleed in haar bontjas, nepbont, uiteraard, en hoed in *Doctor Zhivago*-stijl. Ze zag er hoe dan ook knap uit en, zo hoopte ze, niet alleen knap 'voor haar leeftijd'. Ze vroeg zich af waarom ze aan haar uiterlijk dacht. Reginald Barr was nog steeds Tisha's kleine broertje, Candy, die zich schuilhield in de marges, erop gebrand te partycrashen en zijn malle dansje te doen.

Die nu uit de lift kwam en doelbewust de heldere, koele dag tegemoet beende.

Ze raapte haar spullen bij elkaar en glipte door de buitendeur de koffietent uit, in de hoop – ze zei zelfs bijna een schietgebedje – dat Candy rechts af zou slaan, niet links, want dan zou hun treffen geloofwaardiger zijn. Hij deed het. Ze ving zijn blik en een vluchtig moment lang wankelde ze in haar vaste voornemen. Waar was ze mee bezig? Zo ging zij niet te werk. Ze was het gewend alleen in een kamer te dubben over haar eigen herinneringen, maar die aarzeling, die hapering, maakte het des te geloofwaardiger toen ze zei: 'Candy Barr! Ik zou je uit duizenden herkennen.'

'Pardon?' zei hij met een glimlach. Het was zijn openbare glimlach, warm, maar onpersoonlijk. Zij had er ook zo een.

'Er is geen reden waarom je me nog zou kennen. Ik ben Cassandra Fallows. Ik zat vroeger bij je grote zus in de klas.'

'Op Western High?'

'Ja.' Ze hoefde de zaken niet ingewikkelder te maken door toe te geven dat ze maar een jaar op Western had gezeten. 'Maar ook op Dickey Hill, de vroegere 201. Tisha en ik zijn daar samen in de derde klas begonnen, in het jaar dat de school begon. Jij zult toen wel naar de eerste zijn gegaan, hè?'

De herinneringen aan Dickey Hill deden het hem. 'Ongelooflijk,' zei hij met een veel oprechtere glimlach, 'dat jij bij mijn óúdere zus in de klas hebt gezeten.' De charme was een automatisme, moeiteloos. 'Maar... ja, natuurlijk. De schrijfster. Ik herinner me dat Tisha erover vertelde toen je boek uitkwam.'

Ze weerhield zich ervan het enkelvoud 'boek' te corrigeren. Het was een gangbare vergissing die ook vrienden met vijf, tien of vijftien boeken op hun naam overkwam. Zelfs zij kregen vragen over Het Boek, alsof het er maar één was. Hoe is het met Het Boek? Gaat het goed met Het Boek? Het was een beleefdheid, een iets specifiekere versie van 'hoe gaat het met jou'. We zijn wat we doen, dus vragen we moeders naar De Kinderen en vaders naar Het Werk of Het Kantoor, en schrijvers krijgen vragen over Het Boek. Cassandra vond het echter uitermate irritant, de suggestie dat ze maar één boek had geschreven, omdat het in zekere zin ook zo was.

'Ze komt erin voor, maar jij ook. Op het afscheidsfeestje van de lagere school danste je voor ons, weet je nog? Je had een speciaal dansje, heel mal, dat je deed om aandacht te krijgen.'

'Om nog maar te zwijgen van taart.' Tot haar verbazing en verrukking gleed Reggie 'Candy' Barr even heen en weer, met spastisch bewegende armen. Cassandra barstte in lachen uit. Ze kon het niet helpen. Het kinderlijke dansje was nog ongerijmder wanneer het werd uitgevoerd door een aantrekkelijke man in een camel jas met een aktetas aan zijn hand.

'Ik moet me haasten,' zei hij, 'maar ik zal tegen Tisha zeggen dat je haar wilt spreken. Heb je een kaartje?'

Ze had het bij de hand. De ontmoeting was griezelig volgens plan verlopen, bijna alsof hij het draaiboek in haar hoofd kende. Hij twijfelde er niet aan dat de ontmoeting toevallig was, hij bood aan haar in contact te brengen met Tisha, hij vroeg naar haar kaartje en gaf er het zijne voor terug.

Wat er toen gebeurde, was echter niet gepland.

'Ik ben een paar maanden in de stad voor mijn volgende project.' Ze pakte op haar gemak haar kaartje, zodat hij de tijd had om op te merken hoe luxueus haar spullen waren – de Prada-tas, de Chanel-portefeuille, de leren handschoenen die ze moest uittrekken om het sobere, maar mooie kaartje uit de zilveren houder te pakken, de zware ring aan haar rechterhand en het ontbreken van ringen aan de linker. 'Mijn mobiele nummer staat erop, maar ik zal mijn vaste nummer hier erbij zetten.' Ze keek naar hem door haar wimpers, het laaghangende bont van haar hoed. 'En waarom neem je er zelf niet ook een? Het is toch niet verboden om uit eten te gaan met het kleine broertje van een oude vriendin? Misschien zou je me zelfs bij mijn onderzoek kunnen helpen.'

Hij nam haar kaartje met zijn rechterhand aan, pakte het over met de linker en zag dat ze zijn trouwring opmerkte voordat ze naar hem opkeek. 'Echt waar? Ik kan je helpen met je nieuwe boek? Daar moet ik meer over horen.'

'Nou, ik hoop dat ik de kans krijg je erover te vertellen,' zei ze. 'Maar zeg intussen tegen Tisha dat ze me belt, begrepen? Ik wil echt graag met haar bijpraten.'

Ze liep snel weg, met gloeiende wangen. Ze had niet moeten zeggen dat hij haar zou kunnen helpen. Daarmee had ze zich vrijwel zeker in de kaart laten kijken. Het idee was geweest dat hij haar Tisha zou aanbieden, waarna Cassandra 'waar zijn ze gebleven, de klasgenoten van toen?' met Tisha zou spelen, waarop die zou onthullen welke band haar broer met Calliope had gehad. Als hij haar niet al had doorzien, moest hij nu helemaal dwars door haar heen kijken. Waarom had ze zichzelf op die manier ondermijnd?

Omdat ze, toen Candy Barr in Baltimore Street voor haar danste, de stomp in haar maag had gevoeld van de begeerte, het soort begeerte dat ze achter zich dacht te hebben gelaten. Niet om een biologische of chronologische onontkoombaarheid, maar domweg omdat ze zo langzamerhand te goed wist hoe het brein werkte. Halsoverkop verliefd worden was iets voor mensen die niet beter wisten. Bernard... Bernard was gewoon een van de dingen die ze deed om jong te blijven, niet zoveel anders dan het kuuroord of de sportschool, al was ze daar veel vaker dan in de armen van haar minnaar. Bernard kende echter alleen haar huidige zelf, niet haar geschiedenis. Reggie Barr wist waar ze vandaan kwam, in alle betekenissen, en iets aan het feit dat ze het jochie in die knappe man kende, raakte haar diep.

Was hij getrouwd? Ja, ze had een ring gezien. Zulke mannen waren vrijwel altijd getrouwd. Het was beter als hij getrouwd was, minder ingewikkeld. Beter voor Het Boek.

Reginald Barr liep naar de rechtbank. Het kaartje in zijn aktetas leek om de minuut te piepen, als het alarm van een bijna lege batterij, alleen was dit juist een waarschuwing dat er iets tot leven kwam. Hij trapte niet in Cassandra's toneelstukje, als het die naam al verdiende. Ze had die ontmoeting in scène gezet. Waarom? Toegegeven, Tisha leefde en werkte onder de naam van haar man, wat het moeilijk maakte haar te vinden, maar als Cassandra alleen Tisha had gezocht, had ze zijn kantoor toch kunnen bellen en een secretaresse kunnen vertellen hoe het zat? Had ze die ingewikkelde list uitgedacht om hem te ontmoeten? Ze zou niet de eerste vrouw zijn.

Reg, zoals hij tegenwoordig genoemd wilde worden, was ijdel en zich van dat feit bewust, al vond hij dat hij recht had op zijn ijdelheid. Hij werd continu door vrouwen benaderd. Hij was een goede en respectvolle echtgenoot, wat zijns inziens betekende dat hij zijn slippertjes nietsontziend in hokjes stopte, met veel consideratie voor zijn echtgenote, die hij op een onredelijk hoog voetstuk plaatste. Volgens de regels van dat systeem, door hem ontworpen en geschreven, kon niemand meer taboe zijn dan een vriendin van zijn zus. Want als ze Tisha kende, moest ze zijn vrouw Donna ook kennen. Donna had het boek ook gelezen, al had het haar verwonderd, terwijl Tisha woest was geweest. Hij herinnerde zich dat die twee in de keuken aan de wijn hadden gezeten toen Tisha geagiteerd schel over fouten en weglatingen had geklaagd. Donna had gezegd dat het niet belangrijk was en nooit belangrijk zou zijn. Een vroegere klasgenoot van Tisha en Donna. Taboe met een hoofdletter T.

Het feit dat ze blank was, maakte het alleen maar erger. En ze was ouder. Wie wilde er nu een oudere vrouw? Hij had thuis een vrouw van vijftig, en die had zichzelf net zo goed geconserveerd als Cassandra Fallows, beter zelfs, en hij gaf Donna dingen die minstens zo duur waren als de spullen waarmee Cassandra had gepronkt. Hij had het allemaal. Hij hoefde er niet naar op zoek te gaan.

Toch was het feit dat ze zulke dingen voor zichzelf kon kopen, het zelfbewustzijn dat met de jaren kwam, wél interessant voor hem, nieuw. De jonge vrouwen wier gezelschap hij bij gelegenheid zocht, waren nog niet volledig gevormd. Ze hechtten te veel belang aan slapen met Reginald Barr en als het afliep, konden ze een beetje... labiel worden. Toch had hij zijn verhoudingen tot nog toe zonder al te veel gedoe afgewikkeld. Hij koos eerzame vrouwen en wanneer ze dreigden te klikken – zijn vrouw of de kranten te bellen, niet dat de *Beacon-Light* iets zou geven om het privéleven van een burger, en hij had geen politieke ambities – wees hij hen erop dat hij van meet af aan eerlijk was geweest. Hij had nooit liefde beloofd, alleen maar plezier. Vervolgens kregen ze een schitterend afscheidscadeau. Een vrouw als Cassandra Fallows was duidelijk mondainer, relaxter. Ze zou niet eens op het idee komen dat ze hem van zijn vrouw kon afpakken, maar ze zou ook niet vatbaar zijn voor cadeautjes wanneer het eind kwam.

Wat wilde ze nu echt? Tisha, ja, maar ze had zich ook laten ontvallen dat hij haar zou kunnen helpen bij haar onderzoek. Flauwekul? Het was net zo'n goede openingszin als alle andere om iemand te paaien met wie je wilde flirten. Hij kon het weten, hij had die opening zelf ook gebruikt. Nee, in dit geval leek het meer alsof ze er een waarheid uit had geflapt, iets wat ze niet had willen zeggen, zoiets waar hij tijdens een getuigenverklaring of sollicitatiegesprek meteen bovenop sprong. Wat deed ze precies? Hij dacht dat ze boeken over haar leven schreef, niet dat hij ze had gelezen. Als Reg in zijn vrije tijd iets wilde lezen, ging het over echte geschiedenis, niet de beperkte verhalen van individuen. Had ze over haar beruchte vader geschreven, en toen over iets anders? Hij herinnerde zich de belangrijkste klacht van Tisha: 'Cassandra dacht dat alles om haar draaide. Ze kan geen verhaal vertellen zonder dat zij het middelpunt is.' Donna had tegen Tisha gezegd dat dat bewees dat Cassandra ook maar een mens was.

Ze moest weer in het verleden delven, op zoek naar weer een goudklompje waar iets van te maken was. Hoeveel pagina's kon een vijftigjarig leven opleveren als je geen staatshoofd of generaal was? Ze had haar vader gedaan, haar… haar echtgenoten, dat was het, wat een verlengstuk was van het papading, al zou dat een projectie van Reg kunnen zijn. Het hele oedipale drama. Nee, dat speelde tussen moeders en zonen. Het vader-dochterdrama werd anders genoemd, ook iets Grieks. Elektra? Hij was er vrij zeker van dat het Elektra was, maar misschien ook niet.

Een andere min of meer Griekse naam ging als een stoomfluit af in zijn hoofd: Calliope. Als Cassandra bij Tisha en Donna in de klas had gezeten, kende ze Callie Jenkins ook. Hij kon zich niet voorstellen waarom iemand Calliope nu nog zou willen spreken, ook al was die zaak in New Orleans in het nieuws. Toch moest het echte verhaal daar zitten, nog een aan Katrina gerelateerde tragedie, een kind dat bijna vier jaar zoek was geweest in het systeem. Niemand gaf nog iets om Callie.

Hij bleef staan en pakte zijn mobieltje. Hij had het nummer van Gloria Bustamante niet opgeslagen, maar het schoot hem moeiteloos te binnen, alsof zijn geheugen het al die jaren had vastgehouden in het besef dat hij het nog eens nodig zou hebben. Hij moest de stompzinnige secretaresse op haar huid zitten voordat ze hem wilde doorverbinden, maar toen Gloria eindelijk opnam, zei hij zonder enige inleiding: 'Wat weet jij van Cassandra Fallows?'

'Genoeg om haar uit de weg te gaan,' zei Gloria.

'Jij hebt het makkelijk, maar ze is een oude vriendin van mijn zus, van vroeger, en ze heeft me net staande gehouden bij mijn kantoor. Ik kan niet om haar heen.'

'Vraag je schoonvader maar om raad. Of zijn broer. Die wisten altijd overal een oplossing voor.'

Gloria's stem had iets onheilspellends, iets tartends, maar Reg besloot er geen aandacht aan te besteden.

'Andre is vorig jaar met pensioen gegaan, Julius staat op het punt.'

'Ja, dat zag ik in de *Daily Record*. Dus nu ben jij de partner aan het hoofd, en Howard & Howard is nu Howard, Howard & Barr. Goed gedaan, Reggie.'

Het was moeilijk te bepalen wie er het eerst ophing, Gloria of hij. Waren ze echt ooit beste vrienden geweest? Zijn kantoorechtgenote, zoals de jongere garde het noemde, een term die Reg vreemd in de oren klonk. Wie wilde er nog een echtgenote? Hij had gezien dat twee leden van de nieuwe oogst, een jongen en een meisje die altijd samen lachten, gingen lunchen, en hij had het gewaagd het meisje te plagen met haar romance. 'O, hij is gewoon mijn kantoorechtgenoot,' had ze het afgedaan. 'Ik heb een verloofde, en Dwayne woont samen.' Kantoorechtgenoten. Dat waren Gloria en hij dus van elkaar geweest, al die jaren geleden. Ze waren een goed team geweest, die onopvallende, streberige Gloria en de zwierige Reggie die alles met de hakken over de sloot haalde. *Ik heb je geen dolksteek in de rug gegeven met Callie Jenkins*, wilde hij tegen haar zeggen. *Ik wist het ook niet, pas veel later, en toen ik het optelsommetje eindelijk maakte, was het ook maar gissen, net als voor jou, Gloria. Maar jij was altijd al slimmer dan ik.*

12

Teena deelde muren met haar buren, maar verder weinig. Of het waren opmerkelijk stille mensen, óf de rijtjeshuizen, die breed en ruim van opzet waren, naar de normen van Baltimore, met individuele accenten om te voorkomen dat ze allemaal uit dezelfde vorm gegoten leken te zijn, waren uitzonderlijk goed geïsoleerd. Teena hoorde zelden een geluid van links of rechts. Geen voetstappen, geen muziek, geen luide stemmen. Vijf jaar geleden, toen de Morgans, die ze in gedachten nog altijd 'de nieuwe mensen' noemde, links van haar waren komen wonen, dacht ze 's nachts een baby te horen huilen. Weken later, toen ze het gezin op de voorveranda in paaskostuum zag poseren voor een kiekje, had ze in een zeldzame sociale bui naar de kleine geïnformeerd.

'Moet de baby niet op de foto?' had ze gevraagd.

'Wat voor baby?' had de moeder perplex gezegd. 'We hebben alleen de tweeling.' Ze wuifde naar de jongen en het meisje, die waren opgezadeld met veel te snoezige namen en, deze paaszondag, rampzalige kleren in lichtblauw en eidooiergeel. Paul en Polly? Jack en Jill? Iets dergelijks.

'Ik dacht... Laat maar.' Teena wilde er niet aan denken, laat staan uitleggen, hoe ze ertoe was gekomen zich in te beelden dat ze een baby in de nacht had horen huilen. Toch had ze het na die dag nooit meer gehoord.

Het leven van de Morgans draaide, zoals dat van de meeste gezinnen met kinderen tegenwoordig, om de tweeling en hun bezigheden, dus hun bestaan viel zelden samen met dat van een oudere, alleenstaande vrouw als Teena. Ze kreeg wel eens een uitnodiging uit medelijden, zoals ze het zelf noemde, voor een barbecue op Onafhankelijkheidsdag of een open huis. Het was mocilijk een excuus te verzinnen om niet te komen, want dan zou ze gedurende de samenkomst ergens anders naartoe moeten. Ze dwong zichzelf dus maar een uur of twee te blijven, maar de moeite die het haar kostte was kennelijk zichtbaar, want op een gegeven moment werd ze niet meer gevraagd. Ze zou graag tegen de Morgans willen zeggen dat ze hen wel graag mocht, of dat zou hebben gedaan, onder normale omstandigheden. Ze had zich zelfs kunnen opdringen door zich tot tante Teena te benoemen van Paul en Polly, Jack en Jill of hoe ze ook maar heetten.

Ze zou ook graag willen zeggen dat ze geen alcoholist was, niet precies. Ze zou nooit vergeten hoe de moeder had gekeken, of liever gezegd níét gekeken, toen Teena's vuilniszak met glas op een zomerochtend was gescheurd. Dat was voordat ze de wijn in dozen had ontdekt en voordat de gemeente het alles-in-een recyclingsysteem had opgezet, zonder zakken, zonder afvalscheiding, alleen maar discrete plastic monsters die al je afval opslokten. *Geen paniek!* had ze naar moeder Morgan gekwinkeleerd. *Het lijkt veel meer dan het is.*

Haar buurman aan de andere kant was een mannelijke versie van haarzelf: alleen, teruggetrokken, afstandelijk. Het enige verschil was dat meneer Salvati in de tachtig was en al heel lang weduwnaar. 's Zomers zat hij graag op een metalen schommelstoel op zijn achterveranda naar de Orioles op WBAL te luisteren, wat Teena charmant vond. Hij had ongetwijfeld tv, en zeer zeker een airco, want ze zag de compressor naast zijn betonnen parkeerplaatsje zoemen. Toch zat hij zelfs op de benauwdste avonden buiten, trouw aan een traditie die waarschijnlijk was begonnen in Little Italy of Pigtown, zo'n buurt waaruit mensen wegtrokken. Hoe heet het ook was, hij droeg een lange broek en een overhemd met korte mouwen over zijn hemd, en zijn sneeuwwitte haar werd bekroond door een strohoedje. Teena had altijd begrepen – en gezien, aan haar eigen vader – dat mannen minder goed waren toegerust voor de weduwstaat dan vrouwen, dat ze hun echtgenote snel achternagingen, maar meneer Salvati's huis blonk zo ongeveer van zijn zelfstandigheid, van de altijd schone auto op het parkeerplaatsje tot de perfecte tuin tot de achter-veranda met plastic hoezen over de meubelen en een ouderwetse houtskoolbarbecue. In de winter gingen er weken voorbij zonder dat Teena hem hoorde of zag, dus was ze blij als het zomer werd en hij weer regelmatig de wacht hield bij zijn radio. In de winter-maanden was ze bezorgd om hem. Niet genoeg om iets te doen, natuurlijk, maar ze maakte zich wel ongerust.

Gelukkig ving ze op maandagavond een glimp van hem op bij de afvalcontainers. Die van meneer Salvati waren smetteloos schoon, uiteraard, zilver oplichtend in een achterstraat vol prak-tisch plastic. Teena en hij wisselden hun gebruikelijke semi-verbale groet uit: een knikje en een brom van zijn kant en een opgetrokken schouder en een glimlach van de hare. Teena was al halverwege haar tuintegelpad toen hij haar riep.

'Heeft die griet je nog gevonden?'

Ze draaide zich zo snel om dat ze haar enkel bijna verzwikte. 'Wat voor griet?'

'Er was hier vandaag een vrouw die zei dat ze je zocht. Ze vroeg waar je werkte. Ik heb gezegd dat je vrienden dat wel zou-den weten. Ik geloof dat ze iets in je brievenbus heeft gestopt.'

Het was kouder dan voorspeld en Teena crepeerde van de pijn in haar handen. Ze moest snel naar binnen.

'Zei ze dat ze een vriendin van me was?'

'Nee, dat was heel uitgekookt van haar. Ze wilde me laten denken dat ze een vriendin van je was, maar ze loog er niet open-lijk over.'

'Hoe zag ze eruit?'

'Ongeveer van jouw leeftijd, met een grote bonthoed op. Toen ik haar op je voorveranda zag, dacht ik even dat je haar zou kun-nen kennen. Ze zag er niet uit alsof ze iets wilde verkopen, maar ze probeerde door het raampje naast je deur te gluren. Toen ben ik haar gaan vragen wat ze wilde.'

'Was ze...' Er was geen beleefde manier om het te vragen, niet dat zo'n ouwe knar als meneer Salvati ermee zou zitten. 'Was ze blank of zwart?'

'O, blank natuurlijk.' *Natuurlijk?* Meneer Salvati kon zich waarschijnlijk niet voorstellen dat blanke mensen zwarte vrienden konden hebben. Die vooroordelen hoorden bij het complete pakket: de decente kleding, de hoed, de propere leefomgeving. Het waren deugden die een eerdere generatie waren bijgebracht, en die generatie was niet bepaald verdraagzaam ten opzichte van mensen die niet net zo waren als zijzelf. Als meneer Salvati een zwarte vrouw op Teena's veranda had gezien, had hij de politie gebeld, bonthoed of geen bonthoed.

Waarom voelde Teena zich teleurgesteld? Waarom wilde ze geloven, al was het maar een seconde, dat Calliope Jenkins overdag naar haar huis was geglipt en had geprobeerd door haar zijraampje te gluren? Kon het komen doordat ze wilde geloven dat de obsessie wederzijds was, dat Callie nog net zo vaak aan haar dacht als zij aan Callie? Dat zij ook huilende baby's hoorde die er niet waren?

'Fijn dat u zo goed oplet, meneer Salvati. Ik waardeer het zeer.'

'Daar heb je buren voor,' zei hij terwijl hij achter het stuur van zijn brandschone Buick gleed. Het was een marteling om te zien hoe hij achteruit het laantje in reed; het proces vergde een draai of zes aan het stuurwiel en de auto kroop telkens een paar centimeter achteruit en weer vooruit. Het was niet minder dan een wonder wanneer hij uiteindelijk haaks op zijn beginpositie stond en naar York Road kon rijden. Voor het eerst vroeg Teena zich af waar meneer Salvati naartoe zou kunnen gaan op maandagavond om zes uur, of hij vrienden of familie in de stad had. Waar zou zij naartoe gaan, alleen en gepensioneerd – god, ze hoopte maar dat ze gepensioneerd zou zijn tegen de tijd dat ze zo oud was als hij. Hoe lang zou zij erover doen om achteruit het laantje in te draaien?

Ze ging zo op in het gemijmer over haar toekomstige zelf dat ze pas na ongeveer een kwartier bedacht dat ze in de brievenbus moest kijken. Afgezien van haar post, allemaal reclame die dag, vond ze een envelop zonder postzegel, geadresseerd aan Sistina Murphy. Haar voornaam zag er uitgesproken vreemd en onbekend uit in groene inkt. Niemand noemde haar Sistina; ze had zelfs nooit iemand anders ontmoet die zo heette. Het was een bedenksel van haar moeder geweest, een poging haar eigen erfgoed aan haar dochter mee te geven. Haar moeder was gekwetst geweest toen ze ervoor had gekozen Teena te heten en de spelling had veranderd om nog meer afstand tot haar doopnaam te scheppen.

Toen de envelop open was, viel Teena's blik vrijwel meteen op een andere naam in de brief, Calliope Jenkins, en toen keek ze naar de afzender, die ook een naam had die met 'Ca' begon, maar nee, het was Cassandra Fallows. De vrouw die Lenhardt had gebeld. Hij had nog geprobeerd Teena te waarschuwen dat ze makkelijk te vinden was.

Ze schonk zichzelf een flinke bel wijn in – Banrock Station-shiraz, want op een koude avond als deze had ze behoefte aan rood – en ging in haar eethoek achter haar laptop zitten. Ze gebruikte hem zelden, al betaalde ze haar rekeningen tegenwoordig via internet. Alles met haar handen was marchanderen, compromissen sluiten, een spelletje wat-doet-het-meeste-pijn. Rekeningen betalen met pen, met al die op- en neerhalen, was pijnlijker dan een reeks muisklikken, maar patiencen met kaarten was veel beter te doen dan de computerversie. Over het web surfen, weblogs lezen? Haar handen deden al pijn als ze eraan dacht. Ze shopte wel online, en gebruikte haar kennis als ingewijde om koopjes te vinden, maar ook dan nam ze van tevoren een flinke dosis Advil.

Ze googelde 'Cassandra Fallows', maar kreeg te veel treffers, en ze wist niet hoe ze ze kon inperken. Hoe kwam iemand aan zoveel bestáán? Het was alsof ze haar eigen vuilniszak weer zag scheuren en de lege wijnflessen in het laantje hoorde kletteren terwijl mevrouw Morgan probeerde te doen alsof ze niets merkte. Uit nieuwsgierigheid tikte ze haar eigen naam in, volledig, en vond alleen maar een website die mensen hielp klasgenoten van de middelbare school op te sporen. Toen probeerde ze 'Cassandra Fallows' in combinatie met – het deed al pijn om de naam te typen – 'Calliope Jenkins'. Niets, een lege dop, nada. Ze koppelde zichzelf aan Calliope Jenkins, hoewel ze wist dat het niets zou opleveren, gezien het feit dat haar eigen naam maar één treffer had gegeven. Hoe had Fallows haar gevonden?

De afdeling Voorlichting van de politie had alle vragen van de pers in de zaak-Jenkins afgehandeld. Bovendien had de nadruk niet zozeer op het onderzoek zelf gelegen als wel op het feit dát er een onderzoek was ingesteld. De media hadden gehamerd op het falen van de maatschappelijk werkster en hoewel de zegsvrouw van Jeugdzorg een van de magnifiekste zwijgers aller tijden was, had de maatschappelijk werkster besloten een tv-interview te geven, tegen alle goede raad in. Voor de landelijke tv, maar liefst. Het was als kijken hoe iemand met een pennenmesje werd gevild, centimeter voor centimeter. De maatschappelijk werkster dacht dat ze haar eigen kant van het verhaal had, dat als ze maar werd gehoord, de mensen wel sympathie voor haar zouden opbrengen, dat ze zouden inzien dat het niet haar schuld was dat ze geen bezoekjes had afgelegd. Ze had niet begrepen dat het verhaal om een slechterik vroeg, een rol die Calliope kunstig had omzeild door haar zwijgen.

Het arme mens was dood. Ze was met haar auto tegen een boom langs Route 140 in Carroll County gereden. Het was een heldere dag geweest en tests wezen uit dat ze broodnuchter was. En nee maar, daar stond het in het bericht over haar dood, een paar alinea's, alsof dat ongeluk met maar één voertuig uitgelegd kon worden als een geval van oorzaak en gevolg, wat het volgens Teena ook was. Calliope Jenkins had die arme maatschappelijk werkster vermoord, zo zeker als ze haar eigen zoontje had vermoord, maar ook hier zou ze nooit verantwoording voor hoeven af te leggen.

Met een kloppende rechterarm zette Teena onwillig de computer uit en las Cassandra's brief nog eens. Die vrouw wist het mooi te brengen, maar woorden op papier hadden weinig effect op Teena. Ze hoorde meneer Salvati aankomen, wat veel makkelijker ging dan wegrijden, maar toch een aantal keer bijsturen vergde voordat de auto precies in het midden van zijn parkeerplaats stond. Toen was de avond weer stil, zoals gewoonlijk, met als enige geluid het gebrom van haar eigen tv, die was afgestemd op een realityprogramma waarin degelijke Britse nanny's op magische wijze ontwrichte gezinnen in het gareel brachten. Het kon Teena niet ontgaan dat die ontwrichte gezinnen doorgaans waren gehuisvest in grote huizen in voorsteden met veel grond en weinig geldzorgen. Een kind kreeg een driftbui en Supernanny hield haar bij haar schouders vast en gebood haar vriendelijk maar kordaat woorden te gebruiken.

Hé, Supernanny, zou Teena willen zeggen, *kom met me mee naar een rijtjeshuis in het zuidwesten van Baltimore, reis eens terug in de tijd. Dat kun je best. Je bent Supernanny. Je hoeft alleen dat kind maar te vinden. Zoek dat rotkind, Supernanny, en probeer dan eens Calliope Jenkins op te voeden. Maak een klusjesrooster, overlaad haar met beloningen, zeg tegen haar dat ze grotemeisjeswoorden moet gebruiken en dat ze moet zeggen waar haar baby is. Calliope, gebruik eens woorden, verdomme.* Teena had haar echt een paar keer bij de schouders gepakt, en niet zo vriendelijk, maar het werkte nooit. *Gebruik woorden.*

13

Cassandra moest naar de voorstad Columbia rijden voor haar lunchafspraak met Tisha, een locatie die haar verbaasde. In haar herinnering had Tisha heel duidelijk kenbaar gemaakt dat ze in een grote stad wilde wonen, groter dan Baltimore. Ze had uitgesproken ideeën over haar huisvesting (een penthouse), haar echtgenoot (architect) en haar kinderen (drie: meisje, jongen, meisje).

Anderzijds was Tisha niet ouder geweest dan twaalf toen ze die toekomst had geschetst. Cassandra zou niet willen worden aangesproken op de plannen die zij in de zesde klas had gemaakt (onderzoeksjournaliste, getrouwd met een arts, drie kinderen en een modern huis in een niet nader omschreven bos in New England).

Maar toch: Columbia? In 1967 – Cassandra wist het jaar nog precies, want het jaar daarna was haar vader weggegaan – hadden Cassandra's ouders lange ritten gemaakt naar wat toen een verre wereld had geleken. Haar vader was gefascineerd door het concept, die egalitaire 'nieuwe stad' die James Rouse, de ontwikkelaar, voor ogen stond. Haar moeder, verstrikt in het gevecht tegen de bierkaai dat de renovatie van haar bejaarde huis was, fantaseerde graag over een nieuw begin in een huis zonder geschiedenis.

'Rouse is een goed mens, maar hij heeft zijn Toynbee niet gelezen,' zei haar vader terwijl haar moeder zwijmelde bij de compacte keukens met ontbijtbar. 'De decadentie is niet te stuiten.'

Haar vader had, zoals gewoonlijk en om woest van te worden, gelijk. Het landelijke gebied dat Cassandra zich herinnerde van die zondagse ritjes van lang geleden was nu een volgebouwde voorstad en Rouse' droom van een heterogene stad met echte integratie op het gebied van ras en inkomen was verdrongen door eenvormige, gedrochtelijke huizen. Kon Tisha daar echt wonen? Het restaurant dat ze had voorgesteld, zag er in elk geval veelbelovend uit. Het was een oud stenen huis, omgebouwd tot grand café met restaurant, dat het geluk had uit te kijken op een van de weinige nog niet bebouwde vergezichten aan deze tweebaansweg.

Cassandra schoof op een bankje aan een tafel niet te dicht bij de deur, maar wel met een onbelemmerd uitzicht. Ze wilde niet te happig overkomen.

In feite was het contact met Tisha een anticlimax geweest. Na haar avontuurlijke bedriegerijen – het in scène zetten van een ontmoeting met Reggie, Sistina Murphy's adres op internet in het kadaster zoeken – had het, nou ja, nogal gewoontjes geleken om iemand die de voicemail had ingesproken terug te bellen, om een lunchafspraak te vragen en die binnen vierentwintig uur te krijgen. Het leek Tisha niet te verbazen dat Cassandra haar wilde zien, ze had alleen... sceptisch geleken, maar dat was dan ook een bepalend facet van Tisha's persoonlijkheid, al toen ze nog jong was. Ze was altijd een beetje afstandelijk geweest, alsof ze mensen taxeerde. Ze dacht ook na voordat ze iets zei, en toen Cassandra voorstelde te gaan lunchen, was er een extra lange stilte gevallen.

'Ik heb een eigen bedrijf,' had Tisha uiteindelijk gezegd. 'Een uur, midden op de dag – dat is twee uur werktijd, als je de heen- en terugreis meerekent.'

'Ik heb ook een eigen bedrijf,' had Cassandra gezegd.

'Maar voor jou is het werk, toch?' Tisha had er ook nooit doekjes om gewonden. 'Reg zei dat dat dit voor een project was. Ik nam aan dat hij een nieuw verháál bedoelde.'

Ze gaf het woord veel nadruk.

'Een boek, ja,' zei Cassandra, 'maar wat ik nog liever wil dan in je geheugen spitten, is bijpraten.'

'Hm,' zei Tisha, en toen noemde ze het restaurant en het tijdstip op een manier die geen tegenspraak duldde. Als Cassandra Tisha wilde zien, moest het op haar terrein zijn, wanneer het haar uitkwam en op haar voorwaarden.

Wat is ze mooi, dacht Cassandra toen ze Tisha klokslag twaalf het restaurant binnen zag komen. Niet dat Tisha niet altijd knap was geweest, maar als je oude vrienden terugzag, was je meestal ontzet over wat de tijd had aangericht. Tisha was op haar vijftigste aantrekkelijker dan ze op haar vijftiende was geweest, met kortgeknipt haar en een uitgesproken gevoel voor stijl. Ze was zo'n vrouw die kleding gebruikt als canvas; het zwart van haar coltrui en broek werd opgevrolijkt door een spectaculaire ketting van gedraaide zilveren snoeren waaraan asymmetrische rechthoekige halfedelstenen hingen. Ze was wel zo verstandig dat overweldigende stuk niet te combineren met lange oorhangers, maar met knopjes van tijgeroog in dezelfde tint als haar ogen. Haar jukbeenderen waren hoger dan ooit en haar volle lippen waren nog niets dunner, een vorm van ouderdomsslijtage die Cassandra heel verontrustend vond in haar eigen gezicht.

'Tisha,' zei ze terwijl ze opstond, dankbaar voor de tafel tussen hen in die voorkwam dat ze moest nadenken over de mate van lichamelijkheid van de begroeting. Omhelzing, zoen op de wang, handdruk? Niets leek precies goed.

'Cassandra. Je heet toch nog steeds Cassandra?'

'Natuurlijk. Wat anders?'

'Ik heb altijd gedacht,' zei Tisha, die ging zitten, 'dat je zou zwichten, dat je er Cassie van zou maken om niet meer met die lange naam te hoeven slepen.'

'Dus je herinnert je nog dat mijn vader pertinent niet wilde dat ik ooit een roepnaam zou krijgen?'

'Ik herinner me nog van alles,' zei ze met volmaakt vriendelijke stem. 'Niet per se net zoals jij, maar ik herinner het me wel.'

O. Dus het werd zó'n gesprek. Tisha zou niet de eerste zijn die Cassandra benaderde met een grief, vastberaden de rekening te vereffenen. Gek, maar hoe marginaler iemands rol in Cassandra's memoires was, hoe vastbeslotener hij of zij was over wat altijd 'het verleden rechtzetten' werd genoemd. Haar vader, haar moeder, Annie – hun leven was blootgelegd, maar ze hadden geen bezwaar gemaakt. Zelfs haar ex-mannen hadden zich betrekkelijk sportief opgesteld. Het was altijd iemand in de periferie van het verhaal die wilde harrewarren. Niet dat ze Tisha onbelangrijk vond in haar leven, maar in de twee boeken had ze geen grote rol gespeeld.

Ze besloot Tisha's impliciete uitdaging aan te grijpen om ter zake te komen. 'Herinner je je Calliope Jenkins ook?'

Tisha glimlachte alsof ze de hele tijd al had geweten waar Cassandra naartoe wilde. 'Zo'n beetje. Ze was nooit echt een vriendin. En ze ging met jou mee naar de middelbare school, niet met ons, en ze volgde het A-programma niet, dus dat was dat.'

'Maar ze kwam in de vierde klas toch op Western?' Volgens het gecompliceerde schoolsysteem van destijds begonnen A-leerlingen in de derde klas aan de bovenbouw en de rest in de vierde.

'Ja, maar we gingen niet veel met elkaar om. We hadden elkaar toen al drie jaar niet meer gezien. We deden wel vriendelijk tegen elkaar, maar we waren geen vriendinnen.'

'Toch heeft je broer haar uiteindelijk verdedigd.'

'Mijn broer is uiteindelijk ook met mijn beste vriendin getrouwd. Wat dat betreft is Baltimore een dorp. Zeker ons Baltimore.'

'Is Candy – Reggie – met Donna getrouwd?' Het zat Cassandra dwars dat die informatie haar dwarszat.

'Hij wordt tegenwoordig liever Reg genoemd. Donna heeft het liever, dus Reg ook. Hij is al vanaf zijn zevende verliefd op haar.' Tisha lachte. 'Maar hij moest op zijn beurt wachten, toezien hoe zij met die lul die ze van de studie kende trouwde en dat verprutste. Afgelopen zomer waren ze vijftien jaar getrouwd.'

Het voelde alsof Tisha haar hoonde, maar Cassandra moest het zich verbeelden. Ze had zichzelf amper bekend dat ze zich aangetrokken voelde tot Reggie – Reg – Barr. Zijn zus kon het met geen mogelijkheid hebben opgepikt. Misschien had hij iets gezegd wat erop duidde dat hij Cassandra aantrekkelijk vond? Ze verwierp het idee als onmogelijk, krankzinnig, terwijl haar hart achteloos in haar borst huppelde.

De serveerster kwam hun bestelling opnemen en Cassandra

probeerde de toon te zetten door een voorgerecht en een salade te bestellen, met een glas van de aanbevolen wijn. Tisha bestelde een broodje kipsalade en een glas ijsthee en keek nadrukkelijk op haar horloge.

'Je zei dat je een eigen bedrijf had,' zei Cassandra, 'maar je hebt niet verteld wat je doet.'

'Ik ben grafisch ontwerper.' Ze zweeg even alsof ze een reactie verwachtte. 'Ik wilde kunstschilder worden, maar, nou ja, ik wist dat het er niet in zat. Ik moest de kost verdienen. Ik ben er-tussenuit geweest toen de kinderen werden geboren en weer be-gonnen toen ze naar school gingen.'

'Ik herinner me je tekeningen nog,' zei Cassandra. 'Van je toe-komstige gezin. Weet je nog dat we in de vijfde allemaal tekenin-gen maakten van meisjes die zich optutten voor een afspraakje?'

'Je zei dat Donna de kunstenaar was,' zei Tisha.

'Hè?'

'In je boek. Je zei dat we háár allemaal nadeden, maar ik was ermee begonnen.'

Dat was het? Daarom stond Tisha stijf van woede? Omdat haar artisticiteit als kind geen erkenning had gekregen? Cassan-dra had achthonderdduizend lezers verteld dat haar tweede echt-genoot impotent was, tenzij hij voor de seks betaalde, en dit was wat Tisha recht wilde zetten? Ze kon haar lachen nauwelijks be-dwingen.

'Echt? Sorry, ik bedoelde er niets mee. Donna's tekeningen sprongen er op de een of andere manier uit in mijn herinnering. Weet je nog dat haar meisjes van opzij altijd een beetje op hon-den leken, meer snuit dan neus?'

Tisha liet zich nog niet sussen. 'Je gaf al mijn dingen aan Donna,' zei ze terwijl ze suiker – echte suiker, geen substituut in een roze, blauw of geel pakje – in de thee roerde die voor haar was neergezet. 'Dat hele verhaal over het platenfeestje. Dat was ook bij mij. Je hebt het door elkaar gehaald met het feestje voor de laatste schooldag, dat was wel bij Donna.'

'Weet je het zeker?' Cassandra had haar dagboeken gebruikt

om sommige delen van haar leven te reconstrueren. Ze kon zich niet voorstellen dat ze zich vergiste in zo'n mijlpaal als het eerste feestje met jongens erbij.

'Reg danste. Waarom zou Reggie onuitgenodigd naar een feestje bij Donna komen? Dat feestje was bij míj thuis, en je wist niet half wat er gebeurde.'

'Zoals...'

'Zoals dat Fatima naar boven ging met Karl, die jongen die in de zesde al een snor had, maar hij was dan ook drie keer blijven zitten, en dat ze naar een slaapkamer gingen, en dat hij haar vroeg of ze hem wilde pijpen, en ze wist niet wat het was maar wilde niet dom overkomen, dus zei ze ja – en toen zette ze haar tanden erin!'

Cassandra lachte. 'Had ik dat maar geweten.'

'Om het in je boek te kunnen zetten?'

'Nee – nou, misschien wel. Ik had het willen weten omdat het de essentie van Fatima is, altijd overal voor in.'

'Dat wás ze misschien. Ze is nu verkerkelijkt.' Tisha keek zorgelijk. 'Zet het maar niet in een boek. Ze zou het besterven.'

'Ik zal het niet doen,' beloofde Cassandra, al vond ze het jammer. Niet dat ze die anekdote niet kon gebruiken, maar omdat het haar erop wees dat er altijd een paar dingen waren geweest die haar niet waren toevertrouwd, informatie die beperkt was gebleven tot de binnenste cirkel van Tisha, Donna en Fatima. 'Mijn beste vriendin', had Tisha Donna genoemd. Callie ging niet met óns – Tisha, Donna en Fatima – mee naar de middelbare school. Had Tisha er altijd zo over gedacht? Had ze het kwartet niet als gelijkwaardig gezien, in evenwicht? Ze hadden vier jaar bij elkaar gezeten aan die tegen elkaar aan geschoven tafels. Betekende dat niet dat ze een viertal waren, in elk geval als kinderen?

'Heb je nog contact met Fatima? Ik neem aan dat Donna een deel is van je leven, als ze met je broer is getrouwd.'

'Fatima houdt geen contact met ons. Ze voelt zich niet op haar gemak bij mensen die haar kenden voordat ze naar Spelman ging. O, wat was ze daar trots op.'

Tisha leek het grappig te vinden, wat Cassandra het gevoel gaf dat ze iets subtiels miste. Spelman was een goede school. Waarom zou Fatima, die uit een chaotisch gezin kwam, daar niet trots op zijn?

'Ik bedoel, ik ging naar Northwestern,' vervolgde Tisha, 'en daar hoor je me toch ook niet over opscheppen?'

'Het is een goede school.'

'Vertel mij wat. Mijn oudste wil erheen, en zijn cijfers zijn lang niet hoog genoeg. Waar ben jij naartoe gegaan?'

Cassandra had er alles voor overgehad om het antwoord te kunnen omzeilen, maar daarvoor was het een te directe vraag. 'Princeton.' *Sorry, Tisha, maar jij wilde dit spelletje spelen.*

'Bachelor?'

'Ja, en dan ook nog met Engels als hoofdvak. Geen wonder dat ik tot... nou, eigenlijk nooit een echte baan heb gehad. Tot mijn dertigste heb ik vooral uitzendwerk gedaan en gefreelancet, en ik ben een poosje bureauredacteur geweest bij een grote uitgever, en toen ging ik invallen in het onderwijs en reclameschrijven, freelance. Maar tot ik begon te schrijven, zo tegen mijn veertigste, wist ik me geen raad.' Ze hoopte dat die bekentenis het evenwicht zou herstellen.

'Ik heb een MBA. Zo eentje die je in de weekends kunt halen, maar het is goed geweest voor mijn bedrijf, hoe klein het ook is.'

'En je bent getrouwd, met kinderen.'

'Een jongen en een meisje.'

'Ik weet nog dat je er drie wilde.'

'O, god, twee is genoeg.' Cassandra ving een glimp op van iets oprechts, een gevoel dat de echte Tisha zich eindelijk liet zien, en ontspande.

'Drie kinderen, en je man zou architect zijn.'

'Orthodontist,' zei Tisha. 'Vaste werktijden, weinig noodgevallen en er komt altijd weer een nieuwe lading kinderen met scheve tanden aan.'

'Bevalt het je om hier te wonen?'

'Ik vind het heerlijk. Het is veel rijden – na school ben ik voltijds chauffeur – maar het is fantastisch geweest voor de kinderen. Trouwens, de oudste zit voor zijn eindexamen middelbare school en de jongste doet over twee jaar eindexamen. We zouden kleiner kunnen gaan wonen, maar ik denk wel dat we hier blijven. Hier heeft Michael zijn werk. Waar woon jij tegenwoordig?'

'Brooklyn.' Ze voegde er snel aan toe: 'Ik heb het meer dan tien jaar geleden gekocht, toen het relatief nog een koopje was, en ik heb een tweede hypotheek genomen om mijn vader te helpen zijn huis te kopen.'

'Je bent best rijk, hè?'

Het was zelfs voor Tisha een botte vraag.

'Ik hoef me niet echt zorgen te maken om geld, kleine noodgevallen. Ik weet niet of ik mezelf rijk zou noemen.'

'Je schrijft bestsellers.'

'Je zou ervan staan te kijken wat dat boekhoudkundig betekent. En ik ben alles wat ik heb, het enige waarop ik kan rekenen. Ik maak me nu misschien niet druk om geld, maar ik moet me voorbereiden op een ziekte die me kan nekken en aan mijn pensioen denken. Ik heb lang niet genoeg opzijgezet.'

Tisha knikte afwezig en prikte pistachenoten uit haar kipsalade. Ze verbouwde haar eten meer dan dat ze het consumeerde.

'Waarom heb je eigenlijk over mijn verjaardagsfeest geschreven? Ik bedoel, zelfs al had je het bij het rechte eind gehad, wat was er dan nog de zin van?'

Hop, terug naar dat onderwerp. Waarom kon Tisha het niet loslaten? 'Nou, het was ons eerste feestje met jongens erbij, weet je nog? En ik voelde me onbeholpen. In dat opzicht was ik een achterblijver. Donna, Fatima en jij waren aan jongens toe. Ik speelde nog met poppen. Ik heb jou trouwens ook speelgoed gegeven voor die verjaardag, een pluchen kat. Ik zag dat je je er te oud voor voelde.'

'Maar...' Tisha leek te worstelen, of met haar emoties, of met het vinden van de juiste woorden. 'Het was míjn feestje. Wat had het in jouw boek te zoeken?'

Cassandra wist dat Tisha niet de vraag had gesteld die ze wilde stellen, de onderliggende klacht: *Hoe kun je het schrijven?*

'Ik ben schrijfster, het is mijn werk.'

'Maar het was míjn leven.'

'Levens overlappen en kruisen elkaar. Als ik alleen over mijn eigen leven schreef, bleef er weinig over.'

'Dat zou misschien beter zijn,' prevelde Tisha.

'Tisha, ben je boos omdat ik over Calliope wil schrijven? Ze was niet echt een vriendin van ons, zoals je al zei.'

'Ik wil er gewoon niet ook in voorkomen, maar het zal wel moeten, hè? Wij allemaal, Donna, Fatima en ik. Ik dacht dat je klaar was, met ons in elk geval.'

Tisha was altijd snel geweest.

'Ik weet nog niet wat ik ga schrijven, maar er zit beslist een verhaal in. Ze was een van ons, ooit. Ze zat niet in ons clubje, maar wel in onze klas. Ik wil uitzoeken hoe iemand van de weg raakt, hoe wij veilig en knus de middelbare leeftijd hebben gehaald terwijl zij de draad op zo'n verschrikkelijke manier is kwijtgeraakt. Goed, jij kwam uit een hecht gezin en Donna's ouders waren zo goed als royalty in Baltimore, maar Calliope was niet zo anders dan Fatima, en jij zegt dat die iets van zichzelf heeft gemaakt. Callies verhaal kan ons iets belangrijkers leren. Over de grillen van het lot, de keuzes en verleidingen waar we voor komen te staan.'

'Maar ik wil er niet aan meedoen. Ik wil het gewoon niet. Kun je ons er niet uit laten?'

'Je wordt niet het middelpunt, Tisha, verre van dat. Het echte verhaal is wat er met Calliope is gebeurd. Ik zal je broer natuurlijk moeten spreken...'

'Die kan je ook niet helpen.'

'Hij was haar advocaat.'

'Zwijgplicht,' zei Tisha.

'Tijdens de zaak, ja, dat heb ik gelezen, maar ik geloof niet dat je iemand tot in eeuwigheid aan zijn zwijgplicht kunt houden.'

'Hij vermoedde al waar het naartoe zou gaan, en ik moest je

doorgeven dat hij je niet te woord kan staan. Calliope ook niet, zelfs al zou je haar vinden, en Reg weet zelf niet eens waar ze is.'

'Kán hij me niet te woord staan,' vroeg Cassandra, 'of wíl hij het niet?'

Tisha zuchtte en keek op haar horloge. 'Maakt het iets uit, Cassandra? Misschien zijn we het allemaal zat om figuranten te zijn in de Cassandra Fallows-show, met Cassandra Fallows in de hoofdrol als Cassandra Fallows.'

'Dat is niet eerlijk, Tisha, helemaal niet eerlijk.'

'Ik moet weg.' Ze legde twintig dollar op tafel, veel meer dan ze moest betalen, ook als je er een kwistige fooi bij optelde. 'Ik heb om twee uur een telefonische vergadering.'

'Het was leuk je te zien, Tisha.' Hoe gekwetst ze ook was door die opmerking over de Cassandra-show, ze weigerde te happen en ruzie te zoeken, deuren te sluiten.

'Ik vond het ook leuk om jou te zien, Cassandra. Ik wil graag met je praten, echt praten – als je niet aan een boek werkt. Wat ze ook zeggen, ik vond je roman je beste boek tot nu toe. Je zou meer fictie moeten schrijven. Al heb je dat al ruimschoots gedaan.'

14

Route 108 stroomde langs de ramen van Tisha Holloway-Barrs 'mama-auto', een acht jaar oud Dodge-busje dat zo hels betrouwbaar was dat ze geen gegronde reden had om het in te ruilen. Ook nu haar jongste bijna mocht rijden, moest ze nog steeds veel kinderen vervoeren vanwege alle nieuwe regels. Avondklokken, nooit meer dan twee jongeren in een auto wanneer er een jongere achter het stuur zat. God, wat was er veel veranderd sinds haar zestiende verjaardag, toen ze met haar vader naar Glen Burnie was gegaan en drie uur later was teruggekomen met haar rijbewijs, en de enige echte beperking was geweest dat haar ouders maar één auto hadden.

Tisha gaf eigenlijk de voorkeur aan de nieuwe aanpak, ook al hield die in dat ze nog een paar jaar aan het stuur gekluisterd zou blijven. Howard County had te veel kronkelige landweggetjes overgehouden aan het boerenverleden. Route 108 was er een van, en Tisha reed veel te hard, gezien de motregen. Ik zou Michael junior vermoorden als ik hem hierop betrapte, dacht ze terwijl ze twintig, vijfentwintig kilometer boven de toegestane snelheid bleef rijden. Ze hoefde feitelijk niet op een bepaald tijdstip thuis te zijn en ze had geen telefonische vergadering om twee uur, maar ze had bij Cassandra weg gemoeten. Uitgehongerd zocht ze op de kaart in haar hoofd naar het dichtstbijzijnde fastfoodrestaurant. Een Jack in the Box, dacht ze, bij Wilde Lake. Ze zou keren en langs het loket rijden.

Dat over die roman – waarom had ze dat gezegd? Ze kende de roman niet eens, terwijl ze de beide memoires aandachtiger had gelezen dan ze wilde toegeven. Tisha loog niet vaak, maar dat leugentje was er zomaar uit gefloept, brutaal en zonder berouw.

Ze had óver de roman gelezen, nadat Reg haar had gezegd dat ze Cassandra Fallows moest bellen, maar ze had niet eens overwogen hem te lezen. Toch was ze er zeker van dat ze hem beter had gevonden dan de memoires, als ze er de tijd voor had genomen.

Tisha had niet opgelet toen *Dochter van mijn vader* verscheen. Ze had twee kleine kinderen thuis; ze las toen sowieso weinig. Toch had het boek, nog in gebonden vorm, haar pad uiteindelijk gekruist, en ze had de naam op het omslag gezien. Cassandra Fallows. Het moest hetzelfde meisje zijn dat ze al die jaren geleden had gekend en dat zo plotseling van de middelbare school was verdwenen. Tisha pakte het op, alleen maar met het idee dat het de vragen kon beantwoorden, dat het haar zou kunnen vertellen waarom Cassandra na de derde klas niet terug was gekomen naar Western High School.

Man, dat was uitgekomen. In Cassandra's versie was ze van school gegaan omdat ze aan het eind van het schooljaar was afgetuigd door drie armoedige blanke wijven uit het oosten van Baltimore met wie ze al het hele jaar overhooplag. Alleen moest Cassandra er een soort karmische boetedoening van maken, straf voor een sneer die ze Tisha meer dan drie jaar eerder had toegevoegd en die Tisha al zo goed als vergeten was.

'Wat een gelul,' was Tisha uitgebarsten zodra ze Donna weer zag. 'Herinner jij je daar iets van?'

'Ik herinner me die vechtpartij. Ik bedoel, ik herinner me dat ik er naderhand over heb gehoord, maar ik kan me niet herinneren dat wij ook maar een beetje in de buurt waren. En al waren we erbij geweest, wat dan nog? Kun je je voorstellen dat ik me erin zou storten? Ik dacht het niet.'

Het was gek, maar niets kon Donna's gevoel van eigenwaarde aan het wankelen brengen. Haar eerste huwelijk was een ramp geweest waar simpelweg nooit over werd gepraat en vervolgens was ze met Tisha's kleine broertje getrouwd, maar het had haar niet minder superieur gemaakt. Ze vond zichzelf nog steeds boven alles en iedereen verheven, Andre Howards dierbare dochtertje, het nichtje van staatssenator Julius Howard. Het huwelijk met Reg was háár redding geweest, maar het lukte Donna de schijn te wekken dat haar gezelschap een grote gunst was die ze hem had verleend.

De Howards en de Barrs hadden maar vijf straten van elkaar gewoond, maar het waren lange straten geweest. De Howards waren een vooraanstaande familie, bijna net zo legendarisch als de Mitchells, naar wie het provinciehuis was vernoemd. De Howards liepen nooit echt voorop, maar ze deden altijd mee aan de jacht. Ooit had iedereen gedacht dat Donna's oom Julius de eerste zwarte landssenator of gouverneur uit Maryland zou worden, wat hij zelf het liefst wilde, maar die scenario's waren ervan uitgegaan dat hij met gemak zou opklimmen van raadslid tot voorzitter van de raad tot burgemeester, en zo soepel was het niet gegaan. Na een mislukte campagne om voorzitter van de gemeenteraad te worden had Julius Howard zijn tijd uitgezeten als staatssenator. Een man van gewicht, maar niet de unieke voorloper die hij naar zijn mening verdiende te zijn.

Toch waren de Howards gewichtig op een manier die Tisha altijd had tegengestaan. Ze had op de kleuterschool vriendschap gesloten met Donna, zich intuïtief houdend aan het oude adagium dat je je vijanden niet uit het oog moest verliezen. Niet dat twee vijfjarigen vijanden konden zijn, maar ze zouden uiteindelijk rivales zijn geworden als ze geen vriendschap hadden gesloten. En ze was dol op Donna, alleen niet zo blindelings als alle anderen, Reg incluis. Kijk maar naar Cassandra, die dacht dat Donna de artistiekeling van het groepje was, terwijl Tisha degene was die door iedereen werd nagedaan. Tisha was die gedetailleerde tekeningen van zich optuttende meisjes gaan maken toen ze in de vijfde klas zaten, niet de vierde, zoals Cassandra in haar boek schreef. Een kleinigheid, maar als Cassandra die al niet goed had, waarom zou je haar dan vertrouwen als het om belangrijke dingen ging?

Een paar dingen hadden wel geklopt: Donna's meisjes leken inderdaad op honden, op Cavalier King Charles spaniëls met een afgeplatte snuit en ogen opzij van hun kop. Donna was de kunst van de verhoudingen en het perspectief nooit meester geworden. Omdat Cassandra nu eenmaal Cassandra was, had ze die hele tekenfase natuurlijk moeten opblazen, tegen de achtergrond van de vrouwenemancipatie gezet. Waarom waren ze zo gefascineerd door afspraakjes, beelden van meisjes halverwege hun transformatie? Was het niet gek dat hun belangstelling uitging naar de voorbereidingen voor die afspraakjes, niet naar de afspraakjes zelf? Ze waren gek op het idee van mooie kleren aantrekken, je haar doen en lippenstift opbrengen. De afspraakjes zelf konden alleen maar tegenvallen. 'Net als de meisjes uit *Apartment 3-G*,' had Cassandra geschreven, voorbijgaand aan het feit dat de enige variatie in dat stripverhaal die in haarkleur was. Het was niet in haar opgekomen dat Tisha zich geroepen had gevoeld de leegte te vullen en haar eigen *Apartment 3-G* te maken, waarin het niet over blond, bruin of rood haar ging, maar over de textuur van kroeshaar en hoe je dat te lijf ging.

'Dat is het met blanken,' had Tisha tegen Donna geklaagd toen ze haar niet kwaad kon krijgen over de manier waarop Cassandra twee losse incidenten aan elkaar had geknoopt. 'Ze denken nooit dat iets een rassenkwestie is, tot ze er zelf mee te maken krijgen. Dan draait álles opeens om ras. Probeer iemand als Cassandra uit te leggen hoe het was om iemand met net zo'n gezicht als jij op de strippagina van de zondagskranten of op tv te zoeken, en ze zal vinden dat je je te veel opwindt, maar wanneer zij wordt afgetuigd – door drie wítte meiden maar liefst – komt het doordat ze, weet ik veel, een soort Harriet Tubman is die de kleine negermeisjes naar de vrijheid leidt.'

Donna had gelachen. 'Ik denk meer aan Harriet Beecher Stowe, al moet ik toegeven dat Cassandra iets soepeler schrijft.'

God, waarom kon Tisha niet net als Donna zijn, zo iemand die over het oppervlak van het leven scheerde en nooit vastliep in woede of eigengerechtigheid? 'Ik zou me hier niet meer durven vertonen,' was er gefluisterd toen Donna na het mislukken van haar eerste huwelijk terug was gekomen naar Baltimore. Ze had haar echtgenoot, een variant op de Howards, maar dan uit Knoxville in Tennessee, ontmoet op de universiteit en hem overgehaald zich in te zetten voor de campagne van haar oom Julius. Het huwelijk werd een jaar na dat van prinses Diana gesloten, en het was bijna net zo indrukwekkend. Tisha had zelden zo'n afzichtelijke bruidsmeisjesjurk gedragen, en dat wilde iets zeggen.

Zeven jaar later lag het huwelijk in de as en niemand wist eigenlijk waarom, alleen dat het verschrikkelijk voor Donna moest zijn om er zonder één rooie cent uit tevoorschijn te komen. Er gingen geruchten, verdraaid, op hun kop gezet. *Hij sloeg haar, zij sloeg hem, ze sloegen elkaar. Ze zijn al hun geld kwijtgeraakt door een spaar-leenzwendel, zoiets als met Old Court, maar dan erger, en ze wilde niet bij hem blijven omdat hij arm was. Hij is homo, zij is lesbisch. Hij weet iets van haar, daarom krijgt ze geen geld, ze koopt hem af, eerlijk gezegd.* Donna liet zich echter niet intimideren en wilde niemand iets vertellen, zelfs Tisha niet. 'Het ging gewoon niet,' zei ze. 'We waren te jong, we groeiden uit elkaar.'

Intussen was Reg er ook nog, en hij werkte bij Donna's vader. Hij mocht dan twee jaar jonger zijn, hij was niet langer die malle kleine Candy die Donna probeerde te veroveren met zijn potsierlijke dansje. Hij was aantrekkelijk, met brede schouders, en na een moeilijke start bij de firma stond hij nu in de startblokken voor een bliksemcarrière. Daar werd natuurlijk ook over geroddeld. Reg zou partner zijn geworden omdat hij de schoonzoon van de baas was. Tisha daarentegen had altijd geloofd dat het andersom was: Andre Howard had Reg beloond met zijn enige dochter omdat hij zich had bewezen als jurist. Andre wilde geen twee keer aanzien hoe zijn kindje onrecht werd aangedaan. Reg, die financieel afhankelijk was van zijn schoonvader, zou Donna nooit beschamen.

Gek, hoe rijk Reg nu was. Zoals Tisha's man Michael graag mocht zeggen: 'Artsen en tandartsen doen het redelijk, maar degene die de artsen en tandartsen voor de rechter sleept, díé doet het pas goed.' Niet dat Reg medische fouten deed, maar Tisha begreep wat haar man bedoelde. Michael en zij hadden het goed. Ze hoefden niet elk dubbeltje om te keren. Een autoreparatie, een verre vakantie, muzieklessen – ze hoefden zich nooit af te vragen of ze het konden betalen. Maar de universiteit... godallemachtig, de universiteit! Hun eerste huis had minder gekost dan het huidige tarief voor vier jaar studie. Ze moest niet eens denken aan die twee middelste jaren waarin de kinderen allebei zouden studeren, wanneer Michael en zij bijna tachtigduizend dollar per jaar zouden moeten ophoesten, maar ze kon zich ook niet voorstellen dat ze de kinderen iets zou weigeren. Tisha had zelf naar elke universiteit gemogen die haar wilde hebben en haar kinderen zouden dezelfde deal krijgen, koste wat kost. Maar het was godsonmogelijk, ook als je de cijfers bijstelde naar de inflatie, dat haar ouders een bedrag voor de studie van Tisha en Reg hadden betaald dat ook maar in de buurt kwam van de huidige collegegelden, en ze hadden Reg ook nog eens geholpen met zijn specialisatiestudie. Haar ouders waren allebei ambtenaar geweest, maar ze leken er geen probleem mee te hebben gehad de universiteit te betalen. Hoe was dat mogelijk?

En Reg zou hetzelfde kunnen doen voor zijn dochter, die nog maar acht jaar geleden geboren was. Reg had al flink in de buidel getast om Aubrey op de wereld te laten komen. Het kwam erop neer dat hij de baarmoeder van een vrouw van buiten de stad had gehuurd, al was het onderwerp 'surrogaatmoeder' taboe. Die dochter kon de maan krijgen als ze die wilde, en God sta haar bij als ze er niet naar reikte. Tisha had verondersteld dat Donna niet zwanger kon worden vanwege haar leeftijd, maar Reg had ooit iets gezegd wat deed vermoeden dat Donna op een bepaalde manier beschadigd was en dat het een van de gevolgen was van alle vreselijke dingen die tijdens dat eerste huwelijk zouden zijn gebeurd. 'Je weet er natuurlijk alles van,' had hij tegen Tisha gezegd, en zij had het bevestigd: 'Ja, natuurlijk.' Het was vreemd geweest om te beseffen dat Reg meer van haar beste vriendin wist dan zij. Ze hield zichzelf voor dat het vanzelf sprak, ze waren immers getrouwd? Toch beviel het haar niet. Ze vond het ook verschrikkelijk om naar hun huis te gaan, dat burgerlijke palcis in Bolton Hill dat voor architectuurbladen werd gefotografeerd, waar elk authentieke ditje en historische datje een uitputtende geschiedenis leek te hebben. Wiens geschiedenis, zou ze willen vragen. Want toen die schoorsteenmantel er net was, moet ons volk hem hebben afgestoft. Ook de Howards.

Ze herinnerde zich hoe verheven ze zich had gevoeld toen zij wel op Northwestern werd toegelaten en Donna, die minder vlijtig studeerde, genoegen had genomen met de universiteit van Delaware. Toen schoot haar te binnen hoe achteloos Cassandra haar tijdens de lunch de loef had afgestoken. Princeton. Tisha had waarschijnlijk ook wel naar Princeton gekund op grond van haar cijfers en prestaties, maar haar verbeelding had het niet toegestaan. Te wit, had ze gedacht toen de decaan over de prestigieuze universiteiten in het noordoosten begon.

Alleen was Northwestern net zo wit geweest, vanbinnen en vanbuiten. De sneeuw hoopte zich in de raamkozijnen op tot Tisha dacht dat ze gek zou worden. Op een dag was ze op haar bureau gaan staan om naar de sneeuw te kijken, en toen was het als een lopend vuurtje rondgegaan dat het zwarte meisje – er waren er maar twee in haar studentenhuis – uit pure eenzaamheid had geprobeerd zelfmoord te plegen. Daar gingen ze weer met hun ras, terwijl zij alleen kleur zag, het eindeloze wit van de sneeuwjacht, bijna vijfenzeventig centimeter, die winter van 1979. Wat heeft me bezield, had ze zich afgevraagd terwijl ze naar de zich opstapelende sneeuw keek. Ze had naar Tulane of Vanderbilt moeten gaan.

Toch was ze door de bank genomen wel gelukkig op Northwestern, en zeker bij de colleges van Sterling Stuckey, een docent die echt waardering had voor haar intellect. De gedachte aan Stuckey bracht haar op Broer Konijn, en de cirkel was rond toen ze vervolgens aan Cassandra en haar neiging *het gewoon niet te snappen* dacht.

Het was in de vierde klas, in het voorjaar. Tisha wilde graag geloven dat het de week na de moord op Martin Luther King was, maar ze wist dat het domweg te mooi was om waar te zijn, dat haar geheugen haar ertoe wilde verleiden het verhaal beter te maken dan het was. Kijk, dat was nou het verschil tussen Cassandra en haar. Tisha wíst wat het geheugen deed, hoe het probeerde je voor de gek te houden en hoe jijzelf je geheugen voor de gek hield. Want zelfs het schoolsysteem van Baltimore kon niet zo stom zijn *Song of the South* te vertonen in de week na de aanslag op dr. King.

Er moest wel iets gebeurd zijn, iets verontrustends dat het nodig maakte de kinderen in de aula bijeen te drijven voor een film, een ongelooflijke verwennerij. Alleen niet in het geval van *Song of the South*, en al helemaal niet meer toen de film werd gevolgd door een lesprogramma waarin ze de 'Oom Remus'-verhalen in de versie van Joel Chandler Harris moesten lezen. Tisha had gegeneerd naar haar boek gekeken. De mensen die zij kende, praatten niet zo. Nou ja, haar vader had een verre verwant aan de kust die niet bepaald hoogopgeleid was, en Fatima's moeder gebruikte uitdrukkingen die typisch waren voor Baltimore, zoals 'daar gaat het' om aan te duiden waar iets was, iets wat nergens naartoe ging. Maar zelfs Fatima's moeder praatte niet zo krom, en Tisha's eigen moeder was verschrikkelijk streng als het op grammatica aankwam, vooral op kennen-kunnen.

Dat zei ze ook tegen de juf. 'Maar dit is dialect, Tisha. Zo spraken de mensen vroeger in het zuiden. Joel Chandler Harris wilde de orale traditie behouden, opdat deze verhalen niet verloren zouden gaan.' Cassandra, die altijd een wit voetje wilde halen, was de juf bijgevallen: 'Het is niet zomaar een verhaal. Het is geschíédenis, Tisha.'

Niet de mijne, had ze willen zeggen.

Ze vond de Jack in the Box, die nu een Burger King was, en bestelde een milkshake en gebakken uienringen. Kipsalade met pistachenoten. Ze verafschuwde dat soort eten. Waarom had zij dat restaurant dan voorgesteld? Omdat ze, geef het maar toe, indruk wilde maken op Cassandra. Cassandra! Die bijna een sulletje was geweest op school, met die enorme bos warrig haar en haar magere, stuntelige lijf. Destijds had Cassandra naar Tisha's goedkeuring gehunkerd. Het was een regelrechte pikorde: Tisha keek op tegen Donna, Fatima en Cassandra keken op tegen Tisha en die sneue kleine Callie liep als een hondje achter Fatima aan, zonder meer te vragen dan het recht langs de zijlijn te staan. 'Zijn jullie aan het ballen?' vroeg ze op de speelplaats. 'Spelen jullie trefbal?' Maar ze wilde alleen meedoen als Donna of Tisha haar aanspoorde. Fatima's toestemming was niet genoeg, laat staan die van Cassandra. Niet dat Cassandra ooit op het idee kwam Callie te vragen mee te doen, en nu was ze kennelijk vergeten hoe het kind had geprobeerd aansluiting bij hen te vinden. Want als ze het zich herinnerde, zou er een hoofdstuk in zitten, misschien wel twee, misschien een heel boek.

Hoe was Tisha nu verdwaald geraakt in deze voorstad waar ze al zeventien jaar woonde? Goed, dit was niet haar buurt, maar ze moest op de een of andere manier helemaal op drift zijn geraakt. Als je de weg wilde vinden in Columbia, had Tisha altijd geloofd, moest je er niet bij stilstaan. Ze was rechts afgeslagen waar ze linksaf of rechtdoor had moeten gaan en was op Faulkner Ridge Circle beland, maar ja, ze had ook aan Faulkner gedacht.

Tisha was Broer Konijn weer tegengekomen op de universiteit, toen ze zich had ingeschreven voor Sterling Stuckeys seminar over wat toen 'zwarte folklore' werd genoemd. Ze had zo haar bedenkingen gehad en begreep niet waarom de opgegeven verhalenbundel van William Faulkner was. Waarom zou William Faulkner over Broer Konijn schrijven? De docent had echter uitgelegd dat dit William J. Faulkner was, een voormalige slaaf, die dezelfde verhalen vertelde als Harris, maar dan in een simpele, directe taal die de verhalen waardigheid en kracht gaf. Vervolgens had hij de overeenkomsten besproken tussen Broer Konijn en het listige konijn uit de West-Afrikaanse folklore, en het verband gelegd met het panafrikanisme, waarbij oude etnische verschillen vervaagden in het aangezicht van de slavernij. Hij gaf Tisha Broer Konijn terug, liet haar zien hoe dapper dat konijntje was, hoe slim. Een bedrieger uit noodzaak, want hoe kan een konijn zich anders staande houden in deze wrede wereld?

Een paar weken later in het semester, toen ze een biografie lazen van Jelly Roll Morton, zei een blank meisje uit Oklahama naar aanleiding van Mortons liefde voor mooie kleren: 'Ik heb me altijd afgevraagd waarom zwarte mensen allemaal van die dure auto's kopen, ook als ze niet veel geld hebben.' Er was een diepe, bijna beangstigende stilte gevallen, die veel verder ging dan onaangenaam. Stuckey had de studenten behoedzaam naar een discussie geleid over stereotypes en generalisatie, maar het meisje had het als een bevestiging gezien en onverstoorbaar en kalm volhard in haar onwetendheid. 'Precies,' zei ze toen Stuckey klaar was. 'Het is heel kinderachtig om dure dingen te kopen als je niet eens geld voor eten hebt.'

Zó stom was Cassandra nooit geweest, nooit zo zelfingenomen of kleingeestig. Zij had het huwelijk van haar stiefmoeder sportiever opgevat dan de ouders van die vrouw, dat stond als een paal boven water. Toen Annie Waters met Cedric Fallows trouwde, hadden haar ouders haar min of meer verstoten. De roddels daarover, vol toespelingen en geheimtaal, waren de jonge Tisha ver boven de pet gegaan, maar uiteindelijk had ze het begrepen. Iedereen had het uiteindelijk begrepen, behalve Cassandra. Wat gek was, want niemand had er ooit echt iets om gegeven, behalve Cassandra. Tot ze een boek schreef, en nu hadden miljoenen mensen de tijd van Kings dood leren kennen via dit – sorry, Cassandra, dacht Tisha, die zo hard aan haar rietje zoog dat het borrelde – onbenúllige verhaal. Dat had haar nog het kwaadst gemaakt aan die memoires, moeten toezien hoe Cassandra zich die drie dagen opgewekt toe-eigende om het verhaal van haar eigen persoonlijke tragedie te vertellen. Ze had niet geweten, kon niet weten, wat er zich dat verschrikkelijke weekend had afgespeeld in de woonkamers en keukens van zwarte mensen, de angst, het verdriet en de verschrikking van het hele gebeuren. Ze bedoelde het niet kwaad, zoals Donna zei.

Tisha wist echter dat mensen die het niet kwaad bedoelden, vaak de gevaarlijkste mensen waren van allemaal, de echte Pietjes Pek van wie je misschien nooit meer los kon komen. Reg en

Donna waren gek als ze dachten dat ze Cassandra op de een of andere manier in toom konden houden, dat ze haar iets konden toegeven en haar er vervolgens van af konden laten zien hen mee te slepen in de ontleding van Callie Jenkins' leven. Die arme, zielige vrouw die altijd langs de zijlijn wachtte of ze mee mocht doen. Wat ze ook had gedaan, en iedereen ging ervan uit dat ze haar zoontje had vermoord, laat haar nu met rust, Cassandra. Laat haar.

Reg en Donna mochten de strijd aanbinden met Cassandra, als ze dat wilden, maar Tisha... Tisha zou zich gedeisd houden.

Bewitched

Ik was als kind een tv-slaafje. Officieel mocht ik maar een uur per dag kijken, maar dat was een regel van mijn vader waar mijn moeder zich zelden aan hield. Toen hij wegging, werd tv-kijken een passieve manier voor ons om samen te zijn en werden de beperkingen opgeheven, maar zolang we nog onder één dak woonden, vervloekte, beschimpte en veroordeelde mijn vader het medium. Wat het natuurlijk onweerstaanbaar maakte.

Op doordeweekse dagen haastte ik me zo ongeveer bevend van verwachting van school naar huis. Ik begon met *One Life to Live*, waarmee ik de tijd doodde tot *Dark Shadows* begon, maar de soap begon al snel een grotere plaats in mijn verbeelding te krijgen dan het bovennatuurlijke. Soaps waren het schunnigste wat er was, eind jaren zestig, vol clandestiene seks en ongewenste zwangerschappen die mensen tot liefdeloze huwelijken dwongen. Ik keek zwijmelend tot het nieuws begon en maakte dan snel mijn huiswerk, want mijn vader verwachtte dat het af was wanneer hij thuiskwam.

Ik keek het liefst naar *Bewitched*, dat 's avonds werd uitgezonden en dus minder makkelijk verborgen kon blijven voor mijn vader. Ik zei dat het binnen het mij toegestane uur viel, maar de serie maakte hem principieel woedend. Hij leek het niet te kunnen hebben dat Darrin, of die nu door Dick York of door Dick Sargent werd gespeeld, Samantha aan de haak had geslagen, de lieftallige heks. Mijn vader was het met Samantha's moeder eens dat Darrin haar niet verdiende; niet omdat hij een sterveling was, maar omdat hij weigerde Samantha haar krachten te laten gebruiken om hen te verrijken. Ook al bewezen de geliefde mythen van mijn vader keer op keer hoe gevaarlijk het is om goden en godinnen lief te hebben, hij was er niet voor teruggedeinsd een onsterfelijke het hof te maken. Nog geen achtenveertig uur na de avond die ik hier beschrijf, zou Annie zelf als een Afrodite oprijzen uit een zee van kronkelende lichamen, en hij zou bijna voor haar sterven.

Maar dit was een donderdag. Ik zette de tv aan terwijl ik bepeinsde dat er geen middenweg is met heksen: óf ze waren lelijk, óf beeldschoon. Ik hoopte beeldschoon te worden, maar er leek weinig hoop te zijn. Mijn moeder zei dat ik het mooiste meisje van de wereld was, maar mijn vader zweeg nadrukkelijk over mijn uiterlijk. In de zomer tussen de derde en vierde klas was hij opgehouden mijn haar te verzorgen, en het was nu een onhandelbare massa, zoals mijn moeder had voorspeld, en helemaal niet flatteus voor mijn gekke gezichtje. Toch was het praktisch om je achter je haar te kunnen verstoppen, zowel op school als thuis, waar ik voelde dat er iets vreselijk mis was. Of zou gaan.

'We onderbreken het programma voor een speciale nieuwsuitzending' – wie herinnert zich die woorden niet? We horen ze minder vaak nu CNN er is om ons het nieuws te brengen zodra het gebeurt. Tegenwoordig kruipen de nieuwsberichten onder in het beeld voorbij, nederig en eerbiedig, om de programmering niet in de war te sturen. Dr. Martin Luther King Jr. was om zes uur die middag neergeschoten in Memphis, een uur voordat ik voor de buis kroop, en ik hoorde het net. Hij was negenendertig jaar. Stokoud in de ogen van een meisje dat twee dagen later tien zou worden, maar net zo oud als mijn vader en vijf jaar ouder dan mijn moeder.

Ik riep naar mijn moeder, die in de keuken was. Ze geloofde me eerst niet. Hoe kan een klein meisje de boodschapper zijn van zulk nieuws? Toen het eindelijk tot haar doordrong, slaakte ze een kreet – nee, die schreeuw kwam later pas, ik haal dingen door elkaar. Mijn moeder zal twee maanden later schreeuwen, in de vroege ochtend van de vijfde juni, toen Robert Kennedy werd neergeschoten. Ik zal die schreeuw horen en naar haar bed gaan, me verwonderend over het onbeteugelde verdriet om een man die we niet echt kennen. Pas een paar minuten later zal ik op het idee komen te vragen: 'Waar is papa?' Mijn moeder zal nog harder gaan huilen. Er kan zoveel gebeuren in twee maanden.

Binnen enkele uren na het nieuws van Kings dood werden Washington en Detroit overspoeld door rellen, maar in Baltimore bleef het bedrieglijk stil. 'Een stad die zo achterloopt dat ze niet eens tijdig in opstand kan komen,' zei mijn vader graag.

'Maar als de mensen hier meteen de straat op waren gegaan, was jij zaterdag niet naar buiten gegaan,' merkte ik jaren later op. 'En dan had je Annie niet ontmoet. Je hebt Annie ontmoet door de moord op King.'

'Niet zo onzorgvuldig, Cassandra. Ja, je kunt zeggen dat ik Annie heb ontmoet onder omstandigheden die een direct gevolg waren van Kings dood, maar daar kun je niet uit afleiden dat ik haar anders nooit had ontmoet. Ze werkte tenslotte bij die bakkerij in Westview Mall, op nog geen vijf kilometer hiervandaan.'

'Maar was je onder minder tumultueuze omstandigheden wel verliefd op haar geworden?' hield ik vol. 'Was het liefde op het eerste gezicht geweest als je, om maar iets te noemen, pizzabroodjes bij Silber's had gekocht? Of in de bus naar het centrum had gezeten?'

'O, zeker,' zei mijn vader altijd. 'Annie Waters was mijn lotsbestemming.' Dan, bij het zien van mijn gezicht: 'Stel geen vraag als je het antwoord niet wilt horen.'

Verzamelaars
11-12 maart

15

Zodra Teena de vrouw in de volumineuze cape zag, wilde ze als een uitzinnige verrevelder 'hierheen!' schreeuwen. Het kwam niet alleen doordat de vrouw duidelijk iemand was die met geld kon smijten. Ze had geld, smaak en een betrekkelijk goed figuur voor haar leeftijd – slank, niet te brede heupen, maar iets te klein voor de echte haute couture. Ze was zo verstandig zich niet te jeugdig te kleden, en Teena schatte haar tussen de veertig en vijfenveertig. Dat hield in dat ze de hipste kleren zou mijden, maar ze zou de mooiste stukken van sommige nieuwe voorjaarscollecties kunnen waarderen en graag een paar dingen willen vinden die haar in staat stelden met de mode mee te gaan zonder die slaafs te volgen.

'Ik ben Teena,' zei ze tegen de vrouw, zonder notitie te nemen van de kwade blik van de andere verkoopster, Lavonne, die er recht op had deze klant weg te kapen. 'Zeg het maar als ik iets voor u kan doen.'

Lavonne paste niet bij deze klant, praatte Teena haar gedrag goed. Lavonne was te opdringerig, te vasthoudend. Zij deed het beter met de onzekere vrouwen. Een klant als deze bood je hulp aan en dan trok je je terug, maar je zorgde dat je er was op het exacte moment dat ze assistentie wilde. Teena keek naar de vrouw, die langs de rekken liep van de dure ontwerpers die Nordstrom hier verkocht. Ze maakte de indruk uit New York te komen, alsof ze gewend was meer en betere waren te zien. Een vaste klant van Bergdorf Goodman of de etages met ontwerpers bij de vlaggenschipwinkel van Saks. Soms ging Teena op haar vrije dag met zo'n speciale tourbus naar New York, zo eentje die maar vijfendertig dollar kostte en dan kreeg je nog een broodje ook. Terwijl haar medereizigers naar matinees en musea gingen, doolde zij door de beste warenhuizen om het aanbod in te drinken. Ze paste nooit iets – het was beroepsmatige hoffelijkheid, ze wilde de tijd van andere verkoopsters niet op die manier verspillen – maar ze inspecteerde de kleding en bestudeerde de klanten. De artikelen wekten jaloezie, maar de klanten maakten haar dankbaar dat ze in Baltimore woonde. Er waren er veel die aardig leken, maar er was een bepaald type dat ze nooit zou kunnen verdragen: luidruchtig en tegendraads, niet tevreden te stellen. O, ze kreeg hier ook haar portie krengen, zeker rond de tijd van het eindexamenbal, maar een kreng uit Baltimore was van een heel andere orde, iemand die ze wel aankon omdat ze het type al haar hele leven kende, er zelfs in haar jeugd ook toe had behoord. Toen zou ze het 'zelfvertrouwen' hebben genoemd, of 'een krachtige persoonlijkheid'. Het maakte geen verschil. Toen Teena in de twintig was, knap en ambitieus, had ze geen rekening gehouden met de gevoelens van anderen. Stiekem had ze zelfs een afkeer gehad van mensen die het minder goed hadden getroffen, maar volgens haar verantwoordelijk waren voor hun eigen lot. Ze had de kneuzen meedogenloos uit haar leven geweerd, want het zou besmettelijk kunnen zijn.

Toen was ze er zelf een geworden.

De vrouw keek naar een zachtgroen met roze hemdjurk van Tory Burch. Teena verkocht hem aan de lopende band, want die twee kleuren raakten in het bekakte Baltimore nooit uit de mode, maar hij was niet geschikt voor deze vrouw.

'Hij is mooi,' begon ze omzichtig, 'en ongelooflijk gewild.' De vrouw kromp in elkaar. Een goed teken. 'Ik heb het idee dat het niet uw smaak is.'

'Ik kies meestal sombere kleren,' bekende de vrouw met een lachje, 'maar misschien moet ik eens iets anders nemen. Het ziet er zo lenteachtig uit en ik zou graag willen geloven dat de lente hier uiteindelijk toch nog aanbreekt, al weet ik uit ervaring dat Baltimore pas eind april aan het voorjaar toekomt.'

'O, komt u van hier?'

'Oorspronkelijk.' Ze liet de Tory Burch hangen, maar pakte de volgende aan het rek, een donzige Alice + Olivia. Ze was kennelijk in een romantische stemming, als ze zich aangetrokken voelde tot die doddige dingen die zo anders waren dan de strenge kleren die ze aanhad. Een vrouw die aan verandering toe was. Kortgeleden afgevallen? Maar ze bewoog zich niet alsof haar lichaam nieuw of verbazingwekkend voor haar was, integendeel. Dit was een vrouw die eraan gewend was aantrekkelijk te zijn en haar uiterlijk misschien zelfs een beetje overschatte, niet goed bijhield hoe de tijd aan een vrouw knaagt. Ze had het languissante van iemand die droomde, alsof ze de kleren toonde voor iemand die goedkeurend toekeek. Teena kwam het vrij vaak tegen, in elke leeftijdsklasse. Ze vond het verwonderlijk, het menselijke vermogen tot dwaasheid en liefde, ook op hoge leeftijd. Dat deel van haar was zo afgestorven als de zenuwen in haar rechterhand.

'Wat dacht u hiervan? Ik denk dat hij goed bij uw teint past.' Ze pakte een tricot jurk die eerder rozerood was dan roze, en nuances maakten alle verschil van de wereld. Het was een Dolce & Gabbana, twee keer zo duur als de andere dingen die de vrouw had bekeken, maar veel geschikter dan de flodderjurkjes die ze over haar arm had gedrapeerd. Haar figuur was goed genoeg, maar iemand die had besloten haar haar zilvergrijs te laten worden – in tegenstelling tot Teena, die gewoon niets meer aan haar haarkleur deed, punt uit – kon zo'n jeugdig silhouet niet meer hebben. De vrouw keek zonder een spier te vertrekken naar het prijskaartje.

'Wilt u er een paar schoenen bij?' vroeg Teena met een blik op de suède laarzen van de vrouw. Schitterend, met een hoge leren hak, maar niet geschikt bij deze kleren. Het zou jammer zijn als ze de koop misliep, alleen maar omdat de fantasie van de klant niet tegen die winterlaarzen op kon. 'Maat achtendertig?'

'Negenendertig,' zei de vrouw fijntjes glimlachend. Ze begreep dat Teena opzettelijk een te kleine maat had genoemd. Het pleitte voor haar. Teena had dit soort ijdelheid nooit begrepen. Goed, ze had zelf maat zesendertig, maar toch. Je voeten zijn je voeten;

er is met geen dieet of training iets aan te veranderen. Het was de enige maat waar vrouwen trots op zouden moeten zijn. Teena, die altijd heel meisjesachtig was geweest in haar liefde voor kleding en make-up, bleef zich verbazen over andere facetten van de vrouwelijkheid. Er waren momenten geweest, in de verhoorkamer met Calliope Jenkins, dat ze had geloofd dat dit de kern was van haar probleem: ze begreep vrouwen niet, en moeders al helemaal niet. Teena kon Calliope niet breken omdat ze niet vrouwelijk genoeg was. Ironisch, gezien het feit dat ze zelf voor de opdracht had gelobbyd – en hem had gekregen – op basis van haar geslacht. Als Calliope Jenkins met haar lome slaapkamerogen naar een man opkeek, had hij moeite een moordenares in haar te zien. Hij zag wel een gestoorde vrouw, dat wel. De mannen in het rechercheteam waren het erover eens dat ze Calliopes krankzinnigheid konden ruiken. Een vrouw met problemen en een vrouw die problemen veroorzaakte – ja. Maar een moordenares? Het moest wel, logisch gezien, maar de logica verschrompelde in het aangezicht van Calliopes kalme voordracht, het steeds herhaalde 'ik beroep me op het Vijfde Amendement' en 'ik heb niets te zeggen'.

'Ik zal een paar lichte pumps voor u zoeken,' beloofde Teena. En als ze toch bezig was, kon ze meteen een paar andere dingen pakken. Er was een Roberto Cavalli die niemand stond, laat staan dat iemand hem kon betalen.

Cassandra zat in haar beha en onderbroek op het gecapittonneerde krukje in de paskamer. De belichting was stompzinnig fel. Ze dacht aan de meisjes op Tisha's tekeningen, maar dan dertig jaar ouder. Dit ging te ver. Ze was hier gekomen om zich voor te stellen en om een afspraak te vragen, maar ze had het lef niet gehad en nu voelde ze zich een bedriegster. Voor haar eerdere boeken had ze zich verlaten op haar geheugen en haar dagboeken, misschien een paar telefoongesprekken met vrienden en familieleden. Hoe raakte je in gesprek met iemand die je nog niet kende, en al helemaal als het zo'n trieste vrouw was, zo tenger dat ze haar kleren niet vulde, hoe mooi en goed gekozen ze ook waren? Waar moest je beginnen? 'Bij het begin,' zei haar vader altijd wanneer ze in paniek raakte over een opstel voor school.

Hoe gek het nu ook leek, ze had geworsteld met haar opstellen, zeker binnen het openbare schoolsysteem; op de Gordon School hadden ze meer opengestaan voor haar onorthodoxe benadering. In de derde klas van de onderbouw, nog op de openbare school, had Cassandra een onvoldoende gekregen voor een opstel over Faulkner omdat ze had geprobeerd het vanuit het gezichtspunt en met de stem van Benjy te schrijven. De docent had een punt afgetrokken voor elk verkeerd gespeld woord en elke stijlfout. 'Ik heb zo'n gevoel,' zei haar vader, 'dat die docent van jou *Het geraas en gebral* niet echt heeft gelezen.' Hoe streng of mild de docenten haar ook beoordeelden, haar vader nam haar opstellen nog eens door en taxeerde ze naar zijn eigen maatstaven. Hij had haar metaforen bekritiseerd, rode strepen door clichés getrokken en met klem beweerd dat ze beter kon. 'Te netjes, te fatsoenlijk,' zei hij. 'Ik heb je niet opgevoed om een papegaai te worden die de banaliteiten van de docenten voor ze herhaalt.'

Ze maakte oogcontact met haar evenbeeld in de driedelige spiegel en repeteerde in stilte haar opening: *Hallo, ik ben Cassandra Fallows en ik doe onderzoek voor een boek over Calliope Jenkins.* Niet helemaal waar. *Hallo, ik ben Cassandra Fallows en ik werk weer aan mijn memoires, maar het is ook een onderzoek naar het leven van Calliope Jenkins.* God, hoe deden journalisten dat? Ze wist wel hoe ze háár benaderden, via publiciteitsmensen en e-mail, soms bij openbare gelegenheden. Dat laatste vond ze een beetje onbehouwen, maar als dat al onbehouwen was, was het nog minderwaardiger om iemand op haar werk te overvallen. Cassandra had in de roes van het succes verkeerd toen ze Teena's adres had gevonden en naar haar huis was gegaan, maar er waren dagen verstreken zonder dat ze iets van haar had gehoord. Gelukkig had een van de buren – niet die wantrouwige oude man, maar een gejaagde jonge moeder die boodschappen uitlaadde – zich laten ontvallen waar Teena werkte, samen met het feit dat geen mens haar Sistina noemde. De roepnaam Teena had gemaakt dat Cassandra een minder stijlvolle, jongere vrouw had verwacht, maar ze besefte nu hoe dom dat was. Er waren twintig jaar voorbijgegaan. Teena moest minstens in de veertig zijn, en ze zag eruit alsof ze dik in de vijftig was.

Ze trok de rozerode jurk aan die de nietsvermoedende Teena voor haar had uitgezocht. De voormalige rechercheur had verstand van kleren. De jurk, die onopvallend was geweest aan de hanger, was opmerkelijk aan het lijf, en de kleur liet haar huid stralen. Ze had de hoge hakken laten staan – ze gruwde ervan haar voeten in schoenen te steken die andere vrouwen hadden gedragen – dus ging ze op haar tenen staan en zette haar handen in haar zij om zichzelf te bekijken. Wanneer moest ze die jurk in vredesnaam aan?

Aan de kassa, toen ze betaalde voor de jurk en de lichtgewicht voorjaarsjas die Teena erbij had uitgezocht en die de rekening meer dan verdubbelde, wist Cassandra nog steeds niet hoe ze moest beginnen met wat ze te zeggen had. Ze klampte zich vast aan de zwakke hoop dat haar creditcard het ijs zou breken – andere verkoopsters, in andere winkels, en niet alleen boekwinkels, hadden het verband wel eens gelegd, maar hoewel Teena aandachtig naar haar creditcard leek te kijken, zei ze niets, maar liep gewoon om de toonbank heen om Cassandra haar Nordstrom-tas aan te reiken, een stukje protocol van het warenhuis dat Cassandra altijd vermakelijk had gevonden.

'Ik was eigenlijk niet van plan iets te kopen,' zei ze.

'Dan vind je soms de mooiste dingen.' Ze zei het met een glimlach, maar ook als definitieve afsluiting. De koop was gesloten; Teena was klaar met haar. Al was ze er vermoedelijk zo een die haar nog een handgeschreven briefje zou sturen.

'Nee, ik bedoel... Ik kwam hier voor ú.'

Teena's gezicht verstarde. *Nee, nee*, hoorde Cassandra haar vader bestraffend zeggen. *Dat is zwak, Cassandra, onnauwkeurig.* Haar gezichtsuitdrukking veranderde op subtiele wijze – in een nieuw masker, wat bewees dat het vorige gezicht ook een masker was geweest. Teena Murphy beschikte vermoedelijk over maskers op maskers op maskers.

'Waarom zou u hier voor mij komen?'

'Ik schrijf over Calliope Jenkins…'

Teena Murphy hief haar handen, bijna alsof ze een klap wilde afweren. 'Ik ben bang dat ik niets voor u kan doen.'

'Wilt u mijn kaartje niet aannemen?'

Teena nam het kaartje aan, liet het vallen en had moeite het weer op te rapen. Was er iets met haar hand?

'Het wordt geen boek óver Calliope Jenkins, maar ik heb haar gekend, toen we nog klein waren, en ik vind het boeiend hoe anders onze levens zijn verlopen…'

'Hoe was ze?'

De vraag kwam er gespannen en gehaast uit, alsof de woorden tegen Teena's wil uit haar keel ontsnapten. Cassandra had er niet op gerekend, maar zou dat niet de belangrijkste vraag moeten zijn? Hoe was Calliope Jenkins als kind geweest, als volwassene? Had het kind de volwassene en haar leven op wat voor manier dan ook voorspeld? Cassandra moest die vraag kunnen beantwoorden. Het was niet minder dan de ruggengraat van haar boek.

Waar ze nog minder op had gerekend, was wat Teena vervolgens zei: 'Koop voor nog eens vijfduizend dollar kleding en ik wil je in mijn pauze wel te woord staan.'

16

Gloria waagde het erop met haar padvinder: ze ging voor de psychologische evaluatie voorafgaand aan de petitie om de jongen als minderjarige te laten berechten. Ze had de strategie uitgezet met haar cliënt en diens voogd. Het was een beetje ongemakkelijk, want de voogd was een broer van de overleden vader. Hij kon amper met de jongen in dezelfde ruimte verblijven. Hij was een geslaagd ingenieur, en hij dacht de schijn het beste te kunnen ophouden door achter zijn neef te staan, maar hij kon zijn woede ten opzichte van de jongen nauwelijks maskeren, en zijn angst al helemaal niet.

Hij zat nu met Gloria in de hal van de rechtbank te wachten terwijl de jongen met psychiaters praatte.

'Hij moet toch wel gestoord zijn?' vroeg de oom aan Gloria.

'Ik denk dat ze zullen vaststellen dat hij langdurige psychiatrische hulp nodig heeft,' zei Gloria, in het besef dat het niet echt een antwoord op de vraag was. 'We hebben die conclusie niet nódig om hem als minderjarige te laten berechten, maar het zou kunnen helpen.'

'Stel dat ze hem volkomen normaal verklaren?'

Dat zit er niet in, zou Gloria willen zeggen. *Hij heeft zonder enige aanwijsbare reden zijn ouders en zijn tweelingzusjes vermoord, en sindsdien liegt hij erover, alleen niet zo goed.* Ze hield het op: 'Het zou me er niet van weerhouden een petitie in te dienen om hem als minderjarige te laten berechten, maar hij is zestien, dus hij zit aan de bovenkant van de leeftijdsgrens, en als ze hem geestelijk gezond verklaren, voorzover dat zou kunnen, wordt het lastiger.'

'Maar als hij als minderjarige wordt berecht, moeten ze hem vrijlaten...'

'Wanneer hij eenentwintig wordt,' vulde Gloria aan.

'Dus dan krijgt hij maar vijf jaar. Iets meer dan een jaar per moord.'

'Zelfs in het volwassenenrecht kan iemand die voor het eerst wordt veroordeeld voor alle aanklachten tegelijk worden bestraft in plaats van dat de straffen bij elkaar op worden geteld.'

'Maar vijf jaar...'

'U zou ervan staan te kijken. Ik bedoel, nee, ik kan me niet voorstellen dat hij maar vijf jaar zou krijgen, maar het zou me niet verbazen als hij minder dan tien jaar moest zitten.'

'Dan zou hij pas zesentwintig zijn,' zei de oom. 'Nog een jonge man.'

'Maar wel een jonge man die tien jaar in het penitentiaire systeem van Maryland had gezeten. Als u in schone leien gelooft, is dat niet de beste manier om hem er een te geven. Hoor eens, dit is geen trucje, of misbruik maken van een maas in de wet. Hij heeft het recht als minderjarige berecht te worden. Hij is onder de achttien. Een jaar of tien geleden was dat de aanname geweest, de enige mogelijkheid. Hebt u gelezen wat er uit nieuwe onderzoeken naar het tienerbrein is gebleken? Als u het mij vraagt, zouden tieners niet eens mogen rijden. Ik weet dat het beangstigend is, maar als uw neef heeft gedaan waarvan hij wordt beschuldigd, en denk erom dat hij niet heeft bekend, is zijn daad niet voortgekomen uit een logische redenering, wat ze daarbinnen ook beweren.' Ze knikte naar de dichte deur.

'Maar zou u willen dat hij op zijn eenentwintigste weer vrij rondliep?' drong de oom aan. 'Uw mening als burger?'

'Ik ben zijn advocaat. Ik wil het best mogelijke resultaat voor hem behalen. De staat zorgt voor de andere burgers. Het is best een goed systeem, als u het mij vraagt.'

De oom, die de indruk maakte zich niet lekker te voelen, verontschuldigde zich. Gloria was blij dat Harold Lenhardt haar kwam afleiden, ook al wist ze dat hij aan de andere kant stond en hoopte dat ze deze ronde zou verliezen. Ze mocht Lenhardt wel. Iedereen mocht hem. Zelfs een paar mensen die hij achter de tralies had gekregen, waren hem uiteindelijk aardig gaan vinden.

'Uitgekookte strategie,' zei hij bij wijze van begroeting.

'Heb je er ooit bij stilgestaan,' zei ze, 'dat het beter zou kunnen zijn voor de familie als dit niet voor de rechtbank werd uitgesponnen?'

'Laat me raden. Hij werkt aan een verhaal over ontstellend misbruik. Pappie en mammie die vreselijke dingen deden met hun kindjes. Hij heeft ze vermoord om er een eind aan te maken, en toen heeft hij zijn zusjes vermoord omdat ze er nooit meer overheen zouden komen. Hij wilde zichzelf ook van kant maken, maar kwam erachter dat het moeilijk is om de loop van een geweer in je mond te steken. Ik zeg dat hij "eraan werkt" omdat het allemaal gelul is, maar ik wil wedden dat het zijn volgende zet wordt, nadat hij eindelijk afstand heeft gedaan van dat verhaal over die indringer.'

Gloria had geweten dat geen fatsoenlijke rechercheur Moordzaken zich door haar cliënt voor het lapje zou laten houden, en Lenhardt was aanzienlijk beter dan fatsoenlijk. Ze schokschouderde vrijblijvend en hoopte dat ze niets prijsgaf.

'Hé, ben jij door de een of andere schrijver gebeld?'

'Van de *Beacon-Light*? Natuurlijk.'

'Nee, niet hierover. Over die oude zaak, hoe heet het. Ze heeft me opgespoord en ze wilde uitvissen waar Teena was. Ik nam aan dat ze jou ook zou willen spreken.'

Dus Cassandra Fallows was op zoek naar Teena Murphy. Niet dat Teena zou praten, maar het was boeiend. Teena, Reg, Gloria... Zou ze Calliope kunnen vinden?

'O, die. Ze spreekt telkens berichten in. Ik reageer er niet op.'

'Gloria Bustamante die de publiciteit schuwt? Ik neem aan dat de kalveren nu op het ijs dansen.'

Gloria glimlachte. Ze vond het prachtig als mensen haar verkeerd begrepen. Laat ze maar denken dat ze publiciteitsgeil was, dat ze een niet echt stiekeme pot was of dat ze aan de drank was. Ze had liever een miljoen verkeerde indrukken dan dat één iemand wist wie ze echt was.

'Ik ben Teena tegengekomen. Ze zag er beroerd uit.'

Gloria kon zich het gezicht van de rechercheur amper herinneren.

'Ze leek niet geïnteresseerd, noch in die vrouw, noch in haar boek, maar weet je, Teena zou dolgraag van alle blaam gezuiverd willen worden.'

'Wie niet?'

'Wat je zegt. Kijk maar naar dat padvindertje van je dat nu met de psychiaters zit te praten. Hij denkt dat hij het goed heeft gedaan. Zijn logica mag de onze niet zijn, maar hij heeft een soort reden voor wat hij heeft gedaan. De vraag is alleen: maakt dat hem gek? Of is hij gewoon slecht?'

'Wat een diepe filosofische vragen voor de dinsdagochtend, Lenhardt.'

'Ja. Is slecht hetzelfde als krankzinnig? Of een hoogst onaangename versie van geestelijk gezond? Ergens denk ik dat een jongen die zoiets doet – en het feit dat we geen bekentenis uit hem kunnen loskrijgen, overtuigt me ervan dat hij het heeft gedaan – wel gestoord moet zijn, maar misschien niet volgens de wet, begrijp je?'

'Heb je die zaak in New York gevolgd?' zei Gloria zo neutraal mogelijk. 'Van die vent die nu wordt vrijgelaten die zijn ouders níét heeft vermoord toen hij nog een tiener was, maar door de mangel is gehaald door een paar overijverige rechercheurs die een halfbakken bekentenis uit hem hebben gewrongen? Hij heeft twintig jaar vastgezeten.'

Lenhardt, die weigerde van onderwerp te veranderen, wuifde haar weg. 'Wanneer ik met zo'n jongen in een kamer moet zitten, heb ik tenminste iemand met een wapen in de buurt. Ik snap niet hoe je het doet.'

Gloria wel, maar het ging Lenhardt niets aan. In sommige opzichten was het eenvoudiger om met dit soort beklaagden te werken, mensen van wie ze zeker wist wat ze hadden gedaan. Veel makkelijker dan omgaan met het soort dubbelzinnigheid van een Calliope Jenkins. Iedereen wist zeker dat ze haar kind had vermoord, Gloria ook, maar zij had gevonden dat het voor Callie beter kon zijn de waarheid te vertellen, terwijl verder iedereen erop had aangedrongen dat ze bij de grondwettelijke strategie zou blijven. Gloria had heel lang niet begrepen waarom. Toen het zover was, toen ze het doorhad, was ze bij de firma weggegaan. Moest ze doorslaan en toch met die schrijfster gaan praten? Nee, ze had niets te melden. Ze had haar verdenkingen en veronderstellingen, maar toen puntje bij paaltje kwam, was ze naar de deur gelopen, had geweigerd erachter te kijken, had een andere deur gekozen en was weggelopen.

'Zou Teena Calliope Jenkins nog steeds de schuld geven van alles wat er is misgegaan in haar leven?'

'Ze moet iemand de schuld geven,' zei Lenhardt. Als het om zijn gewonde collega ging, liet hij zijn lichtvaardigheid varen. 'Het is net alsof er een vloek op die zaak rust, vind je ook niet? Iets uit een oude film, of die aflevering waarin de Brady Bunch naar Hawaï gaat. Eerst Teena, dan die maatschappelijk werkster...'

'Ik had ook zelfmoord gepleegd als het mijn verantwoordelijkheid was geweest.'

'Officieel was het een ongeluk,' wees Lenhardt haar terecht. 'Ze is met haar auto op een boom geklapt.'

'Volgens Freud zijn er geen ongelukken.'

'Bobby Freud? Een goede politieman, maar voorzover ik weet, heeft hij nooit verkeersongevallen onderzocht.'

Gloria moest wel lachen. Ze wist beter dan wie ook dat het leven vol ongelukken zat.

De deuren van de spreekkamer gingen open en Gloria's cliënt kwam naar buiten, breed grijnzend, tot hij haar zag. Hij zette een ernstiger, peinzend gezicht op, waarschijnlijk omdat hij dacht dat zij dat wilde zien. Omdat hij dacht dat het haar iets uitmaakte hoe hij zich presenteerde, wat een misvatting was. Hij zou slecht kunnen zijn, wat dat ook was. Ze wist het echt niet. Het kon haar echt niets schelen.

17

Toen Cassandra genoeg geld aan kleding had uitgegeven, ging ze met Teena naar een sushirestaurant in de buurt dat haar was aanbevolen door een andere klant, die Cassandra had horen zeggen dat ze het liefst eiwitten at bij de lunch. Hoewel Teena al jaren in het winkelcentrum werkte en maar een paar kilometer verderop woonde, leek ze geen idee te hebben waar je in de omgeving zou kunnen eten. Nu ze in het restaurant zaten – dat Sans Sushi/Thai One On heette; Cassandra moest er tegen wil en dank aan denken hoe pijnlijk haar vader zijn gezicht zou vertrekken als hij het hoorde – werd duidelijk dat Teena tot die zeldzame mensen behoorde die niets om eten geven, al leek ze bijna té geïnteresseerd in het glas witte wijn dat voor haar was neergezet. Niet dat ze snel dronk, integendeel. Ze negeerde het glas opvallend, nipte ervan en wendde dan haar blik af, maar ze keek er stiekem naar wanneer ze dacht dat Cassandra het niet zag, en ze keek ook naar Cassandra's kopje gekoelde sake.

Ofschoon ze Teena's medewerking had gekocht, had Cassandra niet het gevoel dat ze toestemming had om meteen in het diepe te duiken en te vragen wat ze wilde weten. De hele situatie had iets vaag immoreels. Was dit nu omkoopjournalistiek? Was ze verplicht te schrijven over hoe ze het vraaggesprek had bemachtigd? Ze had na het schrijven van haar eerste memoires begrepen dat ze haar betrekkelijk luxueuze leventje beter voor zich kon houden om haar lezers niet jaloers te maken. Zou Teena in deze context geslepen of inhalig overkomen? En zou het oneerlijk zijn om haar preoccupatie met de wijn en alles wat dat deed vermoeden te beschrijven?

'Ik drink meestal niet bij de lunch,' zei Teena plompverloren, alsof ze Cassandra's gedachten kon lezen, maar misschien had ze gewoon Cassandra's blik gevolgd, die de hare volgde.

'Hé, ik heb sake, dat is sterker dan wijn. Ik neem vaak een glaasje bij de lunch. Amerikanen zijn soms té abstinent.'

'Dat woord ken ik niet,' zei Teena. Het was het soort openhartige bekentenis dat een zeldzaamheid was in Cassandra's kringen. Niet één van haar vrienden in New York gaf ooit toe iets niet te weten, maar dat waren dan ook voornamelijk mannen. Nu haar naar de betekenis van het woord werd gevraagd, wist ze niet of ze die wel goed kon omschrijven.

'Te druk bezig met braaf en deugdzaam zijn,' zei ze, in het besef dat ze er waarschijnlijk naast zat.

'Dat is een van de weinige dingen die mij nooit zijn aangewreven. Ik drink graag, maar ik ben geen alcoholist. Daar heb ik een test voor gevonden op internet. Ik drink ook als ik alleen ben, maar ik woon alleen. En ik kan me niet heugen wanneer ik voor het laatst iets bij de lunch heb gedronken, en ik had het er nu niet op gewaagd als mijn dienst er niet op had gezeten, en nu denk ik erom dat ik na dit glas minstens een uur wacht totdat ik in de auto stap. Ik weeg zo weinig dat mijn promillage al te hoog kan zijn zonder dat ik zelfs maar aangeschoten ben. Ik word nooit dronken, maar het bloed denkt er niet altijd hetzelfde over als het brein.'

Arme meid. Al die regels... Wist ze niet dat al dat bijhouden van de stand meer over haar zei dan haar gewoontes, wat die ook mochten zijn? Had ze al een alcoholprobleem gehad toen ze nog bij de politie werkte? Cassandra besloot dat het tijd was om aan te sturen op het afgesproken onderwerp.

'Ik dacht dat rechercheurs terechtkwamen in de adviserende sector, de beveiliging en zo. Of voor zichzelf begonnen als privédetective. Het was niet in me opgekomen dat ik je tussen de designercollecties bij Nordstrom zou vinden.'

'Hoe lang heb je naar me gezocht?' Haar stem klonk gevleid en gretig, alsof ze het verhaal over Cassandra's jacht op haar wel moest uitlokken.

'Een week? Ik had je naam uit de krantenartikelen, die van rond de tijd... dat het gebeurde. Het archief van de database gaat maar terug tot 1991, maar toen ik jouw naam invoerde, vond ik een stukje. Iets over een ongeluk, een schikking.'

'Ik ben onder diensttijd gewond geraakt, maar het was niet bepaald een medaille waard. Ik mocht blij zijn dat ik nog iets kreeg. Volgens mijn advocaat zijn er veel juridische beperkingen in zulke situaties. Eigenlijk heeft het wel iets van *Let's Make a Deal*. Ze boden me de doos aan – levenslange dekking van alle verwante gezondheidsproblemen en een volledig pensioen, hoewel ik nog lang geen twintig dienstjaren had – maar ik ging voor het gordijn. En het zag ernaar uit dat ik de poedelprijs zou krijgen, tot de autofabrikant zich ermee bemoeide. Ik heb meer geluk gehad dan ik verdiende. Mijn collega's vonden het hebberig dat ik probeerde munt te slaan uit een ongeluk dat volgens iedereen mijn eigen schuld was.'

'Was het jouw schuld?'

'Néé. Ik liet mijn wapen vallen terwijl ik probeerde een verdachte te overmeesteren, zij schopte het onder de auto, ik stak mijn arm uit om het te pakken en de handrem schoot los. Ik mag blij zijn dat ik mijn hand nog kan gebruiken, maar die chirurgen van het Union Memorial zijn goed. Daar moet je naartoe als je in Baltimore iets aan je hand hebt.'

Het was moeilijk niet naar de betreffende hand te kijken, maar die zag er normaal uit, al herinnerde Cassandra zich hoeveel moeite het Teena in de winkel had gekost om Cassandra's kaartje van de vloer te plukken.

'Wat ik vreemd vond, was dat er in dat artikel over je schikking niets over Calliope Jenkins werd gezegd.'

'Waarom is dat vreemd?' stoof Teena op.

'Nou, het was niet niks, toch? Als ik naar mezelf kijk... Wat ik ook doe, stel dat ik een kind van de verdrinkingsdood red, dan zullen ze er nog bij zetten dat ik *Dochter van mijn vader* heb geschreven.'

'Boeiend.'

'Ja, ik heb daarna nog twee boeken geschreven en...'

'Nee, ik vind het boeiend dat je dat voorbeeld gebruikt, een kind van de verdrinkingsdood redden. Je denkt zeker dat ik er niet in ben geslaagd een kind te redden?'

'Nee, nee...'

'Want zo is het niet. Waar ik niet in ben geslaagd, is een psychopaat te laten bekennen dat ze haar kind heeft vermoord. Dat is iets anders. Calliope Jenkins' zoontje was lang voordat de recherche zich ermee ging bemoeien al dood. Dat is aan anderen te wijten: Jeugdzorg, de mensen in het ziekenhuis die een kind hebben meegegeven aan een aan crack verslaafde moeder van wie al een kind was afgepakt. Heb je de namen van díé mensen gevonden?'

'Nou, wel die van de maatschappelijk werkster die is verongelukt. En er heeft een maatschappelijk werkster een verklaring moeten afleggen voor een staatscommissie over hoe het mogelijk was dat Calliope de opgelegde bezoeken niet kreeg...'

'Een teamleidster, een baas die haar eigen hachje en dat van haar team wil redden. Ze waren bijna net zo erg als Calliope, zoals ze zich op haar grondwettelijke rechten beriep alsof ze Gandhi of Martin Luther King was, goddomme.'

'Ik wil geen advocaat van de duivel spelen, maar zoveel aandacht heeft Calliope niet gekregen. Ze is niet het symbool van iets geworden. Wat me wel interesseert, is dat haar verhaal rond dezelfde tijd speelde als dat van Elizabeth Morgan. Herinner je je die nog?'

Teena schudde haar hoofd. Ze was emotioneel, boos, maar probeerde te kalmeren.

'Goed, Morgan was blank en hoogopgeleid, en ze beschuldigde haar ex ervan dat hij hun dochter had misbruikt. Ze bleef liever in de cel dan te vertellen waar het kind was. Ik wist alles van Elizabeth Morgan, maar tot vorige maand had ik nog nooit van de zaak-Calliope Jenkins gehoord. Ik denk dat dat een van de redenen is waarom ik dit wil schrijven.'

'Wat schrijf je dan precies?' Teena kneep haar ogen tot spleetjes, en Cassandra dacht dat ze misschien een glimp opving van de rechercheur die Teena was geweest.

'In dit stadium kan ik makkelijker zeggen wat het niet wordt. Het wordt geen verslag van een waar gebeurde misdaad, niet echt. Het gaat ook niet alleen over Calliope, maar toch denk ik dat er een verhaal in zit, in hoe we zijn begonnen en waar we zijn beland. Niet alleen wij tweeën, maar ook de andere meiden uit ons groepje. Er is er een getrouwd met de advocaat die Calliope heeft verdedigd...'

'Reg Barr, die rokkenjager. Ik heb medelijden met zijn vrouw. Hij heeft de dochter van zijn baas in de wacht gesleept, hè? Ik heb begrepen dat hij alleen zo zijn baan kon houden.'

Cassandra bloosde en praatte snel door. 'Ja, Donna Howard, die ook bij ons in de klas zat. En hij is het kleine broertje van een ander meisje uit onze klas, Tisha. Er was nog een meisje dat na een wilde jeugd een door en door fatsoenlijke, vrome vrouw schijnt te zijn geworden. Ik denk dat de som van onze verhalen veel groter kan zijn dan het geheel der delen.'

'Kende je Calliope goed? Want als je me iets over haar kunt vertellen, wil ik het graag horen. Ik heb uren achter elkaar met haar in een kamer gezeten. Ik was jong, een groentje nog, maar ik was goed in mijn werk, en ik kon haar niet aan de praat krijgen. Was ze als kind al zo koppig?'

Cassandra wist het antwoord niet, en dat was het struikelblok, het gapende gat in de kern van het project. Ze had over haar vader geschreven, en hoe vertekend haar beeld van hem ook was geweest, hij was een open boek voor haar. Hetzelfde gold voor haar twee echtgenoten, hoe pijnlijk ze ook getroffen mochten zijn door haar versies van hen, maar Calliope was een raadsel, een stil meisje dat ze meestal had genegeerd. Ze moest niet alleen over Calliopes leven ná Dickey Hill schrijven, maar ook over haar leven tijdens de lagere school, en daar had ze Calliope zelf voor nodig.

'Ze was... nogal op zichzelf. Weet je waar ze is?'

'In elk geval niet in Maryland. Ik... hé, dit is illegaal, je mag dit niet herhalen of opschrijven, maar ik heb de kredietafdeling een keer gebruikt om te proberen haar via haar oude adres te traceren. Ik denk... Ik blijf maar denken dat ik op een dag een telefoontje krijg, of een krant opensla, en dat ze dan dood is. En dan ben ik blij. Ik denk tenminste dat ik blij zou zijn, maar ik zou ook boos kunnen zijn, want zij is de enige die het weet.'

'Die wat weet?'

Teena keek Cassandra aan alsof ze achterlijk was. 'Waar ze het lijkje van haar kind heeft verstopt, wat ze met hem heeft gedaan. Eigenlijk is het niet zo moeilijk om een lijk te verbergen. Je zou ervan staan te kijken hoeveel dode mensen nooit meer worden gevonden. En wat de mensen ook denken, zo moeilijk is het niet om iemand wegens moord te veroordelen zonder dat er een lijk is. Hoor eens, ik weet niet hoeveel jij weet van moordonderzoek, maar het voor de hand liggende antwoord is het juiste. Er verdwijnt een kind. Zijn moeder, een gestoorde vrouw die in het verleden een kind heeft mishandeld, weigert iets te zeggen. Ze heeft haar kind vermoord. Dat zou ik haar hardop willen horen zeggen, al is het maar één keer. Op haar sterfbed, in een brief. Ik wil...' Ze maakte een slap gebaar met haar rechterhand, de beschadigde hand.

'Nou?'

'Ik weet het eigenlijk niet. Dat is nu juist het probleem. Calliope Jenkins is geen mens, maar een zwart gat, en dat bedoel ik niet zo gemeen als het klinkt. Ze zuigt mensen op, je kijkt in haar en er is niets te zien. Ze is dood vanbinnen, en het lukt haar iedereen die bij haar in de buurt komt te vermoorden, op wat voor manier dan ook. Eén kind verbannen naar Jeugdzorg. Eén kind dood. Die maatschappelijk werkster die het had verprutst. En oké, zelfs ik. Calliope heeft zeven jaar lang alle aandacht opgeslokt als water of lucht. Ze vond het prachtig, prachtig, verdomme. Ze gedijde erop. De anderen gingen eraan onderdoor.'

Teena had geen hap genomen van de teriyaki die ze had besteld. Ze speelde ermee terwijl ze zich langzaam naar de bodem van haar wijnglas nipte.

'Wat zou er gebeurd zijn, denk je?'

'Ze heeft het kind waarschijnlijk door elkaar geschud, zoiets, toen ze high was.'

'Het staat ter discussie of ze verslaafd was. Ze gebruikte wel, maar ze was niet noodzakelijkerwijs verslaafd.'

'Als ze niet verslaafd was, was ze krankzinnig.'

'Drugs, krankzinnigheid... Het zou allebei een aanklacht wegens moord met voorbedachten rade onwaarschijnlijk maken, nietwaar?'

'Tja. Já.' Teena versprong van haar oude persoonlijkheid van rechercheur naar haar huidige rol als fatsoenlijke verkoopster bij Nordstrom.

'En zeven jaar... Dat is waarschijnlijk wat ze zou hebben gekregen voor doodslag, of wat de minder zware aanklacht was geweest? Ze heeft haar tijd dus toch uitgezeten, misschien heeft ze zelfs langer gezeten dan wanneer ze wel had bekend.'

Teena hief haar ogen naar Cassandra op, sloeg ze neer, keek weer strak naar de sake, pakte de fles en draaide hem om en om in haar hand.

'Hatsumago,' zei ze. 'Is dat wijn?'

'Nee, sake is meer een soort bier.'

'Ik drink geen bier, nooit gedaan ook. Weet je, dat is nog een reden waarom ik geen drankprobleem kan hebben. Er ligt een sixpack Sierra Nevada in mijn koelkast, al bijna een jaar. Ik had het gekocht voor een barbecue waar ik uiteindelijk niet naartoe ben gegaan, maar ik zou het nooit zelf opdrinken, zelfs al was er verder niets te drinken in huis.' Ze glimlachte wrang. 'Maar goed... Er lijkt altijd wel iets te drinken in huis te zijn.'

Cassandra voelde dat ze sympathie voor Teena Murphy kreeg, iets wat ze niet had verwacht. Haar vader had haar geleerd ruimdenkend te zijn ten opzichte van de meeste dingen, maar hij had haar ook een onmiskenbaar snobisme bijgebracht, en juist politiemensen had hij geminacht. Ze herinnerde zich zijn sneer naar de televisie tijdens het Democratisch Congres van 1968 in Chicago, hoe zijn woede in geen proportie had gestaan tot de gebeurtenissen, laakbaar als die waren. Hij was niet iemand die genoegen zou nemen met het woord 'zwijn', niet als hij ook *'cochon'* kon zeggen met een grapje over Circe erachteraan. Het was natuurlijk wel tegen het eind van zijn huwelijk geweest; hij was al weg bij Cassandra's moeder. Cassandra had aan den lijve ondervonden dat een scheiding mensen krankzinnig van woede kan maken. Ze geloofde zelfs dat degene die uit het huwelijk stapte, vaak bozer was dan degene die achterbleef.

'Ze heeft zeven jaar gezeten, zoals ik al zei. Dat is toch een soort gerechtigheid?'

'Gerechtigheid,' herhaalde Teena peinzend. 'Ik moet bekennen dat gerechtigheid me nooit zo heeft kunnen boeien. Misschien vind je het choquerend, maar dat is niet echt het werk van de politie. Het Openbaar Ministerie heeft veel waterdichte zaken verprutst die wij hadden aangeleverd; jury's hebben voor vrijspraak gestemd omdat ze een hekel aan de politie hadden. Ik kon de rechtsgang niet beïnvloeden. Ik leefde voor resultaten. Ik was de derde vrouwelijke rechercheur Moordzaken in het korps. Als ik Calliope Jenkins kreeg toegewezen, zei ik, zou ik haar breken. Zij heeft mij gebroken. Mijn letsel? Die vrouw had dezelfde kleur ogen als Jenkins. Dat is het laatste wat ik me ervan herinner. Ik keek in die ogen en voor ik het goed en wel besefte, rolde er een auto over mijn arm terwijl ik naar mijn dienstwapen reikte. Je hebt geen idee, kunt er geen idee van hebben, hoe vaak ik haar heb zitten aanstaren. Calliope, bedoel ik. We hielden staarwedstrijdjes, en ik moest het altijd als eerste opgeven. Ze kon je eeuwig blijven aankijken, continu, terwijl ze zichzelf steeds herhaalde: "Ik beroep me op het Vijfde Amendement. Ik heb niets te zeggen." Zelfs haar eigen advocaten vonden haar eng, vooral Barr. Als je het mij vraagt, was hij bang voor haar.'

'Bang?'

'Hij maakte altijd een nerveuze indruk wanneer we naar de gevangenis gingen om met haar te praten, maar zij zat er niet mee. Met níét praten, bedoel ik. Ze zat vast, ze had gewoon kunnen doorgeven dat ze niets wilde zeggen, haar advocaat had me kunnen tegenhouden. Snap je het dan niet? Ze genoot ervan. Ze genoot ervan om met me in die kamer te zitten, om me te stangen. Ze kickte erop. Ze... weet ik veel, ze voerde een show op.'

'Een show? Voor jou? Voor haar advocaat?' Cassandra kon zich voorstellen dat je een show voor Reg zou willen opvoeren.

'Ja, ik weet het. Het klinkt idioot, maar je vroeg er zelf naar. Ik was knap toen dit begon.' Teena leek zich te verbazen over haar eigen gedachtegang. 'Ja, echt waar. Een snoepje was ik. Ik had een geweldige carrière voor me, mijn oplossingspercentage was honderd. Iedereen bekende in de verhoorkamer. Ik begreep niet waarom Calliope anders zou zijn, maar dat was ze.'

Teena maakte een prop van haar servet en gooide hem op haar onaangeroerde teriyaki.

'Ik vraag me af of ik iets kan bijdragen aan je boek, maar ik verheug me er zeker op het te lezen.'

18

Calliope keek nergens meer van op. Ze zou niet beweren dat ze helderziend was, in de toekomst kon kijken, verre van. Ze had domweg geleerd altijd het ergste te verwachten, en in die zin had het leven haar zelden teleurgesteld. Iedere keer wanneer ze naar de brievenbus liep of de telefoon hoorde overgaan, werd ze nerveus. Geen nieuws was goed nieuws. Op dit moment drukte ze een tas vol boodschappen tegen haar borst, keek naar het schermpje van haar telefoon en probeerde te bepalen wat erger was, opnemen of later de voicemail afluisteren. Je hebt het maar te slikken, hield ze zichzelf voor. Zorg dat je het zo snel mogelijk hebt gehad.

'Callie!' zei Reg Barr met een bariton die nog net zo warm, lief en leugenachtig klonk als altijd. Goddank hadden ze nog geen telefoon uitgevonden die geur overbracht. Die man was verslaafd aan luchtjes. Het had Callie er uiteindelijk toe gedreven te beweren dat ze allergisch was, en toen was hij er nog niet mee opgehouden. Aramis, Paco Rabanne, hoe die troep ook maar heette. Waarschijnlijk gebruikte hij nu iets chiquers, niet alleen duur, maar ook moeilijk te bemachtigen, uitgezocht door zijn knappe vrouwtje. Waarschijnlijk stonk hij nog steeds een uur in de wind.

'Wat is er, Reggie?'

'Ik wil gewoon even horen hoe het met je is. Je weet wel.'

'Waarom, Reggie?' Ze vond het heerlijk om hem Reggie te noemen in plaats van Reg, want ze wist dat hij het vreselijk vond. Als ze durfde, had ze hem Candy genoemd, maar je wist maar nooit hoe ver je kon gaan met Reggie Barr.

'Kom op, meid. Je weet dat ik altijd het beste met je voorheb.'

Die vent loog alsof het gedrukt stond, maar vermoedelijk – het was een griezelige gedachte gcloofdc hij het grootste deel van die lulkoek zelf. Hij dacht dat hij haar goed had behandeld, dat dacht hij echt. God, wat was hij dom. Wel geleerd. Hij wist wat hij in de rechtszaal deed, als het erop aankwam, maar daarbuiten was hij, zoals haar moeder zou zeggen, zo stom als het achtereind van een varken. Een gladjakker met charme van een kilometer breed en een centimeter diep.

'Het gaat goed,' zei ze, en het was ten dele waar. Er ging niets slecht. Er was althans niets nieuws bij gekomen, alleen het oude slechte, waar ze al zo lang mee leefde dat ze het amper nog opmerkte. Dat was toch een soort goed?

'Nog nieuws?'

Shit, had iemand haar in Baltimore gezien? Nee, als Reggie dat wist, was hij er meteen over begonnen.

'Niet echt. Ik vond het wel een goede raad van je om vrijwilligerswerk te gaan doen, zodat ik niet meer de hele dag thuis zou zitten. Ik werk in de kringloopwinkel vlak bij mijn kerk.'

'Zodat je de mooiste dingen er als eerste uit kunt halen, hm?'

Ze wilde hem terechtwijzen, tegen hem zeggen dat ze haar positie niet op zo'n manier zou misbruiken en dat de kringloopwinkel in Bridgeville ook niet bepaald uitpuilde van de Guccispullen, maar hij zei het alleen om iets te zeggen, hij dacht er niet over na. Waarschijnlijk zat hij op dit moment nog drie dingen te doen: zijn e-mail controleren, iets op zijn bureau lezen en naar zijn secretaresse gebaren dat ze hem iets kouds te drinken moest brengen. De tijd dat Callie Jenkins Reggie Barrs onverdeelde aandacht waardig werd geacht, lag ver achter haar.

'Waarom bel je, Reggie?'

'Zomaar,' zei hij. 'Er komen wat papieren. Hetzelfde als altijd. Goed?'

'Ik doe altijd wat er van me wordt verwacht,' friste ze zijn geheugen op.

'Je bent een lieve meid,' zei hij, en haar hart brak bijna omdat ze zich die woorden in een andere context herinnerde en wist dat ze ze nooit meer zou horen. Nooit meer zo kon zijn. *Een lieve meid. Zo'n lieve meid. Mijn lieve, mooie meisje.*

'Als je ooit twijfelt, bel me dan.' Hij zweeg even. 'Zul je dat doen, Calliope? Laat je niet met mooie praatjes overhalen iets te doen wat niet in je belang is. Als iemand anders met je wil praten, zeg je nee, oké?'

Ze wist dat ze hem gewoon gerust moest stellen, tegen hem zeggen wat hij wilde horen. Ze wilde geen problemen maken voor haar moeder, dat moest hij weten, maar het was moeilijk om niet een beetje met Reggie Barr te sollen.

'Ik weet het niet, Reggie. Ik vraag me af of ik wel ooit iets heb gedaan wat in míjn belang was.'

Ze had die vergissing vaker begaan, hem behandelen als een kind, iemand die nog meer werd buitengesloten dan zij, die net zo hard smachtte naar dingen die hem niet toekwamen. Maar Candy, nee, Reggie, nee, Reg, was binnengesloten, of wat het tegenovergestelde van buitengesloten ook maar mocht zijn. Hij was zo diep binnen dat hij nauwelijks nog naar buiten kon kijken, en hij liet geen kans onbenut om dat te bewijzen. Hij was niet hetzelfde als zij, en hij zou niet toestaan dat zij insinueerde dat hij dat wel was.

'Hoor eens, Callie, ik meen het. Desnoods kom ik naar je toe om het allemaal met je door te nemen. De verjaringstermijn...'

'Ik weet het,' zei ze vermoeid. 'Ik wéét het.'

'Tja, je hebt weten en weten.'

'Inderdaad.'

'Vergeet niet dat het allemaal voor jou was.'

Ze bedwong een lach, maakte er een kuchje van.

'O, je kunt wel medelijden met jezelf hebben, de martelaar uithangen, maar één kleinigheid mag je nooit vergeten, iets wat ik weet, al heb je het nog zo zorgvuldig voor me verzwegen.'

Ze zweeg om hem zijn triomf te gunnen.

'Je hebt het gedaan, Callie. Ik weet dat je het hebt gedaan. Niet op een manier die mij, als dienaar van het recht, zou dwingen iets te doen, maar mij hou je niet voor de gek.'

'Ik heb je niets meer te zeggen,' zei ze en ze hing op. Pas toen merkte ze dat ze de hele tijd een zak diepvrieserwten tegen haar borst had geklemd, waardoor de voorkant van haar topje ijzig en doorweekt was en haar vingers stram en onbeweeglijk waren van de kou.

Sirenen

In de week voor mijn tiende verjaardag beet mijn vader zich opeens vast in het idee dat ik een bijzondere taart moest hebben. Ik had geprobeerd mijn ouders ervan te overtuigen dat het een belangrijke verjaardag was – twee cijfers! – maar ik wist pas dat mijn pogingen geslaagd waren toen mijn vader besloot dat die taart echt heel belangrijk was.

'Wat zie je voor je, Cassandra?'

'Een gele taart,' zei ik. 'Chocola is niet geschikt voor een verjaardagstaart.'

'Nee, ik bedoel, wat is het thema?'

'Het is een zeemeerminnenfeestje,' zei ik, 'dus het moet een zeemeermin zijn.'

'Sirenen,' zei hij. 'Lorelei.'

Het maakte me ongerust. 'Nee, gewone zeemeerminnen, pap. Niet de sirenen. Die waren slecht. Lieve zeemeerminnen, zoals die uit het sprookje.'

'Die had een rotleven, dat weet je toch? Toen ze haar staart verruilde voor benen, was het bij elke stap alsof ze op glassplinters liep, en de prins trouwde niet eens met haar.'

'Zo staat het niet in mijn sprookjesboek.'

'Ze zuiveren de boeken, poppetje. Alle verhalen. Neem dat maar van me aan. Maar goed, een taart met lieve, blije zeemeerminnen, dartelend op een zee van glazuur. Je krijgt hem. Ik zal hem morgen bestellen.' De volgende avond kwam hij vreemd opgewekt voor zijn doen thuis, vol verhalen over de schitterende taart en hoe adembenemend hij zou worden. 'Die mensen daar, die luisterden echt naar me,' zei hij. 'Ze gaven me niet gewoon een boek met de woorden: "Dit kunnen we voor u doen." Ze hadden nog nooit een zeemeerminnentaart gebakken, maar ze gaan er een creëren voor Cassandra.'

'Had je niet gewoon naar Bauhof's in Woodlawn kunnen gaan?' zei mijn moeder, maar volgens mijn vader was die nieuwe bakker veel beter. Op zaterdag, de dag van mijn feestje, maakte hij er een hele vertoning van. 'Ik, Poseidon, zal de zeemeermin vangen en terugbrengen, op verzoek van de prinses.'

'Een blije zeemeermin,' riep ik hem na. 'Geen slavin die op splinters moet lopen.'

'Ze zal alles doen wat jij verlangt,' beloofde hij.

Bijna vier uur later, toen het zorgvuldig door mijn moeder voorbereide feestje op zijn laatste benen liep, was mijn vader nog steeds niet thuis. Toen de eerste ouders binnen kwamen druppelen, zette mijn moeder het ijs op tafel en legde zacht en gespannen uit hoe het zat. We aten het ijs op voordat het kon smelten. Fatima beklaagde zich er luidkeels over dat ze geen ijs mét taart kreeg. 'Daar gaat het toch om bij een verjaardagsfeestje?' zei ze, en een paar andere meisjes vielen haar bij. 'Dat je álles krijgt. Taart en ijs en het ijs heeft alle drie de smaken, roze en bruin en wit.'

'Aardbeien, chocola en vanille,' verbeterde ik haar, gegeneerd omdat mijn vader er nog steeds niet was en gegriefd door Fatima's geklaag. Mijn moeder had nooit een hoge dunk gehad van Fatima's manieren. Misschien had ze gelijk.

'Jíj bent vanille,' kaatste Fatima terug. 'En dat is de smaak die iedereen het minst lekker vindt.'

'We moeten zingen en iets verzinnen voor de kaarsjes, al is er geen taart,' zei Tisha, onze vredestichter. Zo gezegd, zo gedaan. Ik blies de kaarsen uit in een oud stel met druivenranken versierde kandelaars, een huwelijkscadeau van mijn ouders. Ze waren bedoeld voor romantische etentjes en waren de afgelopen jaren zelden tevoorschijn gekomen. Ze waren matgrijs van de aanslag, maar mijn moeder zei dat er geen tijd was om ze te poetsen. Ik blies de kaarsen uit, al waren het er maar vier, niet de tien waar ik recht op had, en deed een wens. Ik wenste een taart, met zeemeerminnen. Ik voelde me boos en vernederd.

Het kwam niet in me op ongerust te worden, al hoorde ik later dat mijn moeder die hele middag in doodsangst had gezeten om mijn vader, dat de eerste berichten over ongeregeldheden al binnen waren gekomen. Het was mijn verjaardag, ik werd tien en ik wist alleen dat ik geen taart had gekregen, een ramp van de eerste orde.

Toen mijn moeder de afwasmachine inlaadde, ging de telefoon. Fatima's moeder was zoals altijd te laat, en Fatima bekeek mijn cadeautjes en bracht er een rangorde in aan. ('Boeken!' snoof ze minachtend. 'Wie wil er nou boeken?') Callie, die bij Fatima zou logeren omdat haar moeder moest werken, zat stil als altijd op een keukenkruk op haar benen te trommelen, op de maat van een toonloos wijsje dat ze neuriede. Ik weet niet meer wat mijn moeder tijdens het telefoongesprek zei, en het trof me ook niet als bijzonder opmerkelijk – veel ja en nee, geen sprankje emotie. Toen ze ophing, was ze als een dier dat de weg half is overgestoken, maar schichtig is geworden door het aankomende verkeer. Ze haastte zich naar de voordeur en kwam weer terug in de keuken. Ze pakte haar tas en legde hem weer neer. Ze draafde een paar keer om de eettafel heen. Ze beet op haar vuist.

'Je vader,' zei ze ten slotte. 'Hij is... gewond, hij ligt in het ziekenhuis. Maar ze zeiden dat ik er vanavond niet naartoe moest gaan, omdat – nou ja, doet er niet toe. Trouwens, we moeten op Fatima's moeder wachten.'

'Ze komt vaak te laat,' zei Fatima zelfvoldaan, en ze ging verder met het inventariseren van de cadeaus.

'Een auto-ongeluk?' vroeg ik, want ik kon me niets anders voorstellen.

'Hij is geraakt... door iets. Hij reed en hij is uit de auto gestapt, denk ik. Ik weet het niet. Ze denken dat het wel goed komt, maar we mogen niet naar hem toe, vanavond niet.'

'Lag de taart in de auto?' Ik kon er niets aan doen. De kwestie van de taart nam me helemaal in beslag.

Mijn moeder hield haar hoofd schuin en nam me op. Toen liep ze griezelig bedaard en doelbewust door de keuken naar me toe en sloeg me hard, twee keer. Fatima zette grote ogen op, en het verbaasde me dat ze de tegenwoordigheid van geest had niet te joelen, zoals ze op school had kunnen doen. Callie leek niet eens iets te merken.

Kustgebieden
14-21 maart

19

Cassandra keek verbluft naar de pagina. Daar had Callie op haar gewacht, in Cassandra's eigen boek. Ze zat op zo'n houten barkruk in de keuken van haar moeder met haar benen te zwaaien en te neuriën. Cassandra was vergeten dat ze Callie zelfs maar had genoemd, maar het was ook maar een vluchtige verwijzing. Callie was een naam, vliesdun, een omstander, zonder iets van de levensechtheid die Cassandra had geprobeerd mee te geven aan haar portretten van Tisha, Fatima en Donna. Lag dat aan Callie of aan haarzelf?

Cassandra herlas haar eigen werk zelden, maar ze was in *Dochter van mijn vader* gedoken omdat Tisha's kritiek nog dagen na hun lunch bleef steken. Was Cassandra hard geweest, onredelijk? Had ze zich op dingen verkeken? Ze begreep Tisha's reactie echt niet. Hier, alleen al in het stukje over de verjaardag, werd Tisha weer afgeschilderd als leider en vredestichter, degene die alle plooien gladstreek.

Hoe dan ook, ze was blij dat ze het boek nog eens had gelezen, niet alleen omdat ze Callie had gevonden, stilletjes op haar wachtend in haar eigen bladzijden, maar ook omdat het haar had herinnerd aan die eigen band tussen Fatima en Callie. Misschien hadden ze contact gehouden? Tisha had verteld dat Fatima 'verkerkelijkt' was, dat ze geen contact meer had met de anderen. Goed zo, want dan konden die Fatima niet opstoken niet met haar te praten. Maar hoe moest ze haar vinden? Cassandra pakte het Moleskine-notitieboekje waarin ze oudergewoonte aantekeningen had gemaakt, die ze later in de computer zette. 'Fatima/ Spelman'. Ze had het onthouden en snel opgeschreven nadat Tisha haar in het restaurant had laten zitten. Het was een begin.

Cassandra betrad de kerk zoals broze oude vrouwtjes zich in een zwembad laten zakken: langzaam, voorzichtig, op zichzelf lettend. Niet omdat ze blank was, al was ze het enige blanke gezicht hier, maar omdat ze zich in kerken nooit op haar gemak voelde. Ze had al jaren geen kerk meer vanbinnen gezien, niet meer sinds ze in de twintig was, de periode van de eerste huwelijken in haar kennissenkring. De huwelijken daarna, de tweede en derde huwelijken, waren meestal in een restaurant, op een stadhuis of in de openlucht gesloten. Cassandra zelf was nooit in een kerk getrouwd. Haar eerste huwelijk was een onbezonnen feest geweest in een veld ten noorden van New York, waarbij geen van haar ouders aanwezig was geweest. Haar moeder wilde niet komen als haar vader en Annie kwamen, en haar vader had uiteindelijk afgezegd, zoals zo vaak. De tweede keer hadden Cassandra en haar man na de trouwerij in het stadhuis 's avonds een feestje gegeven met het idee dat ze hun vrienden konden verrassen met het nieuws, maar het had een domper op de feestvreugde gezet. Tja, waarschijnlijk wisten de meeste gasten al dat haar kersverse echtgenoot, die aan het eind van *Dochter van mijn vader* zo ongeveer als haar verlosser werd aangekondigd, toen al actief ontrouw was.

Anderzijds had ze hem ook bedrogen, twee nachten eerder, en de man bevond zich onder de gasten. Die avond, zoals de lezers van haar tweede boek wisten, had hij erop gestaan haar te vergezellen toen ze meer champagne ging halen, waarop hij haar een steeg in had getrokken en ze elkaar hartstochtelijk hadden gekust. Nee, de verrassing was niet dat het huwelijk op de klippen was gelopen, maar dat het toch nog bijna drie jaar had geduurd. Gelukkig was haar minnaar advocaat, en hij had haar aangeraden op huwelijkse voorwaarden te trouwen, niet dat hij in de buurt was geweest toen het huwelijk ten slotte bezweek onder de last van zoveel ontrouw – van de kant van haar man, los van haar slippertjes – dat ze haast terugverlangde naar de tijd toen ze bijna een ander had geneukt op de avond van haar huwelijk.

Dat was nu tien jaar geleden, vlak voor haar veertigste verjaardag. Cassandra had haar lesje geleerd. Ze was nu braaf. Afgezien van de getrouwde minnaar, maar daar ging ze binnenkort een punt achter zetten, en dan zou ze echt braaf zijn.

Net als Fatima, die lid was van deze kerk, een feit dat Cassandra verbazend makkelijk aan de weet was gekomen via de indrukwekkende vereniging van oud-studenten van Spelman. Cassandra had de vereniging gevonden op de homepage van Spelman, waar ze zich had laten afleiden door de informatie over de 'witte jurken'-traditie van de universiteit (vooral de verboden binnen de kledingvoorschriften hadden haar aandacht getrokken, en ook de preutse richtlijnen met betrekking tot decent ondergoed). Toegegeven, de universiteit was niet van plan alle gegevens – adres, telefoonnummer – prijs te geven, maar Cassandra had wel de naam van Fatima's man gekregen toen ze zei dat ze jeugdvriendinnen waren.

Een snelle zoektocht in de archieven van de *Beacon-Light* had Fatima's nieuwe achternaam naar boven gehaald in een artikel over deze kerk, die beroemd scheen te zijn, oud en eerbiedwaardig. De gemeente was zo groot geworden dat de kerk ging verhuizen naar een nieuwe 'superkerk' in een voorstad, een plan dat veel publiciteit had gegenereerd. Fatima zou zich volgens een citaat hebben afgevraagd hoe iemand bezwaar kon hebben tegen de aanwezigheid van de Heer, ook al betekende dat meer verkeersdrukte. Voorlopig werden er twee diensten gehouden op zondag, een om acht en een om elf uur, om alle gemeenteleden te bedienen. Als ze echt verstandig was, wist Cassandra, zou ze voor de zekerheid de eerste dienst moeten bijwonen en dan, als Fatima niet kwam opdagen, terugkomen voor de tweede.

Ze kon echter niet geloven dat feestbeest Fatima zo was veranderd dat ze de dienst van acht uur 's ochtends zou bijwonen. Cassandra was dus een kwartier voor aanvang van de tweede dienst gekomen en achterin gaan zitten. De kerk was echter immens, met een balkon voor een teveel aan bezoekers; ze wist niet of ze daar wel iemand zou kunnen vinden. Goed, ze had Tisha op slag herkend, maar ze had haar niet in een menigte hoeven aan te wijzen. Het leek ook onbeleefd om de vrouwen in de kerk te lang aan te kijken, en het vestigde ook alleen maar meer de aandacht op de vreemde eend in de bijt. Daar kwam nog bij... En daar was ze.

Groter. Oké, enorm, een galjoen van een vrouw, zoals ze als een stoomboot door het middenpad stampte. Die zelfverzekerde energie overtuigde Cassandra er ook van dat het haar oude klasgenootje was; Fatima mocht dan meer dan honderd kilo wegen, ze vond onmiskenbaar dat ze er goed uitzag, wat ook zo was. Ze droeg een fuchsiaroze mantelpak met een bijpassende hoed, het soort hoed waar maar weinig vrouwen mee wegkwamen, een met een krullende veer én een voile. De hoed paste bij de handtas, en de handtas bij de schoenen. In een andere ambiance, en als Tisha haar niet had gewaarschuwd, had Cassandra aangenomen dat die kleurige pauw van een vrouw nog hetzelfde op vertier gebrande, net niet slechte meisje was dat ze jaren geleden had gekend.

Zodra de dienst begon, dwaalden Cassandra's gedachten af. Fatima was zo'n meisje geweest dat moeders als Lenore geen geschikte vriendin vonden voor hun dochters. Rumoerig, een tikje ordinair. Waar het allemaal op neerkwam, was natuurlijk die seksuele vroegrijpheid, die volwassenen al bij Fatima bespeurden toen ze nog geen tien was. Ze was als eerste ongesteld geworden, in de zesde klas, wat ze met veel flair aan de meisjes uit hun clubje had verteld – zonder zich er ook maar iets van aan te trekken dat de jongens het ook hoorden. Ze had toen al een voorsprong op borstengebied; ze had ze van de ene dag op de andere gekregen en ze groeiden zo snel dat ook zijzelf zich elke dag weer leek te verbazen over die kolossale dingen op haar borstkas. Fatima was in de vijfde klas al met jongens uitgegaan. Tegen de tijd dat Cassandra met haar oude vriendinnen werd herenigd, in de derde klas van de middelbare school, gingen er geruchten dat Fatima geen maagd meer was, maar Cassandra had altijd geloofd dat die roddels in omloop waren gebracht door de racistisch ingestelde meisjes in de klas, die katholieke refugiés met hun zuinige gezichtjes die Fatima niet snapten en evenmin begrepen waarom Cassandra haar vriendin was.

Nu was Fatima hier, een vrouw van middelbare leeftijd in een kerk, met haar man in haar kielzog en daarachter drie jongens, tieners, die hun drie zoons moesten zijn. Moest Cassandra zelfs maar proberen haar hier aan te spreken? Waar haar gezin bij was? Opeens leek het hele avontuur ongepast. Misschien kon ze het gezin na de kerk volgen, het kenteken noteren en misschien zelfs achter de auto aan rijden. Nee, dat was nog idioter.

Terwijl haar gedachten op volle toeren draaiden, volgde ze de routine van een ernstig gemeentelid, op commando staand, zittend en zingend. Uiteindelijk brak de dienst door haar afweer heen en dwong haar tot rust te komen en te luisteren naar wat er precies werd gezegd. Cassandra zag vaag wat er zo aantrekkelijk aan kon zijn. Niet aan deze God, die haar nogal hardvochtig leek, maar aan de opgelegde onderbreking, de noodzaak elke week de boel de boel te laten en de balans op te maken. De muziek was ook subliem. Ze was er graag net zo in opgegaan als de mensen om haar heen, die dromerig met hun hoofd wiegden en golvende, lome armbewegingen maakten, maar ze zou er belachelijk hebben uitgezien.

Toen Cassandra na de dienst nog gekweld door besluiteloosheid stond te wachten tot haar rij weg mocht, leek Fatima haar in het oog te krijgen. Ze nam Cassandra aandachtig op, leek het, voordat ze haar blik op iets anders richtte. Had ze haar herkend? Buiten, waar de mensen zich over de stoep verspreidden, genietend van de betrekkelijke zachtheid van het eerste weekend van maart, kwam Fatima op haar af.

'Bent u...?'

'Cassandra Fallows, Fatima. We hebben bij elkaar op school gezeten.'

De naam leek niets los te maken.

'Op Dickey Hill?' hield Cassandra aan. 'Met Tisha Barr en Donna Howard? Weet je nog, we begonnen allemaal samen in de derde klas, toen de school werd geopend...'

'Díé herinner ik me nog wel, maar het is lang geleden.' Ze zei het stijfjes, een beetje wrokkig. Had Fatima haar hele verleden afgedankt toen ze een nieuw leven als gelovige vrouw begon? Werd dat van je geëist? Kon die god van haar, ook al was hij doopsgezind, een meisje niet vergeven dat ze had genoten van het effect dat haar voortijdige borsten op de jongens om haar heen had gehad? Want daar ging het toch allemaal om, zelfs die onhandige pijpbeurten die ze zou hebben gegeven? Fatima's enige zonde was dat ze de eerste van haar groepje was geweest die ontdekte hoe opwindend het was als mannen je wilden, je begeerden. Het was een vergeeflijk vergrijp, hoe oud je ook was.

'Je kwam bij me thuis.' Ze zei het bijna smekend, en niet alleen omdat ze Fatima's hulp nodig had voor haar boek. Het was ondraaglijk dat dit meisje, dat zo'n grote rol speelde in háár herinneringen, niets meer van haar wist. 'Vlak bij de school, aan het eind van Hillhouse Road, die doodlopende weg?'

'O, Cassándra. Het rijke meisje.'

Cassandra lachte, van opluchting en uit afweer. 'Ik was niet rijk. Mijn moeder en ik hadden het zelfs moeilijk na het vertrek van mijn vader. Weet je niet meer dat je me uitlachte om mijn lunchpakket, dat ik een keer een maand lang elke dag pindakaas op mijn brood had?'

'Jullie hadden een zwembad...'

'Altijd leeg.'

'Toch waren jullie niet arm. Ik zag mijn moeder en mij niet eens als arm, en wij hadden veel minder dan jullie. Niemand op die school was echt arm.'

'Zelfs Calliope niet?'

De naam leek iets wakker te maken bij Fatima – een kleine, bijna onmerkbare schrikreactie. Toch zei ze alleen maar: 'De mensen dachten toen meestal niet van zichzelf dat ze arm waren. Niet in onze buurt. Als je daar woonde, was dat het bewijs dat je niet arm was. De arme mensen woonden waar wij eerst hadden gewoond.'

'Maar Callie woonde niet in het noordwesten, in jouw buurt. Ze was een van de meisjes die rond Edmondson Avenue woonden, toch? Daar heb je haar toch leren kennen?'

'Zeg... Wat wil je van me?'

Dat was de Fatima die Cassandra zich herinnerde: bot, ter zake, maar op de een of andere manier toch charmant. Fatima zei het gewoon tegen je als ze boos op je was, ze lachte je uit om je boterhammen en je kleren, maar ze bleef nooit boos, en het was niet haar bedoeling iemand te kwetsen.

'Ik werk aan een boek. Over ons allemaal.'

'Wat voor soort boek?'

'Memoires, zoiets als mijn andere boeken...' Cassandra zag aan Fatima's gezicht dat zij, in tegenstelling tot Tisha, er geen idee van had dat Cassandra schrijfster was. 'Over hoe we toen waren en hoe we nu zijn.'

'Wie zou dat willen lezen?'

Cassandra wist niet hoe ze beleefd kon zeggen dat duizenden mensen wilden lezen wat zij schreef. *Als het maar een bundel memoires was, geen roman.* Ze was er zo langzamerhand aan gewend dat de meeste mensen niet lazen, dat het grootste deel van de mensen die ze ontmoette niet eens kon doen alsof ze haar naam of haar werk kenden, maar hoe had Fatima, die in beide boeken voorkwam, met naam en toenaam, dat kunnen missen? Had er de afgelopen tien jaar niet één keer iemand gevraagd: 'Hé, ben jij de Fatima uit dat boek?'

Cassandra zei: 'Nou ja, ik schrijf over ons allemaal, maar ik gebruik Callies verhaal...'

Weer die schrikreactie, een licht opensperren van de neusgaten, een tic die was overgebleven uit haar jeugd.

'Wat haar is overkomen?' vroeg Fatima.

'Ja, en...'

'Daar heb ik niets over te zeggen. Ik heb eigenlijk nergens iets over te zeggen. Laat me erbuiten.' Het was een bevel, geen verzoek. 'Het is lang geleden. Ik mag niet met zulke dingen in verband worden gebracht.'

Ze draaide zich om en de menigte week voor haar. Cassandra haalde het niet in haar hoofd achter haar aan te lopen. Ze bleef staan, opvallend maar toch genegeerd, gegrepen door Fatima's vraag: 'Wat haar is overkomen?' Het leek een vreemde formulering, passend in het geval van een ongeluk of goddelijk ingrijpen, niet in het geval van de vermeende moord op een kind, zeven jaar martelaarachtig zwijgen, gevolgd door een in alle opzichten geslaagde verdwijntruc. Calliope was niets zomaar 'overkomen', maar zelfs als je het zo zag, hoe zou het Fatima dan kunnen schaden?

20

Donna Howard-Barr had dat mysterieuze vermogen anderen voor haar karretje te spannen, maar de schijn te wekken dat zijzelf degene was die een gunst verleende. Vandaag had ze Tisha bijvoorbeeld gesommeerd naar haar huis bij het centrum van Baltimore te komen, zonder zich iets aan te trekken van het feit dat ze Tisha's hele dag in de war stuurde of dat ze op weg naar huis midden in het spitsuur zou belanden. Het ogenschijnlijke doel van het bezoek was dat ze Tisha het tafelzilver van de Howards wilde lenen voor Pasen, al had Tisha geen enkele belangstelling laten blijken voor Donna's familiezilver en al moest Tisha nu voor de tweede keer het paasdiner verzorgen, terwijl het traditie was elkaar af te wisselen. Ook daar had Donna een draai aan weten te geven waardoor het leek alsof zij zich voor Tisha opofferde: 'Je zult wel graag gasten willen ontvangen,' had ze gezegd, 'nu je eetkamer zo mooi is geworden met het nieuwe behang en het eetkamerameublement.'

Nee, het aanbod van het tafelzilver was een ontbieding. Donna moest haar schoonzus spreken, maar ze kon nooit iets gewoon zéggen. Tisha, die zelden een blad voor de mond nam, vond het een verbijsterende, maar ook benijdenswaardige neiging, want Donna behaalde er de gewenste resultaten mee. Door haar serene verwachting dat alles zou lopen zoals ze wilde, liep het ook zoals ze wilde. Reg was een stijfkoppige stier van een man die met iedereen over het minste of geringste wilde ruziën, maar hij ging altijd als eerste door de knieën voor Donna, en niet omdat haar vader zo lang zijn baas was geweest. Niet dat Tisha, die nu in de straten van Bolton Hill rondreed op zoek naar een parkeerplaats, het haar broer kwalijk kon nemen, want zij was bijna net zo'n slapjanus als het om Donna ging.

Je moest het Donna nageven: ze wist van het eenvoudigste bezoekje een gebeurtenis te maken. Als Tisha in Columbia bij een vriendin langsging om iets op te halen, kon ze er donder op zeggen dat er een opgewekte chaos heerste. Een werkstuk van een kind op de eettafel, een draaiende wasmachine, een berg schoenen bij de deur en de moeder, in trainingspak of yogabroek, die elke vijf minuten door de telefoon werd onderbroken terwijl ze probeerden bij te praten. Bij Donna thuis was alles gedempt en volmaakt, net als de vrouw des huizes zelf. De enige zichtbare tekenen van de aanwezigheid van een kind waren Aubreys perfecte roze regenhoedje aan de enorme kapstok in de hal en de bijpassende rubberlaarsjes die keurig op de inloopmat ernaast stonden.

De eettafel was gedekt voor een theepartijtje in de namiddag. Bij ieder ander had Tisha haar neus opgehaald voor die aanstellerij, maar Donna met haar perfecte kapsel en make-up, gekleed in een chique broek en blouse voor wat toch een vrij gewone middag thuis leek te zijn, had altijd met zo'n vertoning weg kunnen komen. Hoe ingehouden en bescheiden ze ook was, ze had een onwankelbaar geloof in zichzelf. Ze was een Howard, de laatste der Howards, want haar oom Julius had nooit kinderen gekregen. Tisha, die de naam van haar man had aangenomen, had zich eraan geërgerd dat Donna erop stond Howard-Barr genoemd te worden en iedereen die Aubreys achternaam wilde inkorten tot die van alleen haar vader meteen op de vingers tikte. Maar als Tisha de laatste Barr was geweest, had ze er misschien net zo over gedacht.

'Hoeveel mensen komen er dit jaar voor het paasdiner?' vroeg Donna terwijl ze thee schonk en zelfgebakken koekjes presenteerde. Tja, zij had tijd om te bakken. Zelfs nu Aubrey acht was en op een particuliere school zat, een luxe die Donna zelf niet vergund was geweest vanwege de politieke ambities van haar oom, had Donna nog een fulltime oppas die het meisje naar school bracht en aan het eind van de dag weer ophaalde. Een fulltime oppas die tijdens de schooluren het huishouden deed. Met zulke voorzieningen zou Tisha ook koekjes bakken, of misschien een geneesmiddel tegen kanker uitvinden.

'Wij vieren en jullie drieën. Jouw ouders, die van Reg en mij. Kunnen je oom Julius en tante Gladys ergens heen?'

'Ik zal het hem vragen.'

Oom Julius was altijd de onberekenbare factor, aangezien hij met een voor Tisha verbijsterende regelmaat in en uit de gratie raakte bij zijn broer. Julius Howard was altijd achtervolgd door vage geruchten over wangedrag, vooral begin jaren tachtig, toen hij zich onverwacht had teruggetrokken als kandidaat voor het voorzitterschap van de gemeenteraad, hoewel hij de verkiezingen vermoedelijk zou winnen. Hoeveel ruzies de Howards onderling echter ook hadden, naar buiten toe vormden ze een front, of het nu ging om Julius Howards ontsporing op weg naar de functie van eerste zwarte senator van Maryland of Donna's eerste huwelijk.

'Heb je het menu al opgesteld?'

Tisha lachte. 'Donna, het is pas over vijf dagen.'

'Ja, nog maar vijf dagen.' Maar Donna lachte ook. Ze kon om zichzelf lachen, tot op zekere hoogte, en verder dan dat komt niemand. Ze lachte om haar eigen meedogenloze geregel, haar perfectionisme. Als Donna het diner dit jaar had verzorgd, zou ze het menu al hebben opgesteld en zou haar zogenaamde 'smartphone' al vol lijstjes zitten. Tisha, die door haar kinderen aan haar mobieltje was gekluisterd, had zich tegen de nieuwe hebbedingetjes verzet met een minachtend: 'Smartphones leiden tot domme mensen.' Ze kon zich persoonlijk niet voorstellen dat er echt iets beter was dan een lijst op papier waarop je de punten een voor een doorstreepte. Het maken van de lijst hielp je al alles in je geheugen te prenten.

'Je gaat je ham zeker weer serveren?' zei Donna.

'Ik denk dat ze zouden gaan muiten als ik het niet deed.' Tisha maakte in cola gesmoorde ham, een recept dat ze had geërfd van haar vaders familie, die oorspronkelijk uit Georgia kwam.

'O, ik weet het. Iedereen is er gek op, maar aangezien jij twee keer achter elkaar het diner geeft' – ze ging er weer aan voorbij dat het op haar eigen verzoek was – 'dacht ik dat je misschien iets nieuws wilde proberen. Ik heb een spannend recept voor met mandarijn geglaceerde ham gevonden...'

'O, nee, ik hou het simpel. Cola-ham, aardappelpuree. Als jij iets nieuws wilt proberen, ga je je gang maar, maar zolang de paas-ham nog heel is, zou ik hem niet met mandarijntjes glaceren.'

Donna liet het erbij, liet Tisha winnen. Wat inhield dat ze iets belangrijkers aan haar hoofd had dan het menu.

'Ik hoorde van Reg dat je hebt geluncht met Cassandra Fallows, ons vroegere klasgenootje.'

Dus dat was het. Donna vond het vreselijk om openlijk naar roddels te vragen, maar ze vond het heerlijk om ze op te dissen.

'Ik dacht tegen beter weten in dat ze misschien echt wilde bij-praten, maar het ging haar alleen om het onderzoek voor haar nieuwe boek. Het was al erg genoeg om ongevraagd in de eerste twee boeken op te duiken. Ik ga me niet vrijwillig aan die behan-deling onderwerpen.'

'Ze heeft zich niet onaardig over je uitgelaten,' zei Donna. 'Ook niet over mij. Ze had hooguit iets te véél lof voor ons.'

'Maar dat zat me juist dwars. Ze zette ons op een voetstuk, niet om ons er weer af te laten vallen, maar om alles op te bla-zen. Die meid kan nog een tragedie in vijf aktes maken van wat gemorst chocolade-ijs op een nieuwe jurk, zonder er ook maar even bij stil te staan dat er zoiets als wasmiddel is. Je kent me, ik kan niet tegen verzonnen drama's. Het leven biedt genoeg echte ellende.'

'Ik speel met de gedachte haar op te bellen, te vragen of ze hier wil komen.'

'Donna...'

'Je kent het gezegde. Hou je vrienden in de buurt, maar verlies je vijand nooit uit het oog.'

Tisha had er niet van terug. Hoe ze zich ook aan Cassandra Fallows ergerde, ze zag haar niet als een vijand. En Donna had het altijd als een erekwestie gezien zich afzijdig te houden van het portret dat Cassandra in haar boeken van haar schilderde.

'Ik geef toe dat ze een onbenul is en dat haar boeken me woest maken, maar toch...'

'Wat ze nu schrijft, moet wel zijn weerslag hebben op Reg. En op de firma Howard & Howard.'

Howard, Howard & Barr, verbeterde Tisha in stilte.

'Ze krijgt Calliope tenslotte niet aan de praat, zelfs al zou ze haar vinden, en ik heb begrepen dat geen mens weet waar ze is, zelfs Reg niet. Hoe wil ze al die lege ruimte vullen? Stel dat ze de juridische strategie aanvalt, dat ze insinueert dat de verdediging er alleen op gericht was met het vernieuwende idee van de firma te pronken, maar dat de tactiek niet in Callies belang was?'

'Zou ze dat doen? Heeft ze iets dergelijks tegen Reg gezegd?'

'Nee, maar ze probeert in contact te komen met Gloria Bustamante, de eerste advocaat. Stel dat Gloria kans ziet haar imago op te poetsen ten koste van Reg? Je weet hoe publiciteitsgeil ze is.'

Eigenlijk wist Tisha dat niet. Donna vergat vaak dat haar wereld een heel andere was dan die van Tisha, al woonden ze nog geen vijfentwintig kilometer bij elkaar vandaan. In de kringen van Donna en Reg werd misschien geroddeld over juristen in Baltimore, wie wat had gedaan, wie wat had gezegd. Waar Tisha woonde, waren de beperking van de vrijheid van schoolkeuze en de chagrijnige basketbalcoach de prangende kwesties.

'En,' vervolgde Donna, 'twee dagen geleden heeft ze Fatima bij haar kerk in het nauw gedreven. Bij haar kerk, plompverloren.'

'Heeft Fatima je gebeld?' Het maakte Tisha weemoedig, maar mensen groeiden zo vaak uit elkaar. Donna en zij hadden elkaar zonder de familieband kwijt kunnen raken. Bovendien bestond de Fatima die zij miste niet langer; ze was opgegaan in die nieuwe, schijnheilige versie die niet meer herinnerd wilde worden aan het meisje dat ze ooit was geweest. Toch zou Tisha het heerlijk hebben gevonden haar stem aan de telefoon te horen, wat de reden ook mocht zijn.

'Fatima heeft Reg gebeld om te vragen wat er aan de hand was.'

'Reg? Waarom zou ze Reg bellen?'

Donna schokschouderde. 'Ons privénummer staat niet in de gids. Hij is makkelijk te vinden. Cassandra heeft in zekere zin hetzelfde gedaan. Eerst Reg opgespoord, en toen jou.'

Tisha keek naar de gedekte tafel. Het Howard-porselein was net als het Howard-zilver pas drie generaties oud, niet het voorname erfgoed dat Donna ervan maakte. Haar moeder, Irene Howard-Thomas, had rijke ouders, en zij had het zilver en porselein van hen geërfd. Donna had het voor haar eerste huwelijk gekregen, en het was niet Tisha's smaak. De borden hadden een tros pioenen in het midden en een dikke, rood-met-gouden rand; het zilver was al net zo rijkelijk versierd. Ze had zo'n gevoel dat Donna het ook niet mooi vond en het daarom zo gul uitleende.

'Wat denk je ermee te bereiken, Donna, als je met Cassandra praat?'

'Of ze het nu beseft of niet, ik denk dat Cassandra uit rancune handelt. Ik heb me nooit zo druk gemaakt om het eerste boek als jij, omdat het verhaal tenminste evenwichtig was. Zij liet ons in de steek en wij lieten haar in de steek. Het kan me niet schelen of dat laatste niet echt waar is; ze heeft het in elk geval in een kader geplaatst waarbinnen wij een reden hadden voor ons gedrag, handelden vanuit onze eigen gekwetste gevoelens. Als ze over Callies verdediging gaat schrijven, kan dat echt onaangename gevolgen hebben, niet alleen maar zere teentjes.'

'Dus als jij vriendschap met haar sluit, schrijft ze dat boek niet?'

'Het is een mogelijkheid. Niet de enige, maar wel de eenvoudigste voor ons allemaal.'

'En als het niet lukt?'

De voordeur ging open en Aubrey kwam binnen met haar oppas. Het goed gedrilde meisje hing eerst haar jas op voordat ze naar de eetkamer ging en haar moeder en haar tante een zoen gaf. Vervolgens wachtte ze tot ze koekjes kreeg aangeboden en pakte er niet meer dan de drie die haar moeder haar toestond. Het was wel duidelijk dat ze het niet in haar hoofd zou halen om meer te zeuren, en ze maakte geen inbreuk op het gesprek van de grote mensen tot Tisha vroeg hoe haar dag was geweest. Toen vertelde ze enthousiast over haar school, Grace and St. Peter. Het was gek, maar Donna noch Reg was een uitmuntende leerling geweest. Was het ijdelheid van Tisha dat ze iets van zichzelf terugzag in de leergierige geest van haar nichtje, haar belangstelling voor zowel alfa- als bètavakken? Binnen niet al te lange tijd zou ze moeten kiezen, zou een van de interesses de overhand moeten krijgen en de andere verdringen Tisha, die de propaganda had geloofd en de kunst boven de wetenschap had verkozen, was verrukt geweest toen ze dankzij haar leesclub het werk van Andrea Barrett leerde kennen, die over biologen en geschiedenis schreef. Dat was pas echt schrijven. Waarom kon Cassandra, die onmiskenbaar talent had, zich niet richten op vergelijkbaar, ambitieus werk, in plaats van die onbenullige kinderruzietjes uit te buiten?

Ze hielp Donna met afruimen en afwassen, met de hand, terwijl Donna maar bleef protesteren dat Tisha naar huis moest, en inderdaad, ze raakte verstrikt in de wirwar van het spitsuur op de I-95 en vervloekte haar eigen goede manieren. Pas toen, toen ze vaststond op de snelweg en aan de zenderknop van de radio draaide op zoek naar nieuws over het verkeer, herinnerde ze zich hoe hard Donna's gezicht had gestaan toen haar werd gevraagd wat ze zou doen als Cassandra niet plooibaar leek te zijn. Tisha kreeg bijna medelijden met hun vroegere vriendin. Zij zou nooit zo'n granietharde blik willen uitlokken. Donna kon, zoals de meeste mensen die gewend waren hun zin te krijgen, een formidabele tegenstander zijn wanneer ze werd tegengewerkt.

21

'Ik hoor dat je weer met je vader gaat eten?' zei Lennie.

Cassandra, die wasgoed stond te vouwen terwijl ze met haar moeder telefoneerde, liet het snoerloze toestel dat ze tussen haar kin en schouder klemde bijna vallen. Voorzover ze wist, hadden haar ouders in geen jaren contact met elkaar gezocht. Wanneer ze door de omstandigheden werden gedwongen in dezelfde ruimte te verblijven – meestal bij gelegenheden die om Cassandra draaiden – slaagden ze erin beleefd te blijven, meer niet. Sinds Annies overlijden waren de verhoudingen nog moeizamer geworden, alsof al die ijzige welwillendheid voor haar was geweest.

'J-ja,' zei Cassandra, die haar greep op de telefoon verloor en een T-shirt in haar handen losliet om het toestel te grijpen voordat het op de grond kon vallen. Ze wilde haar moeder erop wijzen dat ze de opzet van haar vaders interview op de Gordon School echt moest bespreken. Bovendien stond het haar moeder vrij háár te bellen, om een uitnodiging te vragen of Cassandra zelf uit te nodigen. Ze bracht het geen van beide ter sprake, want ze wist hoe Lennie zou reageren. Wanneer ze over het evenement op de Gordon School begon, zou Lennie iets zeggen waarmee ze zichzelf naar beneden haalde, iets vol zelfbeklag. ('Gek, maar hoewel ik daar al die jaren heb lesgegeven, komt je vader op het podium te zitten... Ik kan me niet voorstellen dat iemand daar vijftig dollar voor neertelt... O, nee, waarom zou jij een kaartje voor me kopen? Ik ken het verhaal tenslotte al.') Wat betreft het idee dat ze alles kon vragen, aan iedereen, zelfs haar dochter – dat weigerde Lennie te geloven. Cassandra had ooit een vriend gehad die zijn hond zo goed had afgericht dat hij het dier in de kamer kon laten met een biefstuk op tafel; de hond keek er alleen maar droevig naar. Het was Lennie ten voeten uit, maar zij had zichzelf het kunstje geleerd.

'Hij belde me om je telefoonnummer hier te vragen,' zei Lennie. 'Hij had het op een papiertje geschreven en was het kwijtgeraakt.'

'Ik wil heel graag met je uit eten. Als je tijd hebt.'

'Zullen we donderdag gaan lunchen?' stelde haar moeder voor.

Cassandra wist waarom haar moeder die dag had gekozen. Cassandra ging woensdag met haar vader uit eten; Lennie wilde het voordeel hebben de tweede te zijn, de kans hebben op slinkse wijze kritiek uit te oefenen op haar ex-man, zoals ze ook om de zondag had gedaan wanneer Cassandra terugkwam van een weekend bij hem. Die weekends waren eigenlijk vrij saai geweest, maar Cassandra had geweigerd iets over de tekortkomingen van haar vader te zeggen, zoals de maaltijden bij Pappy's Pizza (leuk in het begin, maar het nieuwtje was er snel af). Of de eindeloze uren samen tv-kijken, begeleid door het gemopper van haar vader. Zoals elk kind dat ernaar had gehunkerd zonder beperkingen van iets te kunnen genieten en het had gekregen, had Cassandra algauw geleerd hoe snel overvloed ging vervelen. Toen haar vader haar meenam naar *A Clockwork Orange* (ze was maar liefst dertien geweest) had ze meteen begrepen hoe de behandeling van Alex werkte, want ze had hem zelf ondergaan. O, ze kon van de tv weglopen wanneer ze maar wilde en een boek pakken, wat ze uiteindelijk had gedaan, maar eerst had ze door haar eigen tienerwoestenij gedoold.

'Ik heb donderdag al een afspraak,' zei ze verontschuldigend. 'Ik ga lunchen met Donna Howard.' Howard-Barr, verbeterde ze zichzelf. Getrouwd met Reg Barr, die veel aantrekkelijker is dan goed voor hem is. Dan goed voor mij is. En toevallig is Donna Howard-Barr de enige die met me lijkt te willen praten, die me zelfs heeft gebeld, dus verpest het nou niet.

'Die vond ik altijd het leukst,' zei haar moeder. 'Zo welgemanierd.'

Om nog maar te zwijgen van rijk en uit de juiste kringen, dacht

Cassandra, maar ze vond dat ze niet het recht had haar moeder op dat vlak iets te verwijten. Zijzelf keek ook vol ontzag naar Donna, die zich bewoog met de gratie van een ballerina, zonder ooit met iets of iemand te botsen. Cassandra, die een enorme stoethaspel was en eeuwig haar heupen en ellebogen aan tafels en aanrechten stootte, zou graag die exquise beheersing willen hebben, maar dan had ze vaart moeten minderen. Vreemd, maar van alle klasgenootjes van vroeger zou ze Donna hebben ingeschat als de laatste die haar zou willen helpen. Ze was afstandelijk en terughoudend geweest als meisje, niet geneigd iemand in vertrouwen te nemen. Anderzijds was ze verfijnd door haar afkomst, iets wereldwijzer dan de rest. Zij begreep dat Cassandra hoe dan ook iets ging schrijven en dat ze net zo goed kon meewerken, om haar eigen kant van het verhaal in het boek te krijgen.

'Wat dacht je van een lunch op woensdag?' opperde Cassandra.

'Twee keer uit eten op één dag?' Haar moeder vond het schandalig. 'Nee, dat kun je echt niet doen.'

Jij kunt het echt niet doen, dacht Cassandra, ik doe niet anders.

'Kom dan hier,' vervolgde haar moeder. 'Ik maak een garnalensalade. Ik zal die koekjes halen die je zo lekker vindt, van Bauhof's, al heet het tegenwoordig Louise's, maar ik geloof dat ze nog dezelfde recepten gebruiken.'

Cassandra was niet meer zo'n zoetekauw; de laatste jaren smachtte ze vooral naar hartig. Ze kon in een banketbakkerij zitten zonder in de verleiding te komen meer dan een klein hapje te nemen, terwijl een zak tortillachips onweerstaanbaar was. Hoewel ze zich eraan stoorde dat haar moeder dacht dat ze nog steeds een klein meisje was dat van roze-met-witte koekjes uit de koelkast hield, vond ze het ook ontroerend, en hield ze de illusie met plezier in stand. Ze zou naar Dickeyville gaan, de zompige garnalensalade van haar moeder eten, alle koekjes die haar werden voorgezet naar binnen werken en als dat haar trek voor later bedierf, wanneer haar vader haar meenam naar een van de beste restaurants van Baltimore... tja, daar was het haar moeder waarschijnlijk om begonnen.

'Deze chef-kok heeft ook een Frans restaurant,' zei haar vader terwijl hij de eetzaal van het Charleston inspecteerde, 'en daar geef ik in sommige opzichten de voorkeur aan, maar de akoestiek is daar belabberd. Zullen we een fles wijn delen?'

Cassandra wierp een steelse blik op het cocktailglas van haar vader, dat bijna leeg was. Toen ze vijf minuten voor de afgesproken tijd binnen was gekomen, had hij in de bar op haar zitten wachten. Was dit zijn eerste glas of zijn tweede?

'Denk je echt...'

'Cassandra, ik ken mijn grenzen, mijn taks.'

Ze zei niets, maar Cedric Fallows' leven was gevormd door zijn niet-kennen van zijn grenzen, zijn taks, zoals ze straks zouden bespreken. En hoewel het niet geschikt was voor het publiek op de Gordon School, had Cassandra een vraag die ze haar vader nooit had durven stellen, maar die ze er vanavond tussendoor wilde laten glippen, te midden van al die kostelijke gangen en slokjes van welke wijn hij ook maar wilde. Haar appartement was vlakbij. Desnoods kon hij bij haar op de slaapbank logeren.

'Rood of wit?'

'Witte wijn,' zei haar vader, 'smaakt nergens naar.'

Zijn oude vooroordeel leek zonde, gezien het rijke aanbod aan visgerechten uit de zuidelijke kustgebieden op de kaart, maar Cassandra herijkte haar smaakpapillen en keek naar de gerechten onder de kop VIANDES. Er was foie gras als voorgerecht, maar daar dronk ze liever sauterne bij, al zou ze dat nooit tegen haar vader zeggen. Wijn, of eigenlijk alles met alcohol, werd geacht zijn terrein te zijn. Sommige vaders bleven altijd de baas over de tuin of de auto's; de hare heerste over de drankkast.

Cassandra was veel vaker geïnterviewd dan dat zijzelf de vragen had gesteld, maar ze ontwikkelde tegenwoordig haar eigen elliptische stijl, gedeeltelijk geïnspireerd op Joan Didions opmerking dat ze haar verlegenheid in haar voordeel gebruikte, zodat de geïnterviewden zich haastten om haar ongemakkelijke stiltes te vullen. Cassandra zou nooit verlegenheid kunnen voorwenden, en al helemaal niet ten opzichte van haar vader, maar ze kon hem zigzaggend naar het onderwerp leiden dat ze echt wilde bespreken. Ze begonnen makkelijk, bij een lichte groene salade, over de problemen die het verhaal van haar vader opwierp. Hij was een blanke man die verwikkeld was geraakt in een cruciaal moment dat uiteindelijk veel meer invloed had gehad op de zwarte bevolking van Amerika. Was zijn verhaal belangrijk in ruimere zin, of was het gewoon een verhevigd liefdesverhaal?

'Je bedoelt: is het *Oorlog en vrede* of *Anna Karenina*?' zei haar vader. 'Een beetje van allebei. Als puntje bij paaltje komt, was ik gewoon op het verkeerde moment op de verkeerde plaats.'

'Het feit dat je blank was, verklaart dat niet gedeeltelijk waarom je zo bent afgetuigd? Zoiets als met hoe-heet-hij, tijdens de rellen in Los Angeles al die jaren later, die man die uit zijn vrachtwagen werd gesleurd?'

'Het zou kunnen,' zei haar vader, 'maar Annie werd het eerst belaagd. Verlies dat nooit uit het oog. Er werden meer mensen aangevallen en zelfs gedood, en die waren voornamelijk zwart.'

Ze probeerde hem zover te krijgen dat hij het incident beschreef, maar haar vader had altijd koppig gezwegen over de afranseling zelf; hij beweerde dat hij zich niets meer herinnerde na de eerste klap. Hij kon Annie wel beschrijven, hoe hij ontzet had toegekeken hoe ze werd neergeslagen en weer opstond terwijl overal om haar heen mensen naar een drogisterij renden die werd geplunderd. De verslagen van de plunderingen uit die tijd waren, zoals Cassandra wist van het onderzoek voor haar eerste boek, bijna racistisch geweest. De plunderaars werden afgeschilderd als laffe opportunisten die erop uit waren brand te stichten, te stelen of kredietgegevens te vernietigen, maar Cassandra's stiefmoeder had haar kennis laten maken met vrouwen die konden uitleggen hoe het echt was geweest, die chaotische middag, hoe ze hadden geloofd dat het eind van de wereld nabij was. Wat begon als een wanhopige zoektocht naar eten, medicijnen en opvolgmelk, was uit de hand gelopen. Het was de Dag des Oordeels. 'Het haalde niet het beste in de mensen naar boven,' zei Annie droog.

Tegelijkertijd had Annie altijd volgehouden dat ze geen plan had gehad, dat de rellen waren begonnen toen ze uit haar werk kwam en dat ze was neergeslagen. Mannen hadden aan haar kleren getrokken, wat Cedric Fallows had aangezet tot zijn onbezonnen ridderlijkheid. Was hij ook uit zijn auto gekomen als de vrouw die hij had gezien minder mooi was geweest? Waarschijnlijk niet, wist Cassandra, al kon ze het niet over haar hart verkrijgen die woorden op papier te zetten. Ze gunde haar vader zijn liefde-op-het-eerste-gezicht-versie, maar ze was niet verplicht erbij te vermelden dat die liefde was ontvlamd door Annies ongelooflijke figuur en haar betoverende gezicht, dat alleen werd ontsierd door het spleetje tussen haar voortanden. Haar vader was dol geweest op dat spleetje.

'Cassandra, besef je wel hoe zwaargewond ik was?' zei haar vader. 'Ik heb niet echt hersenletsel opgelopen, goddank, want ik moet er niet aan denken hoe mijn leven eruit had gezien als mijn geestelijke vermogens waren aangetast, maar het was gezónder voor me om het te vergeten, dus deed mijn brein dat.'

'Was het niet nog gezonder geweest als er toen meer bekend was geweest over posttraumatische stressstoornis? Volgens mij heeft je bewuste geest je misschien respijt gegeven, maar is je onbewuste een mijnenveld. Je schrikt bijvoorbeeld van het kleinste geluid, zoals het onverwacht opengaan van een deur.'

'Ik schrok van het kleinste geluid toen ik het nog kon horen,' zei haar vader. 'Ik denk dat je tegenwoordig een kanon bij mijn oor kunt afschieten zonder dat ik een spier vertrek.'

Ze was erover opgehouden omdat ze hem niet te erg onder druk wilde zetten en, om eerlijk te zijn, omdat ze niet dieper wilde ingaan op de aftakeling van haar vader, die een voorbode was van de hare. In plaats daarvan bespraken ze haar vaders visie op de rellen, die bewonderenswaardig mild was, alles in aanmerking genomen, maar hij had Annies kijk op de zaken dan ook overgenomen. Haar wereld had hem bijna net zo radicaal afgewezen als de zijne haar, waardoor het stel in een isolement was geraakt. Het was maar goed dat hun liefde stand had gehouden, dacht Cassandra vaak, want eigenlijk hadden ze niemand anders. De collega's van haar vader, beleefde liberalen, hadden hem niet veroordeeld, maar ze nodigden zijn nieuwe echtgenote niet bij hen thuis uit, en ze konden onopzettelijk neerbuigend doen wanneer hij haar meenam naar gelegenheden op de universiteit. Annie was niet dom, ze was gewoon geen boekenwurm. Aange- spoord door haar man had ze een verpleegstersdiploma gehaald, maar dat vonden zijn vrienden niet veel voorstellen.

Wat Annies ouders betrof: toen Annie met Cedric Fallows trouwde, hadden ze haar verstoten.

En zo verliep het diner: Cassandra die aandrong, zich terug- trok en in kringetjes ronddraaide in afwachting van het juiste moment om toe te slaan. Ze vond het bij het kaasplankje, toen haar vader ontspannen was door de port.

'Ik mis het roken nog steeds,' zei hij.

Cassandra stond perplex. 'Je rookt al bijna veertig jaar niet meer.'

'Nee, en ik ben nooit de fout in gegaan, niet één keer, maar na zo'n maaltijd zou ik graag een sigaret willen roken.'

De fout in gaan. Het was alles wat ze nodig had.

'Pap, toen je Annie leerde kennen, was je een door de wol ge- verfde, nou ja, overspelpleger. Je had al een aantal geliefdes gehad.'

'Verhoudingen, geen geliefdes. Ik had ze nooit lief.'

'Goed dan, verhoudingen.' Er waren altijd momenten waarop het semantische onderscheid stak, en dit was er een van. 'Wat ik maar wil zeggen, is dat je ervaring had met overspel, maar toen je een verhouding met Annie begon, toen je uit het ziekenhuis kwam, probeerde je niet het stil te houden. Je liep ermee te koop, confronteerde moeder ermee en dwong haar zo ongeveer je het huis uit te schoppen. Waarom deed je dat?'

'Cassandra, ik denk dat je dat wel weet.'

'Nee, echt niet. Daarom vraag ik het.'

'Wat denk je dan? Je weet wel iets van overspel, hoe pijnlijk het ook voor me is om dat te zeggen. Ik zou je nooit zeggen wat je wel of niet mag schrijven, en je tweede boek zit goed in elkaar, maar ik zal niet doen alsof ik niet blij was geweest als het nooit had bestaan.'

'Is dit een leermoment? Gebruik je de socratische methode om mij zover te krijgen dat ik jou je leven verklaar?'

'Ik denk dat je een theorie hebt en benieuwd bent of die klopt, dus toe maar, Cassandra, zeg het maar. Waarom zou ik, na een geschiedenis van achterbaksheid, zo openlijk een verhouding met Annie beginnen en weigeren mijn daden te verdoezelen?'

'Ik denk omdat je altijd had gelogen, zowel tegen moeder als tegen die andere vrouwen. Vreemdgaan is liegen. De enige manier waarop je Annie bijzonder kon maken, was door nooit tegen haar te liegen, of zelfs maar over haar.'

Haar vader nipte van zijn port. 'Dit komt toch niet ter sprake tijdens onze podiumdiscussie?' Hij was zo beleefd te doen alsof het een vraag was.

'Nee, maar...'

'Zullen we het dan hierbij laten? Een veelzeggende stilte waarmee ik je indruk van mij bevestig noch ontken?'

Ze liet hem zelf naar huis rijden, waar ze prompt spijt van had toen ze aan de laatste donkere kilometers naar Broadmeade dacht. Ze sprak op zijn antwoordapparaat in dat hij zich moest melden zodra hij thuis was, wat hij niet deed, zodat ze tot diep in de nacht liep te ijsberen.

Hij belde de volgende ochtend om een uur of tien, zogenaamd om te vragen of zij nog wist hoe de wijn heette die hij had uitgekozen en of ze dacht dat Wegman's die geitenkaas zou hebben, maar Cassandra begreep dat het telefoontje en het tijdstip waarop hij belde haar erop moesten wijzen dat bezorgdheid het voorrecht was van ouders, niet van kinderen. Ze was zijn verzorgster niet. Nog niet.

22

De Barrs woonden in een straat die sterk leek op die van Cassandra in Boerum Hill. De oude herenhuizen hier – ze waren te voornaam om rijtjeshuizen genoemd te worden – waren nog mooier en de buurt had meer groen, of zou dat krijgen wanneer de bomen later in het voorjaar in knop kwamen. Haar ouders hadden hier korte tijd een appartement bewoond, in het eerste jaar van hun huwelijk. 'Tegenover F. Scott Fitzgerald,' zei haar vader altijd, en het had jaren geduurd voordat Cassandra begreep dat Fitzgerald niet echt een overbuurman was geweest, maar een literaire geest die haar vader graag in de buurt wilde hebben.

Ze vroeg zich af of de Barrs iets duidelijk wilden maken door hun keuze voor deze buurt. Donna's ouders hadden op nog geen anderhalve kilometer van Cassandra's ouderlijk huis gewoond, maar het had een andere wereld geleken, een destijds moderne splitlevelwoning die met zijn rug tegen de beboste heuvels aan de andere kant van de Gwynns Falls stond. Alles in het huis van de Howards was fonkelnieuw geweest. Ze mocht dan twee feestjes door elkaar hebben gehaald in haar herinnering, zoals Tisha beweerde, maar ze had beslist levendige herinneringen aan het 'diplomafeestje' aan het eind van de zesde klas dat daar was gegeven. En ja, ze hadden het echt een diplomafeestje genoemd. De laatste tijd werd er ernstig met de handen gewrongen vanwege de buitensporige viering van kleine mijlpalen, wat Cassandra vermakelijk vond. Niet alleen was er in de zesde klas een diploma-uitreiking gehouden, ze had zelfs in toga en baret gelopen toen ze van de kleuterschool kwam. Het was niets nieuws.

De viering op school was echter in het niet gevallen bij het feestje van de Howards. Ze wist nog wat ze had gedragen, een korte, eigenlijk té korte bedrukte jurk, een kerstcadeau. Cassandra was in vijf maanden net zoveel centimeter gegroeid, waarmee ze, naar later zou blijken, haar volle lengte van een meter drieënzestig had bereikt, en de jurk was bijna onfatsoenlijk kort. De jongens hadden haar ermee geplaagd. Met haar jurk en haar haar, dat ze met het oog op het feestje drie dagen niet had gewassen, omdat het handelbaarder was wanneer het vettig was. In plaats van het te wassen had ze het met een goedje uit een spuitbus bewerkt dat Psssssst heette. God mocht weten wat er in dat mengsel van op elkaar geperste chemicaliën had gezeten, maar ze had net zo goed talkpoeder over haar hoofd kunnen uitstrooien. Er was wat poeder zichtbaar op haar jurk en de jongens hadden gezegd dat ze roos had en over haar schouders geveegd in een imitatie van een populair reclamespotje. Ze had willen denken dat de jongens haar plaagden omdat ze haar leuk vonden, maar ze was ook toen al niet zo goed geweest in zelfbedrog. De jongens uit haar klas, of ze nu zwart waren of blank, zagen haar niet als een echt meisje, terwijl ze duidelijk dachten dat Donna en Tisha wel de aandacht verdienden die echte meisjes toekwam. Ze zou zweren dat die kleine Candy Barr erbij was geweest en zijn dansje had gedaan, maar misschien was dat op Tisha's verjaardagspartijtje geweest, twee maanden eerder.

En Callie? Zou die erbij zijn geweest? Sinds ze in haar eigen bladzijden op het vergeten meisje was gestuit, pijnigde Cassandra haar geheugen in de hoop Callie ergens in een donker hoekje te vinden. Het was een groot feest, dus de hele klas moest uitgenodigd zijn, maar dat wilde niet zeggen dat iedereen was gekomen.

'Cassandra,' zei Donna, die de deur voor haar opendeed. Ze was mooi oud geworden, bijna net zo mooi als Tisha. Donna's tere schoonheid was gevoeliger voor de jaren; vooral de 'boeiende' meisjes gingen erop vooruit. Maar haar stem was nog hetzelfde, lieflijk en zacht, zodat je naar haar over moest buigen om elk woord te verstaan.

'Je bent geen spat veranderd,' zei Cassandra.

'Jij wel,' zei Donna, die naar de kleding keek die werd onthuld toen Cassandra haar regenjas van haar schouders liet glijden. 'Is die broek van Armani?'

Cassandra knikte dankbaar. Die broek had een groot deel van het door Teena opgelegde bedrag voor zijn rekening genomen, samen met de mosgroene kasjmieren coltrui die Teena had uitgekozen, een kleur die Cassandra zelf nooit zou kiezen. Ze was ook blij dat Donna de ontwerper herkende. Het was alsof ze een nieuw niveau hadden bereikt, alsof ze gelijkwaardiger waren dan op school. Destijds had ze over het lichte hout van de kast gestreeld waarin de kleurentelevisie van de Howards stond, zich verwonderend over de luister van zo'n ding. Nu woonden Donna en zij in gelijksoortige huizen en droegen ze gelijksoortige kleren.

'Maar dat haar,' zei Donna. 'Ik denk dat ik je van achteren had herkend, alleen door dat haar.'

Dat haar. Met die twee woorden had Donna moeiteloos de oude pikorde hersteld. Cassandra mocht zich nu financieel met haar kunnen meten, Donna was niet bereid haar over de hele linie als een gelijke te zien.

Ze besloot er een grapje van te maken. 'De zesde klas viel niet mee, maar ik geloof niet dat ik toen al grijs was.'

'Nee, dat is zo,' zei Donna terwijl ze haar voorging naar de vormelijke woonkamer met veel chintz – smaakvol, maar aan de veilige kant. Niet Cassandra's smaak. 'Je gezicht is in die manen gegroeid. Soms was je moeilijk te vinden onder al dat haar.'

Ik verstopte me, wilde Cassandra zeggen. *Na het vertrek van mijn vader moest ik me soms achter een gordijn van haar verstoppen om de dag door te komen.* Ze had het zo ver naar voren gedragen dat het haar gezicht bijna bedekte, en de jongens hadden haar Cousin It genoemd, naar het harige neefje van de Addams Family.

'Nou, het is een hele metamorfose,' zei Donna. 'Ik voel me saai vergeleken bij jou. In Baltimore gebleven, getrouwd met een jongen die ik al mijn hele leven kende. Toen Reg vertelde dat hij je was tegengekomen, moest ik wel gefascineerd raken door je nieuwe project. Een boek over ons en hoe we terecht zijn gekomen. Al zal geen mens de hoofdstukken over mij willen lezen! Wat zei Tolstoj ook alweer? Alle gelukkige gezinnen zijn hetzelfde?'

'Dat,' zei Cassandra, die welbewust in haar vroegere rol kroop, die van de provocateur, de dwarsligger, 'heb ik altijd gelul gevonden. Geluk komt net zomin in slechts één smaak als roomijs.'

Donna beloonde haar met een lach, haar oude, verlegen, moeilijk-te-veroveren-lach, een machtig wapen in Donna's arsenaal. 'Je hebt gelijk. Er is een wereld van verschil tussen chocola en vanille, maar als je vanille lekkerder vindt, dan is dat maar zo.'

Insinueerde Donna dat Cassandra vanille was? Nee, Donna zou niet zo prikken en porren. Cassandra was degene die taal had gebruikt om te koeioneren, te plagen en zich te handhaven.

'Het valt me opeens in,' zei ze gladjes liegend, de dochter van haar vader, 'dat jij een van de belangrijkste figuren zou kunnen zijn in mijn nieuwe boek, de enige die iedereen heeft gekend.'

Donna fronste bekoorlijk haar voorhoofd. Ze was altijd in staat geweest zelfs lelijke dingen bekoorlijk te doen.

'O, nee,' zei ze. 'Tisha was de persoonlijkheid om wie alles draaide.'

'Ja, op school.' Misschien verbeeldde Cassandra het zich, maar ze durfde te zweren dat haar snelle instemming een teleurstelling voor Donna was, dat die had gehoopt dat ze haar zou tegenspreken. 'Maar jij bent met Reg getrouwd, die voor je vader werkte en Callie heeft verdedigd. Ik moet het me wel afvragen: heb jij je vader gevraagd de zaak van Callie op zich te nemen? Of was het toeval?'

'Het "toeval" was volgens mij dat mijn vader gewoon een van de meest geslaagde advocaten van de stad was,' zei Donna een tikje stijfjes. Was het echt zo kwetsend eraan herinnerd te worden dat Tisha de stuwende kracht achter hun clubje was geweest? 'Ik heb begrepen dat de ACLU hem bij de zaak had gehaald. Ik was... weg toen het begon. Ik heb het grootste deel van de jaren tachtig in Knoxville gezeten. Er was een... Ik was... Ik ben

eerder getrouwd geweest, en het was niet zo'n kortstondige be-
vlieging. Het duurde zeven jaar en het eind was... bitter.'

'Hé, dat heb ik ook twee keer meegemaakt,' zei Cassandra, en
die bekentenis leek Donna gerust te stellen.

'Is het niet verschrikkelijk? Scheiden. Ik wil het nooit meer
meemaken.'

Reg Barr, die rokkenjager. Teena Murphy had het bijna als ter-
loops gezegd, alsof iedereen het wist en geen mens er iets om gaf.
Cassandra vond het interessanter dan ze wilde toegeven. Ze
kende de compromissen die je moest sluiten in een huwelijk
met een man die niet ophoudt met andere vrouwen te slapen, al
doet hij het nog zo discreet, maar ze kon zich niet voorstellen
dat Donna het pikte. Misschien had Teena het over Reg vóór zijn
huwelijk gehad.

'Was het niet vreemd,' zei Cassandra, 'om een relatie te hebben,
te trouwen met een man die je als kleine jongen had gekend?'

'Ja. In het begin vond ik het zelfs een beetje gênant, alsof die
twee jaar een verschrikkelijke kloof was. Bovendien werkte hij
bij mijn vader. Maar hij zat achter me aan, hij moest en zou me
krijgen, en ik moet zeggen dat ik het vleiend vond. Reg was een
echte charmeur, de vrouwen stonden voor hem in de rij. Ik heb
nooit begrepen waarom hij voor mijn saaie persoontje koos.'

Cassandra wist dat ze dit ook moest tegenspreken, dat ze
moest zeggen dat Donna nooit saai was geweest, alleen stilletjes,
op haar eigen manier een persoonlijkheid. In plaats daarvan flapte ze eruit: 'Nou, je was de dochter van de baas en hij is uiteindelijk partner geworden.'

Ze zei het luchtig, maar blijkbaar niet luchtig genoeg.

'Hij was vóór onze verloving al opgenomen in de firma, en het
krenkte hem erg, de roddels dat het door mij kwam. Reg had die
opname in de firma verdiend, het recht mijn vader op te volgen na
zijn pensioen. Weet je, het is alleen voortrekkerij als je het niet
waar kunt maken. Reg had voor zichzelf kunnen beginnen, hij
was overal waar hij werkte een uitblinker geweest. Het was in het
belang van mijn vader, van de hele firma, Reg binnen te houden.'

'Had hij het ooit met jou over Callie, toen hij haar verdedigde?'
'Natuurlijk nict. Bcrocpsgchcim.'
'Vroeg hij je naar haar, probeerde hij aan de weet te komen hoe
ze als kind was geweest? Tisha en jij hadden haar tenslotte gekend, een beetje. Als ik haar advocaat was, had ik graag met haar
jeugdvriendinnen gesproken.'

'Dat is geen recht, maar psychologie,' zei Donna. 'Handig voor
het dossier waarop de rechter zijn vonnis baseert, maar in Callies
geval niet relevant. Trouwens, wat wisten we goedbeschouwd
van Callie? Niemand kwam ooit bij haar thuis, alleen Fatima
kende het gezin. En ze was zo stil. Ze deed nooit mee in de klas
en als ze werd gedwongen, zag ze eruit alsof ze elk moment flauw
kon vallen. Kun jij je herinneren dat Callie ooit iets heeft gezegd?'

'Ik weet dat ze wel eens zong. En ze lachte. Maar nee, ze was
niet erg spraakzaam.'

'Behalve tegen Fatima. Ze smiespelde soms met Fatima, en die
eigende zich Callies commentaar dan toe. De helft van haar
grappige opmerkingen had ze van Callie, die ze haar influisterde
of ze in de kantlijn van haar multomap schreef.'

Multomappen. Cassandra beleefde een proustiaans moment
toen ze zich die multomappen herinnerde. Er was toen nog niet
veel keus geweest, of misschien had haar moeder haar gewoon
geen keus gegeven. Iedereen had een multomap met een omslag
van spijkerstof. Netheid was belangrijk, en dat was niet Cassandra's sterkste punt, maar Donna's multomappen bleven het hele
schooljaar onberispelijk. Ze gebruikte nooit van die plakkertjes
om uitgescheurde gaatjes in het papier te plakken, want haar
gaatjes scheurden niet uit. Ze tekende nooit op de buitenkant
van haar mappen, al tekende ze stiekem de bladzijden vol. En
toen ze de door de school verstrekte studieboeken moesten kaften, waren die van Donna op maat gevouwen met de precisie van
origami, terwijl Cassandra erin slaagde te grote, maar toch uitgescheurde kaften te produceren.

'Ja, Fatima en zij hadden een speciale band, maar Fatima wil
niet met me praten.'

'O? Tja, ze is een ander mens geworden, je weet hoe dat gaat.' Insinueerde Donna dat Cassandra zichzelf ook een nieuwe persoonlijkheid had aangemeten, of zei ze alleen dat ze het begreep? 'Ze praat ook niet meer met mij, terwijl ze die bul van Spelman waar ze zo trots op is nooit zou hebben gehaald zonder mijn oom Julius. Hij had haar aanbevelingsbrief geschreven. Haar cijfers waren op geen stukken na hoog genoeg.'

'Wat aardig van hem.'

'Ze had zich in de zomer na ons eindexamen als vrijwilliger bij hem aangemeld. Weet je nog hoe bijzonder we onszelf vonden omdat wij de eindexamenklas van 1976 waren?'

'Op de Gordon School werd er niet veel drukte over gemaakt,' zei Cassandra. Kon Donna echt vergeten zijn dat ze niet samen hun diploma hadden gekregen? Had ze Cassandra's boek niet gelezen? 'Wij zagen onszelf als hippies, en het was niet tof om patriottistisch te zijn.'

Donna schudde haar hoofd. 'Ik weet het niet, Cassandra. Ik zie niet hoe je van al die kleinigheden een boek kunt maken. We hebben een meisje gekend. Ze werd beschuldigd van een gruwelijk misdrijf, dat ze vrijwel zeker heeft begaan, al heeft ze nooit bekend. Nou en?'

'Ik geef toe dat ik niet weet waar het naartoe gaat, maar hoe kan ik niet met jou en de anderen die haar hebben gekend praten, gezien alle connecties?'

'En met Reg. Je wilt Reg ook spreken.' Het klonk tartend.

'Tisha zei dat hij me niet te woord wilde staan.'

'Tisha vergeet dat zij niet langer de baas is over Reg. Dat ben ik.' Donna stond zichzelf een knipoogje toe, maar Cassandra besefte dat het haar dodelijke ernst was.

'Hoe zit het met de eerste advocaat op de zaak, die ook voor je vader werkte? Kun je die overhalen met me te praten?'

'O, Gloria.' Donna trok een grimas. 'Die is toch de helft van de tijd dronken. En weet je, ze is bij de firma weggegaan, voor zichzelf begonnen. Ze heeft Callie laten stikken. Reg is degene die tot het eind heeft volgehouden.'

'Dus hij is degene die ik moet spreken.'

'Als je het echt nodig vindt,' zei Donna met een zucht. 'Ik zal hem vragen tijd voor je vrij te maken, als gunst tegenover mij, maar het enige wat je aan de weet zult komen, is dat het een doodlopende weg is. Het is zo'n... zo'n onbeduidend, triest verhaal. Willen mensen echt over zulke dingen lezen?'

'Naar mijn ervaring? Ja.'

Donna glimlachte. 'Jouw ervaring... Grappig, als je erover nadenkt. Wat heb je anders? Wat weten we meer dan wat we zelf hebben ervaren?'

Haar stem klonk vriendelijk, peinzend, en het waren alleszins redelijk vragen, maar Cassandra kon zich niet aan de indruk onttrekken dat ze op de een of andere manier op haar nummer was gezet. Ze informeerde naar het schilderij boven de schoorsteenmantel – een Horace Pippin, niet dat Cassandra wist wie het was, maar de kwaliteit van het werk was onmiskenbaar – en de rest van het bezoek verliep gladjes, vol opgehaalde herinneringen die wel overeenstemden, min of meer. Donna had, in tegenstelling tot Tisha, geen kritiek op wat Cassandra had geschreven en schroomde niet haar bewondering te tonen voor de lof die Cassandra had geoogst. Het was eigenlijk wel aangenaam.

Achttien uur later lag Cassandra in bed met de man van Donna, verbaasder dan wie ook. Ze was in elk geval verbaasder dan Reg, die de afspraak vanaf het moment dat ze hem binnenliet had gezien als een voorwendsel voor een rendez-vous. Hij was zelfs zo zeker van zijn interpretatie dat hij zich verwonderde over haar aarzeling, die hij als koketterie opvatte, en terwijl hij haar inpalmde, begon ze te geloven dat het dat ook geweest had kunnen zijn. Tegen de tijd dat ze de tijdlijn in haar hoofd weer helder had en zichzelf erop wees dat ze lang voordat ze Reg ontmoette al geïnteresseerd was geweest in Calliope, was hij in haar en kon het haar niets meer schelen.

Ze pakte zijn schouders alsof ze het gevaar liep van een grote hoogte te vallen, alsof ze hoog boven de aarde was, Leda in de snavel van Zeus als zwaan. *Heeft zij zijn kennis gekregen met zijn kracht?* Hoe ging het verder? De enige andere regel van het gedicht die ze zich kon herinneren, was *En Agamemnon dood*, en ze wist niet meer wie Agamemnon was. Toen voelde ze zich schuldig omdat ze een zwarte man vergeleek met een zwaan, een dier. Maar zag ze hem niet eigenlijk als Zeus? Een god, terwijl zij een sterveling was? Maar ook dat trof haar als verkeerd, beladen, te verwant met de manier waarop haar vader Annies komst in zijn leven rechtvaardigde door haar met Afrodite te vergelijken. Toen wist ze het weer: Agamemnon was de koning die Cassandra als trofee had meegenomen na de val van Troje, en het tweetal was later vermoord. Leda, aan de borst van de zwaan gedrukt, vangt een glimp op van de toekomst, maar Cassandra was degene die echt de toekomst kon voorspellen.

'Zo, dus dit is de enige plek waar je stil bent,' zei Reg erna, vlak erna, toen ze nog verstrengeld waren. 'Ik ook. Vreemd hè, hoe grote praters zoals wij ons stilhouden in bed?'

Cassandra knikte.

Ziekenboeg

Mijn vader lag drie weken in het ziekenhuis. Volgens de regels daar mocht ik niet bij hem op bezoek, maar mijn moeder liet me liever niet alleen thuis, dus zat ik in de wachtkamer met mijn huiswerk. Nadat we ons zo diep in de stad hadden gewaagd, in straten die nog maar een paar dagen eerder waren verscheurd door de rellen, hadden we wel iets lekkers verdiend, vond mijn moeder, zeker op vrijdag. We volgden Eastern Avenue naar Haussner's in Highlandtown, een instituut in Baltimore. Elke centimeter van de muren van het Duitse restaurant was bedekt met negentiende-eeuwse kunst. Door het enorme aantal schilderijen en de lukrake manier waarop ze waren opgehangen, dacht ik dat ze goedkoop waren, te vergelijken met schilderen op nummer of portretten op zwart fluweel. Mijn vader had Haussner's zelfs aangegrepen voor een aanschouwelijke les in esthetiek door er de schilderijen te beschimpen en mij aan te sporen hetzelfde te doen, maar toen ik het restaurant als volwassene weer bezocht, kwam ik erachter dat de schilderijen worden beschouwd als prachtige voorbeelden van negentiende-eeuwse kunst.

Mijn moeder gaf me echter geen preek over de inrichting. Ze koos het restaurant omdat het een goed compromis was voor een volwassene en een kind, een plek waar zij een cocktail en, om maar iets te noemen, kalfsvlees of lever kon bestellen, terwijl ik een Shirley Temple en aardappelpannenkoeken kreeg. We aten zwijgend, waardoor ik me ervan bewust werd hoeveel conversatie mijn vader aandroeg, hoe hij onze gesprekken aan tafel had gestuurd en overheerst. Het was niet onbehaaglijk, niet in het restaurant, waar het een vrolijke kakofonie was, maar thuis was het een gespannen, tobberige stilte.

Aan het eind van de tweede week zei mijn moeder in de stilte nadat we hadden besteld opeens: 'Je vraagt helemaal niet naar je vader.'

'Je zei dat hij beter zou worden.' Ik werd getroffen door een paniekerige gedachte. 'Ja toch? Je hebt het gezégd.'

'Het komt weer helemaal goed. Eerst waren ze bang. Hij was erg hard geslagen en... nou ja, ze wisten het nog niet... zijn hersenen en alles... maar het komt weer goed. Misschien duurt het nog een tijdje voordat hij lichamelijk is hersteld, maar hij wordt weer de oude.'

'Waarom hadden ze hem geslagen?'

Mijn moeder, die iets dronk wat een 'Lime Rickey' heette, hief haar glas en bestudeerde het in het licht.

'Tijdens rellen gebeuren er dingen die nergens op slaan. Mensen verliezen hun zelfbeheersing en de energie voedt zichzelf. Als je vader in de auto was gebleven... maar hij bleef niet in de auto.'

'Waarom niet?'

'Hij zag dat ze iemand... pijn deden, en hij wilde haar helpen. Eigenlijk was het heel dapper. Onbezonnen, maar dapper.'

Mijn moeder noch ik had Annie op dat moment al gezien, maar de week daarop, mijn vaders laatste week in het ziekenhuis, werd ik in de wachtkamer aangesproken door een vrouw. Als je het me toen had gevraagd, had ik gezegd dat ze op Diahann Carroll of Diana Ross leek, waarmee ik had bedoeld: ze is een mooie zwarte vrouw en dat zijn de mooie zwarte vrouwen die ik ken. In feite was Annie mooi op een manier die nieuw was in 1968. Haar huid was donker, ongeveer zo donker als een huid kan zijn, haar neus was breed en haar lippen waren vol.

Maar hoewel haar gezicht voldeed aan schoonheidsnormen die nog in wording waren, was haar lichaam een terugkeer naar de jaren vijftig, met bijna cartoonesk gewelfde proporties: een wespentaille, brede heupen en, eerlijk gezegd, de grootste natuurlijke borsten die ik ooit had gezien. Ik vroeg me af hoe mijn eigen borsten eruit zouden zien wanneer ze kwamen – Fatima had al een beha en alle meisjes in onze klas fantaseerden over hun aanstaande borsten – en ik moest wel staren. Konden er zulke dingen aan mijn bovenlichaam ontspruiten? De boezem van mijn moeder (dat woord zou ik toen hebben gebruikt, maar met veel gegiechel) was bescheiden. Het was een tijdperk waarin onze borsten ons kozen, en niet andersom. De ontwikkeling van je lichaam was een willekeurig, beangstigend gebeuren, een blinde kaart die je ergens rond je twaalfde of dertiende mocht omdraaien.

Ik was zo in de ban van de boezem van die onbekende vrouw dat ik niet meteen doorhad dat ze iets tegen me zei.

'Jij moet de dochter van Ric zijn,' zei ze. 'Ik zie de gelijkenis.'

Ik moest er even over nadenken. Mijn vader was een man. Meisjes leken niet op mannen. Bovendien was het een geloofsartikel in ons gezin dat ik op mezelf leek en op niemand anders.

De vrouw knielde, zodat haar gezicht ter hoogte van het mijne kwam. 'Ik ben Annie. Ik was bij je vader…'

'Bent u die vrouw die werd geslagen?'

Er flitste pijn over haar gezicht. Later zou ik de stukjes in elkaar passen en begrijpen dat mijn moeder eufemistisch onvolledig was geweest in haar beschrijving van de aanval op Annie, maar mijn tienjarige brein zou de realiteit van een verkrachting niet hebben kunnen verwerken.

'Geslagen? Nou… bijna, denk ik, maar het was niets vergeleken bij wat er met je vader is gebeurd. Daar voel ik me heel schuldig over.'

'Dat hebt ú niet gedaan.' Het rechtvaardigheidsgevoel van een tienjarige drong zich op de voorgrond. Kinderen, die vaak de schuld krijgen van dingen die ze niet hebben gedaan, zijn van nature oordeelkundig.

'Nee, dat is waar. Ben je hier met je moeder?'

'Ja. Ze is bij mijn vader, in kamer 208. U mag wel naar binnen, want u bent volwassen.'

'Kom je hier elke dag? Dat zal wel saai zijn.'

'Ik maak mijn huiswerk. We komen meestal vroeger, en daarna nemen we iets lekkers, doordeweeks een ijsje en op vrijdag gaan we naar een restaurant. Of...' – ik ging zachter praten, alsof mijn vader verderop in de gang het verraad zou kunnen horen – '... we eten van een blad en doen net alsof we in het vliegtuig naar Europa zitten en de tv de film is.'

'Dat klinkt leuk.' Annies gezicht paste niet bij wat ze zei. Ik kon zien dat ze het gek vond, of dat ze me te oud vond voor zo'n kinderachtig spelletje.

'Bent u hier om mijn vader te bedanken? Omdat hij u heeft gered?'

'Nou, ik ben bezorgd om hem, maar mensen in het ziekenhuis moeten niet te veel bezoek krijgen. Ze zijn snel moe.'

'Hij is bijna beter. Vrijdag mag hij naar huis.'

'Ik laat hem toch maar alleen met je moeder.'

Mijn moeder kwam aanlopen en ik flapte er gewichtig uit: 'Dit is Annie, de vrouw die pappie heeft gered. Ze komt hem bedanken.'

Mijn moeder keek net zo naar de borsten van de vrouw als ik had gedaan. 'Wat leuk,' zei ze. 'U kunt beter nu naar binnen gaan, nu hij nog wakker is. Hij slaapt nog veel.'

'Annie Waters,' zei de vrouw, en ze gaf mijn moeder een hand. 'Leuk u te ontmoeten.'

'Het bezoekuur loopt zo af,' zei mijn moeder. 'Ik wil niet dat u uw kans voorbij laat gaan.'

Mijn moeder klonk ultrabeleefd, zoals altijd wanneer ze met onbekenden praatte. Annie liep de gang in en wij reden terug naar huis door buurten die angstaanjagend en fascinerend voor me waren. Er was geen avondklok meer en de dagen lengden, maar mijn moeder bleef nerveus. Ze ontspande pas wanneer we de lommerrijke laan bereikten die ons door het park naar Dickeyville bracht.

'Doet het pijn als ze komen?' vroeg ik aan mijn moeder.

'Wie?'

'Boezems.'

'O – nee, hoe kom je erbij?'

'Tanden krijgen doet ook pijn, als je een baby bent.'

'Ja, maar tanden moeten door het tandvlees heen breken. Je borsten... groeien gewoon.'

Ik vond het moeilijk om het verschil te zien, al waren tanden hard.

'Hoe weten ze wanneer ze moeten beginnen?'

'Ze krijgen een seintje van je lichaam wanneer je een tiener wordt.'

'De puberteit,' zei ik wijs. Het was een groot woord, dat werd gebruikt om bijna alles te beschrijven wat tieners deden. Het was kennelijk een verschrikking.

Mijn moeder reed afwezig onze straat in, zonder om te rijden voor het beloofde ijsje. Ik vond het vreselijk om haar aan haar belofte te moeten herinneren – tot op de dag van vandaag vind ik het vreselijk om te vragen naar dingen die me al beloofd zijn – maar mijn mond smachtte naar die zoete siroop.

'Mama, mijn ijsje?'

'Lust je dan je avondeten nog wel?'

'Ja hoor.'

Toen we thuis waren, vroeg ze of ik vliegtuigje wilde spelen, maar ik zag Annies gezicht voor me en zei dat ik er geen zin in had. We hebben het nooit meer gespeeld. Twee dagen later kwam mijn vader thuis. Twee maanden later belde hij mijn moeder op om te zeggen dat hij bij haar wegging. Hij was verliefd op Annie Waters. 'Ze is mijn lotsbestemming,' zei mijn vader. 'Het lot heeft haar om een reden op mijn weg gebracht.' Mijn moeder huilde en zei dat hij een leugenaar was, dat hij altijd al had gelogen. 'Nee,' zei hij. 'Ik was een leugenaar, maar nu spreek ik de waarheid. Ik ben voorbestemd voor die vrouw.'

Ik weet precies wat er werd gezegd, want ik luisterde mee op het tweede toestel. Als verliefde man stond mijn vader net zo bol van de clichés als ieder ander, maar het bood geen troost om hem daarop te wijzen. Ik hing op zonder de klik van de hoorn te dempen, maar als mijn moeder het al merkte, kon het haar niet schelen.

Het complete kookboek
24-27 maart

23

In Cassandra's gedachten was Penn Station in Baltimore altijd vertederend klein, een stationnetje voor modeltreintjes of, zoals het hier werd genoemd, een kersttuin. Het had een hoog plafond, ouderwetse banken, maar vier ingangen die regelmatig werden gebruikt en verder één van alles: één kiosk, één koffietent, één café, één set wc's en één schoenpoetser. Tegenstrijdig genoeg zagen juist de meest recente toevoegingen er oud en sleets uit: het elektronische bord met aankomst- en vertrektijden, dat nooit de juiste informatie leek te verschaffen, en de verlichte borden boven de loketten, die het vaak niet deden. Het was een opmerkelijk prettige wachtkamer, ook om zeven uur 's ochtends aan het eind van de winter; het zwakke, waterige licht was genadig en de forenzen waren relaxed voor een maandag. De meeste mensen gingen naar het zuiden, naar Washington, en er liep maar een handjevol mensen naar het perron toen Cassandra's trein werd omgeroepen. Hij was vol, maar niet afgeladen, en ze kon met gemak een plaatsje in de stiltecoupé bemachtigen. Cassandra, die Penn Station in New York gewend was, kon niet bevatten hoe beminnelijk het allemaal aandeed.

Het woord beminnelijk deed haar aan Reg denken, al kon je beweren dat hij allesbehalve beminnelijk was. Alles deed haar ook aan Reg denken: de rijtjeshuizen die langs de trein gleden, zo triest en krakkemikkig, van achteren gezien; de drie bruggen over een steeds bredere rivier, met als bekroning de weidse uitzichten langs de Susquehanna in Havre de Grace; de skyline van Wilmington. De krant in haar hand, de open laptop op haar schoot waar ze niet naar keek. Haar hoofd zat vol Reg, hoewel ze na hun eerste avond samen niet meer dan vijf uur met hem had doorgebracht.

Ze wilde niet naar New York, maar de reis was gepland en in te veel agenda's genoteerd – die van haar uitgever, die van haar agent en, niet in de laatste plaats, die van haar minnaar. Ze zou de relatie vanavond moeten verbreken. O, ze had vaker met minnaars gejongleerd en ze was niet zo stom om te denken dat dit... gedoe met Reg een toekomst had. Of was ze juist wél zo stom? Ze wist alleen dat ze er geen belang bij had zich door een avond met Bernard heen te veinzen. Het eind was toch al in zicht geweest, en nu was het zover. Reg had de breuk niet bespoedigd. Haar reactie op Reg bewees gewoon hoe óver het was tussen Bernard en haar. Het zou wel meevallen, redeneerde ze. Ze zou het in het restaurant doen, hoe hardvochtig dat ook mocht lijken. Als ze hem meenam naar haar huis, zou hij om een laatste nacht bedelen, en dat wilde ze koste wat kost voorkomen. Ze zou het bijtijds doen, voordat ze het tussengerecht hadden besteld, dan kon hij naar buiten stormen, als hij dat wilde. Of hij kon blijven, en dan zouden ze een ooit prettige verhouding, meer was het niet geweest, op vriendschappelijke, beschaafde wijze afsluiten. Het was hooguit een zomerzotheid geweest, zoiets wat voorbij was wanneer zijn vrouw terugkwam uit hun vakantiehuis aan de Cape.

De lunch met de uitgever baarde haar eigenlijk meer zorgen dan het diner met Bernard. Moest ze Ellen vertellen dat ze met Reg had geslapen? Het was een... complicatie die op een gegeven moment aan de orde moest komen, een onloochenbaar belangenconflict. Als ze bij haar oude uitgever was gebleven, Belle, die ze als een vriendin beschouwde, had ze het graag met haar willen bespreken, zowel privé als zakelijk. Ellen, haar nieuwe uitgever... Eerlijk gezegd intimideerde ze Cassandra.

De trein reed Philadelphia in, halverwege de reis. Ze kon net zo goed haar laptop aanzetten en doornemen wat ze tot nu toe aan het boek had gedaan. Vóór station Metropark was ze al klaar.

'Geen bladzijden?' vroeg Ellen terwijl haar ogen door het restaurant flitsten. 'Ben je nog niet begonnen met schrijven?'

'Ik kan moeilijk beginnen voordat ik iets meer weet,' zei Cassandra. 'Denk erom dat ik dit boek niet zelf heb geleefd, maar dat het ook niet zuiver uit mijn verbeelding voortkomt. Ik ben nog aan het wroeten, en ik zoek Callie Jenkins. Ze is verbazingwekkend lastig te vinden.'

'Maar je hebt haar advocaat uiteindelijk te pakken gekregen, hè?'

Zeg dat wel. 'Ik heb hem gesproken, maar hij zegt geen idee te hebben waar ze is. En ik krijg steeds sterker het gevoel dat het niet om de juridische strijd gaat, maar om dit onbekende meisje. Het is bijna alsof ik de memoires opteken die Callie zelf niet kan schrijven.'

Ellen fronste haar voorhoofd en beboterde een stuk brood dat ze nooit zou opeten. Ze at zelden iets, niet waar Cassandra bij was, en ze vibreerde bijna van een kolibrieachtige energie. Toch was zij degene die er altijd op stond Cassandra mee te nemen voor een lunch in het restaurant dat op dat moment in was, wat het ook mocht zijn, en dan op haar stoel zat te schuiven alsof ze niet kon geloven dat ze anderhalf uur met één en dezelfde persoon moest praten, zonder naar de e-mails te kijken die ze op haar BlackBerry ontving en weg van de telefoons, al nam ze haar eigen toestel nooit op.

De wisselwerking was natuurlijk anders geweest toen Ellen Cassandra nog voor zich probeerde te winnen. Haar te verleiden, bot gezegd. Ze was begonnen met Cassandra's agent in het oor te fluisteren: Cassandra's uitgeverij had haar nooit echt begrepen. *Dochter van mijn vader* was alleen door mond-tot-mondreclame een succes geworden, een kind dat had gedijd in weerwil van een bijna criminele verwaarlozing. Goed, ze hadden *De eeuwige echtgenote* goed in de publiciteit gebracht, maar een uitgever moest wel verbijsterend incompetent zijn om het tweede deel van Cassandra Fallows' memoires te ondermijnen. Ze hielden niet van haar, ze waardeerden haar niet. Ellen wel, Ellen zou goed voor haar zorgen.

Vervolgens had ze Cassandra uitgenodigd voor een lunch en in plaats van de voor de hand liggende restaurants had ze iets onbekends in Cassandra's buurt uitgezocht. Ja, toen was Ellen nog naar haar toe gekomen. 'Waarom roddels op gang brengen als het niet hoeft?' had Ellen over die eerste afspraak in Brooklyn gezegd. Ze hadden drie uur zalig geluncht, compleet met een fles wijn, al dacht Cassandra achteraf dat zij die vrijwel in haar eentje had opgedronken; Ellens glas leek nooit bijgeschonken te hoeven worden, al dronk ze wel liters water. Ellens lof voor Cassandra's werk was Cassandra echter meer naar het hoofd gestegen dan die wijn. Ze vertelde dat ze Cassandra's eerste boek in haar laatste jaar op de universiteit had ontdekt, en hoe belangrijk het voor haar was geweest. Ze was steil achterovergeslagen – zo had ze het letterlijk gezegd – van de rauwe openhartigheid over seks in het tweede deel. Ze wilde met plezier alles uitgeven wat Cassandra schreef. 'Ik zou je boodschappenlijstjes nog uitbrengen,' zei ze. 'Ik wil wedden dat het poëzie is. Volgens mij ben je niet in staat ook maar één beroerde zin te schrijven.'

Toevallig had Cassandra's toenmalige uitgever, Belle, nog maar een week later een zorgelijke e-mail gestuurd over Cassandra's voorgenomen roman, die toen nog niet meer was dan een schamele dertig bladzijden en een halve synopsis. *Het doet me pijn dit te moeten schrijven*, schreef Belle, *maar er mist iets. Kon ik je maar precies vertellen wát. Ik kan alleen maar zeggen dat je fictie onzeker lijkt, alsof je niet in de kracht van je eigen verbeelding gelooft, in het gezag van je stem. Je lijkt niet betrokken bij het verhaal, en dat maskeer je door de lezer af te leiden met losse weetjes die je hebt opgedaan tijdens je onderzoek, zoals de geschiedenis van het ziekenhuis en de 'open mijn dossier'-beweging onder adoptiekinderen en hun biologische ouders. Die uitweidingen werkten wel in je non-fictie, maar hier lijken ze vooral vulsel. We moesten maar eens praten.*

Ze had op dat voorstel van Belle moeten ingaan, maar de e-mail had gestoken, niet omdat de kritiek ongegrond was, maar omdat Belle met een griezelige precisie Cassandra's eigen angsten en onzekerheden ten opzichte van het werk had verwoord. Intussen was Ellen erbij gekomen, die voor alles wat ze schreef meer wilde betalen dan Cassandra ooit had durven dromen. *Wat dan ook.* En Ellen nam het voorstel kirrend in ontvangst, verklaarde dat het briljant was en zei dat ze het een opmerkelijk idee vond, dat echte vermenging tussen fictie en non-fictie mogelijk maakte. Toen al Belles twijfels in de eerste recensies werden bevestigd, had Ellen achter Cassandra gestaan. 'Ze beoordelen niet het boek,' zei ze, 'maar je contract. Zo ging het ook toen Martin Amis *De informatie* uitbracht en de pers het alleen maar over zijn agent, zijn gebit en zijn huwelijk had.'

Cassandra rekende het uit: Ellen moest op de middelbare school hebben gezeten toen Amis dat boek publiceerde. Hoe kon ze op de hoogte zijn van dat oude uitgeversverhaal? Maar Ellen was gedreven, zo'n jong meisje dat rond haar elfde al had besloten uitgever te worden en graag aan mensen vertelde dat ze haar verjaardagsgeld had besteed aan een abonnement op *Publishers Weekly* en *Kirkus Reviews*. Ze had voor haar zevenentwintigste al naam gemaakt met haar onverklaarbare talent om debuutromans voor een koopje te bemachtigen en er een succes van te maken dat alle verwachtingen oversteeg. Misschien was dat het probleem: toen ze hun krachten bundelden, waren ze allebei van hun gebruikelijke pad afgeweken. Ellen had veel geld betaald; Cassandra had geprobeerd fictie te schrijven. Ellen kon het geld niet terugkrijgen, maar ze kon Cassandra er wel toe overhalen terug te keren tot haar winstgevender genre.

'Ik denk dat je in elk geval de vraag moet beantwoorden,' zei Ellen, die fronsend naar haar brood keek, dat ze verkruimelde. 'Heeft ze het gedaan of niet?'

'Dat weet alleen haar kapper,' zei Cassandra. Ellens niet-begrijpende gezicht wees haar op het leeftijdsverschil; Ellen had kennelijk geen enkele herinnering aan die oude haarlakreclame. Oké, geen grapjes meer. 'Het is lastig, want haar advocaat mag tenslotte niets zeggen in het openbaar, maar ik denk dat ze wel schuldig moet zijn. Ik begin zelfs te denken dat de eerste advocate daarom zo plotseling afstand heeft gedaan van de zaak. Ze kwam iets aan de weet, of Callie had haar iets verteld, wat de verdediging compromitteerde, in ethisch opzicht. Daarom wil ze natuurlijk niet met me praten.'

'Ik vraag niet om een boek over een waar gebeurde misdaad,' zei Ellen. 'Dat is te goedkoop, niets voor jouw publiek, maar er moet een reis zijn. Al kun je niet expliciet zeggen wat je denkt, de lezer moet het weten. Je moet de lezer op de een of andere manier sympathie laten opbrengen voor iemand die door de meeste mensen als een monster wordt gezien. En het moet verder gaan dan die 'o, hemel, ze was gek'-teneur van die zaak in Texas, die vrouw die haar kinderen had verdronken. Met gewoon gek kun je geen kant op.'

Cassandra smeerde taramasalata op een broodstengel. Hoe cru Ellens advies ook over mocht komen, het zat er niet ver naast. Ze wist nog steeds niet wat ze aan moest met het ongemakkelijke feit dat ze met een van de hoofdpersonen had geslapen. Als ze geluk had – en dat had ze meestal – zouden Reg en zij er snel genoeg van krijgen, zou geen mens ooit van hun verhouding weten en konden ze allebei met een zuiver geweten doorgaan. Maar zou het niet leuk zijn om Reg te verrassen met haar ondernemingszin en vindingrijkheid als detective? Stel dat zij Reg uiteindelijk dingen over de zaak kon vertellen die hij nooit had geweten, nooit had vermoed? Hij wist niet eens waar Callie was, en Teena had haar evenmin kunnen vinden. Als het Cassandra nu eens wel lukte? Maar waar moest ze beginnen? Ze dacht aan Fatima bij de kerk, gespannen, bijna angstig. *Wat haar is overkomen!* Wat was Callie overkomen? Wat wist Fatima?

'Wil je nog een dessert?' vroeg Ellen op een opgewekte manier waarmee ze toch wist over te brengen dat ze hoopte van niet.

'Ik wil wel een kop koffie,' zei Cassandra, die zich een beetje rebels voelde. 'En ik wil altijd graag de dessertkaart zien, hoe gevaarlijk dat ook is voor vrouwen van een zekere leeftijd.'

'Je ziet er spectaculair uit,' zei Ellen. 'Je bent altijd goed in vorm geweest, met die gave huid van je, maar vandaag heb je iets… extra's. Een soort gloed.'

'Microdermabrasie,' zei Cassandra blozend.

24

Teena vond het jammer dat Cassandra haar niets moeilijkers had gevraagd, al wist ze niet goed wàt. Toch was het al te makkelijk om het adres van die vrouw, Fatima, via de debiteurenadministratie op te duikelen. Teena had zelfs de ideale smoes. Ze wilde haar een bedankbriefje schrijven naar aanleiding van een recente aankoop, een tactiek die Teena en een paar collega's bij Nordstrom wel eens gebruikten. Cassandra had vrijwel zeker ook zo'n briefje gekregen als Teena haar niet min of meer had afgeperst.

Toen ze de klantgegevens had, moest het haar wel opvallen dat Fatima, die een winkelpasje had, soms niet meer betaalde dan het minimumbedrag en af en toe een aflossing miste. Nooit meer dan één, en nooit vaker dan een of twee keer per jaar. Er leek een koopziek patroon in haar winkelgedrag te zitten; de rekening werd maanden niet gebruikt, maar dan gaf Fatima opeens rond de duizend dollar uit. Ze gaf ook veel geld uit in de koopjeskelder. Liever kwantiteit dan kwaliteit, dus.

Teena gaf het door aan Cassandra, want ze wilde graag iets extra's doen. Alleen maar een adres was een miezerig cadeau, al had Cassandra niet meer gevraagd.

'Hm,' zei Cassandra. 'Dat strookt wel met het meisje dat ik heb gekend, en de vrouw die ik heb gezien. Als je kleren zo opvallend zijn, moet je er veel hebben.'

Haar stem klonk gedempt en een beetje ingehouden, maar dat schreef Teena toe aan de verbinding, die zoemerig en onvast was door de trein. De meeste mensen vonden mobieltjes tegenwoordig vanzelfsprekend, maar Tecna vond het een glamoureus idee dat Cassandra vanuit een trein belde, een trein uit New York. Ze vroeg zich af hoe Cassandra's appartement eruitzag, hoe ze haar dagen vulde, daar in New York. Het was moeilijk in gedachten te houden dat Cassandra ook maar een meisje uit Baltimore was, niet zo anders dan zij. Met een betere opleiding, dat wel, maar Cassandra's geleerde vader had waarschijnlijk minder geld verdiend dan Teena's pa, die zijn eigen verwarmings- en koelingsbedrijf had gehad.

Teena herinnerde zich de oude buurt bij de renbaan niet; ze waren verhuisd in het jaar dat zij was geboren. Ze waren wel teruggegaan, van tijd tot tijd, want haar ouders wilden hun kinderen inprenten hoe ver ze het hadden geschopt. Op zondagmiddag reden ze door Park Heights en daarna gingen ze naar het Suburban House om, zoals haar vader het zonder kwade bedoelingen noemde, te smullen van lekker ouderwets joods eten. Teena, een kieskeurige eter, behielp zich met een hotdog zonder broodje en keek ontzet naar de dingen waar haar vader zo zichtbaar van genoot. Gravlax. Kreplach. Borsjt. Zelfs de namen klonken bedreigend, alsof het wezens uit een sciencefictionfilm waren. Ze genoot wel van de autorit, de rondleiding langs alles wat ze hadden achtergelaten. Haar broers herinnerden zich nog waar de fietsenwinkel was geweest en – dit vertelden ze op gedempte toon – de dierenwinkel, waar een meisje uit de buurt was vermoord. Het had jaren geduurd voordat de dader was gevonden; de zaak was opgelost door het soort vergezochte detail waar zoveel televisieseries tegenwoordig om draaiden: er was zand op het lichaam van het meisje aangetroffen, en onderzoek wees uit dat het afkomstig was van een exotische, verre plek en niet voorkwam in de Verenigde Staten. Het zand had de rechercheurs op het spoor gezet van de dierenwinkel en een verkoper bij wie op een dag iets was geknapt, alleen maar doordat hij een bevoorrecht, in de watten gelegd meisje was tegengekomen.

Het ging te ver om te zeggen dat Teena door dat verhaal had besloten bij de politie te gaan, en dat soort kleinigheden speelden vrijwel geen rol in haar leven als rechercheur. Teena was weinig Caribisch zand of criminele meesterbreinen tegengekomen in haar loopbaan. Daders waren stom. Het werk ging niet om wie er het slimst was, maar om wie de sterkste wil had, en de rechercheur had het voordeel dat hij van tactiek, toon en zelfs feiten kon veranderen. De rechercheur had ook het voorrecht van de beweging; de vrijheid te gaan staan, te ijsberen of de verhoorkamer uit te lopen. Teena had er zelden gebruik van gemaakt. Ze zat. Ze zat tot haar kont, die te knokig was, gevoelloos werd, en dan bleef ze nog zitten. Ze brak mensen met haar beweginglonsheid en haar zwijgen. Vooral mannen behandelden haar als een blind date die ze zoet moesten houden, met wie ze een gesprek moesten voeren.

Toen had ze Callie ontmoet, die haar op elk front overtrof. Nog zwijgender, nog beweginglozer. Het was griezelig hoe lang dat mens het volhield zonder iets te zeggen, hoe ze in een standbeeld veranderde. Ze deed Teena denken aan een onmogelijke plot, iets uit *Batman* of misschien *The Wild Wild West*, waarin de held zijn hartslag liet dalen tot die bijna nul was en iedereen dacht dat hij dood was. Callie Jenkins' ogen waren doods, maar haar vierkante schouders en rechte rug duidden erop dat er toch íéts in haar moest zijn wat haar overeind hield. God? Maar als God Callie sterk hield, wees dat erop dat Callie zich gerechtvaardigd voelde, en dat wees erop... Waarop, precies? Onder welke omstandigheden kon een vrouw die haar baby had vermoord geloven dat haar daad gerechtvaardigd was? Krankzinnigheid, natuurlijk, maar Callie was aan de ene psychologische test na de andere onderworpen en altijd geestelijk gezond verklaard. Of gezond genoeg voor de strop, zoals Lenhardt graag zei.

Wat voor nieuwe middelen had de politie tegenwoordig, wat was er mogelijk? Teena begreep dat de technologie uit de tv-series onzin was, maar er moest grote vooruitgang zijn geboekt sinds haar tijd, toen ze gegevens invoerde op zo'n groen-grijs beeldscherm met een knipperende cursor. Tegenwoordig kon je dingen met een computer doen die ongehoord waren geweest toen zij bij Moordzaken kwam, maar Callie Jenkins kon je er niet mee vinden. Ze had het geprobeerd. Ze hoefde natuurlijk maar een paar telefoontjes te plegen of iemand zou haar helpen.

Misschien geen rechercheur Moordzaken uit de stad, want Mc-Larney was de enige uit haar tijd die er nog zat, maar Lenhardt, die in de regio werkte, kon en zou haar helpen zonder ook maar iets te vragen.

Teena had echter nooit iemand om iets gevraagd, helemaal nooit. Het was nog iets wat haar fascineerde aan Cassandra, het gemak waarmee ze mensen om gunsten vroeg. Ze zei natuurlijk wel alsjeblieft en dankjewel, ze had manieren, maar de manier waarop ze verzoeken deed, gaf aan dat ze verwachtte dat iedereen haar op haar wenken bediende. Hoe komt iemand aan dat zelfvertrouwen? Geld, roem? Nee, Teena kende genoeg kneuzen die net zo waren. Sommige mensen hadden er geen moeite mee links en rechts in het krijt te staan. Teena had het evenwicht gehandhaafd door nooit iets te vragen of te geven. En toen ze in de moeilijkheden kwam, had er niemand voor haar klaargestaan.

De trein terug was vertraagd door zo'n mysterieus defect waardoor de trein lange stukken vaart terugnam tot een paar kilometer per uur, of zo voelde het tenminste. Ze kropen door New Jersey ten zuiden van Trenton en ze waren net voorbij de slagzin langs de brug: TRENTON MAAKT WAT DE WERELD WIL. Cassandra nam afscheid van Teena en liep van het balkon, waar ze had gebeld, terug naar de stiltecoupé, blij dat ze alleen kon zijn met haar gedachten. Ze was natuurlijk aangenaam verrast, en dankbaar voor Teena's hulp, maar ze had een droge mond en hoofdpijn. Niet echt een kater, al had ze de avond tevoren vrij veel gedronken. Te veel.

De breuk met Bernard was veel moeizamer verlopen dan ze had verwacht. Hij had zelfs gehuild. In het openbaar. In haar favoriete restaurant, waar ze minstens twee keer per maand kwam als ze thuis was.

'Bernard, dit is geen liefde,' had ze zo zacht mogelijk gezegd. De tafels stonden erg dicht bij elkaar hier, in deze voormalige apotheek die nog een paar originele elementen had.

'Voor mij wel,' zei hij. 'Ik was eraan toe om...'

Ze wilde hem niet eens laten uitspreken waar hij aan toe was geweest.

'Mijn werk neemt me volledig in beslag. Ik heb geen tijd voor een minnaar.' Het leek hem niet te troosten. 'Bovendien is het niet goed. Je bent getrouwd. Ik kan het niet meer.' *Omdat ik tegenwoordig slaap met de man van een vroegere vriendin, en die man speelt een cruciale rol in het boek dat ik probeer te schrijven. Daar is niets mis mee!*

Bernard was tot bedaren gekomen en had ten slotte zelfs met smaak gegeten. Zo goed was het restaurant: de gerechten overwonnen hartzeer. Tegen het dessert was hij weer zo opgemonterd dat hij alle redenen opsomde waarom Cassandra er goed aan had gedaan met hem te breken, maar in feite was het een excuus om op te noemen wat hem allemaal niet aan haar beviel. Ze was wel erg vol van zichzelf, wist ze dat? Niet door en door narcistisch, maar wel egocentrisch. Ze dacht dat alles om haar draaide. Ze hadden maar een halfjaar een verhouding gehad en waren weinig met anderen omgegaan, maar bij die zeldzame gelegenheden dat ze anderen zagen, had zij al het lef gehad zijn verhalen te verbeteren.

'Je zegt altijd: "Nee, nee, je vertelt het verkeerd." Alsof er maar één goede manier is, namelijk de jouwe.' Hij vervolgde dat ze vurig was in bed, maar verder wat kil, te goed in het voor zichzelf zorgen. Zelfstandig op een manier die niet aantrekkelijk was, maar bazig en toch behoeftig.

Het enige punt dat ze had willen tegenspreken, was dat over de verhalen. 'Jij bent investeringsbankier,' had ze gezegd. 'Als ik probeerde te doen wat jij doet, of het zelfs maar wilde uitleggen, zou je mij vrijwel zeker ook verbeteren. Ik vertel verhalen. Het is mijn vak. Ik kan er niet tegen als een verhaal niet goed wordt verteld.'

'Jezus, Cassandra, iedereen vertelt verhalen.'

'Ja,' zei ze, 'maar ik kan het beter dan de meesten.'

'Op papier,' zei hij. 'Waar je kunt schrijven, herschrijven en bijslijpen. Dat wil nog niet zeggen dat je een fantastische verteller bent, hoor. Je bent geen... Homerus.'

'Nee, ik ben niet blind,' zei ze.

Ze hadden er allebei om gelachen, wat hem had gesust. Hij mocht denken dat ze het met zijn andere punten eens was. Het was niet waar, maar ze moest het zo laten. Ze moest goedvinden dat hij opnoemde wat hij allemaal niet leuk aan haar vond. Het was de prijs die ze betaalde voor het breken met een man. God, hoeveel van die breuken waren er al niet geweest? Hield het dan nooit op? Op haar dertigste had ze gedacht dat dát allemaal achter de rug was. Met 'dat' bedoelde ze de pieken en dalen, de maagkramp van verliefdheid en liefde. Op haar veertigste had ze gedacht er nu eindelijk van bevrijd te zijn, dat haar tweede huwelijk niet al te hartstochtelijk was, maar wel een teken van haar nieuwe, zuurverdiende volwassenheid. In plaats daarvan had het alleen maar bewezen dat ze nog steeds in staat was met de verkeerde te trouwen. Vervolgens had Bernard bewijs genoeg geleken dat ze eindelijk de fase had bereikt van de koele, beheerste liefde waarin je jezelf niet verliest, maar het was helemaal geen liefde geweest.

Met Reg was dát allemaal weer van voren af aan begonnen. Candy. Ze verlangde ernaar hem zo te noemen, om hem eraan te herinneren hoe lang ze elkaar al kenden, maar een zesde zintuig waarschuwde haar dat Reg het niet op prijs zou stellen. Toch vond ze het heerlijk dat ze vertrouwd waren met elkaars vroegere zelf, al zinspeelden ze er niet op. Zij had dat malle, lachende, dansende ettertje gekend. Hij herinnerde zich het meisje met het warrige haar. Ze bewonderden elkaars nieuwe huls, zo glad en glimmend, maar wisten dat die maar schijn was.

De trein, die honderdzestig kilometer per uur hoorde te rijden, pufte lui naar Baltimore op een spoor dat de volle snelheid nooit aan zou kunnen. Cassandra vond het niet erg. Er wachtte vanavond niemand op haar in Baltimore. Reg en zij hadden een afspraak voor de volgende middag, bij haar thuis. *Wat zal Reg trots op me zijn als ik Callie zonder zijn hulp vind. Ik zal rekening moeten houden met zijn gevoelens, er niet zo op snoeven dat hij gaat denken dat hij tekortschiet, maar hoe meer ik hem erbui-*

ten houd... nou ja, hoe meer ik hem overal buiten kan houden.

Hij had een dochter en een vrouw die hij aanbad, volgens een niet minder gezaghebbende bron dan zijn eigen zuster. Hij had zo'n reputatie dat zelfs Teena wist dat hij vreemdging. Dit was het soort verhouding dat onsterfelijk werd gemaakt in popsongs. 'Too hot not to cool down' et cetera. 'De epische poëzie doet het beter,' zou haar vader ertegen ingaan, omdat hij het niet kon hebben wanneer iemand beweerde dat de popcultuur indringender kon zijn dan de kunst, maar op dat vlak moest ze het oneens zijn met haar vader. Poëzie, zo ingetogen en fatsoenlijk, was geen partij voor popmuziek wanneer het op het verwoorden van dit soort gevoelens aankwam. Stomme liedjes wedijverden met elkaar in haar hoofd, de liedjes uit haar puberteit, klef van het sentiment. Als ze een multomap met een kaft van spijkerstof had, zou ze zijn initialen erop zetten en ze met de hare verstrengelen. Het zou slecht aflopen. Het moest wel slecht aflopen. Ze maakte zichzelf wijs dat het haar niets kon schelen.

25

Iedereen wist dat Baltimore klein was; het was bijna banaal om dat nu op te merken. Het was echter een grillige, onvoorspelbare kleinheid. Gloria kon iemand letterlijk jaren niet tegenkomen, en dan leek die persoon plotseling overal op te duiken.

Dat was nu het geval met Reg Barr, de hele Barr-Howard clan. Reg was in de loop der jaren echt uit haar gedachten verdwenen, maar nu was hij zo goed als alomtegenwoordig. Eerst had die schrijfster naar hem gevraagd en vervolgens had hij zelf gebeld. Op North Avenue was een nieuw reclamebord geplaatst waarop hij zijn juridische diensten aanbood, en Gloria reed er dagelijks langs wanneer ze naar de stad ging. Gloria koos een andere route. Ze sloeg een krant open en wie zag ze daar? Regs vrouw, de dochter van de baas, zoals Gloria haar in gedachten nog altijd noemde, tegenover de strips, in de suffe rubriek 'Vijf dingen die ik nu meteen moet hebben'. Gloria had gedacht dat Donna Howard-Barr boven zulke dingen zou staan, maar kennelijk was ze bereid de hoer te spelen om aandacht te vestigen op een geldinzameling voor het Alpha Kappa Alpha-beursfonds.

Donna's vijf 'dringende' wensen fascineerden Gloria. Een geavanceerde gasgrill, duurzaam tuinmeubilair van Braziliaans kersenhout, een paar schoenen van Christian Louboutin, de nieuwe vertaling van *Oorlog en vrede* en een Gee's Bend-quilt. Gloria kon zich niet bedwingen en googelde het laatste artikel, dat een speciaal soort quilt uit Alabama bleek te zijn. Niets voor Gloria, maar onmiskenbaar markant. Al met al had Donna zichzelf doelbewust gekarakteriseerd: *Ik ben huiselijk, ik geef om het milieu, ik ben meisjesachtig, ik houd me met intellectuele dingen bezig en ik heb een verfijnde smaak.* Donna had haar eigen imago altijd al listig bewaakt. Gloria wilde wedden dat Donna alles zou hebben voordat de zomer begon. Donna Howard-Barr was er de vrouw niet naar om haar dringende behoeftes op de lange baan te schuiven. Alleen die vertaling van *Oorlog en vrede*, misschien.

En daar was Reg alwéér, deze keer op een grijze woensdagochtend in de lift van de rechtbank, met een popperig meisje aan zijn hand. Gloria was bijna niet ingestapt, maar er waren te veel mensen en niemand mocht denken dat ze Reg ontliep, want dat zou als zwakheid kunnen worden opgevat. Niet omdat iemand zich hun verleden herinnerde of het zelfs maar kende, maar omdat Gloria geloofde dat iedereen altijd naar zwakke plekken in haar pantser zocht.

'Is het Dochter op Kantoor-dag?' vroeg Gloria.

'Dat is pas in april,' zei het meisje met de kinderlijke, prozaïsche behoefte correcte informatie te verschaffen. 'Bovendien is het nu voor alle kinderen, niet alleen dochters. Het is voorjaarsvakantie.'

'De oppas is ziek en Donna heeft vandaag een belangrijke lunch,' zei Reg. 'Mijn zus komt haar later vanochtend ophalen.' Hij vervolgde alsof het hem nu pas te binnen schoot: 'Dit is mevrouw Bustamante, lieverd. Zij en pappie werkten vroeger samen. Gloria, dit is Aubrey Barr, mijn dochter.'

'Aubrey Howard Barr,' zei het meisje. 'De achternaam van mijn moeder is mijn tweede voornaam.'

Aubrey. Gloria probeerde zich te herinneren of ze had geweten dat Reg en Donna een dochter hadden. Vast wel, maar ze reageerde bijna fysiek op de aanblik van het kind. Klootzak die je bent, dacht ze, al wist ze dat het onredelijk was, irrationeel, zelfs. Een dochtertje van een jaar of acht. Knap, uiteraard. Reg en Donna konden alleen maar knappe kinderen krijgen. Beheerst, net als haar moeder, maar met de vonk van Regs persoonlijkheid. Een vaderskindje, met haar hand in de zijne, gekleed in een hedendaagse versie van de zondagse kleren uit de jaren vijftig: een wollen jas, een hoedje, een roze maillot en postmoderne bandschoentjes met bijna bizar bolle neuzen. Hoe was het voor een rokkenjager als Reg om een dochter te hebben? Gloria vond het wel passend, de ideale onverwachte wending in het leven van een man wiens veroveringen afliepen, in chronologische zin, als de geruchten klopten. Nog een paar jaar en hij zou met de dochters van zijn vrienden slapen. De echte dochters, sexy stagiaires, maar niet bij zijn eigen firma. Reg had nog een paar principes. Wat moest het voor een man als Reg vreselijk zijn om een dochter te hebben. Tegen de tijd dat zij de wijde wereld in ging, zou hij bijna zestig zijn, over het toppunt van zijn macht heen. Hij zou hulpeloos moeten toekijken vanaf de zijlijn, en wat hij van mannen wist was een sombere profetie waartegen hij zijn dochter nooit zou kunnen beschermen.

Net goed.

'Je lijkt de Ketchupkat wel,' zei hij. Gloria was zich er niet van bewust dat ze glimlachte.

'De Kernhemmer kat,' verbeterde zijn dochter nuffig. Ze hechtte erg veel belang aan de feiten, die kleine Aubrey Howard Barr. Alleen had haar vader zich in dit geval niet versproken.

Gloria stapte op de volgende verdieping uit, al moest ze er niet zijn. Ze was hun privégrapje over de Ketchupkat vergeten. Waar was het vandaan gekomen? Het had iets te maken met het afschuwelijke assortiment in de automaten op het vroegere hoofdkantoor van Howard & Howard, de merkloze snacks die ze 's avonds laat naar binnen werkten. Ze noemden het Ketchupkat-chips omdat ze meer naar dierenvoer smaakten dan naar iets wat geschikt was voor menselijke consumptie. Gloria was altijd degene die kleingeld of knisperend nieuwe dollarbiljetten had – de automaten waren toen nog kieskeurig in het aannemen van biljetten – terwijl Reg of Colton Jensen, ook een medewerker, aanbood de drie trappen op te rennen. Ze kregen oranje vingers van de chips, en ze moesten een rol keukenpapier bij de hand houden om geen oranje duimafdrukken op documenten te zetten. 'De vloek van de Ketchupkat,' grapten ze.

Ze hadden veel grapjes. Reg en Col hadden hun eigen versie

van 'You Can Call Me Al' opgevoerd, met een aangepaste tekst over de eindeloze reeks onbenullige dingen die ze moesten doen. *Haal maar koffie voor me. Draai maar kopietjes voor me.* Er was een appelvormige partner die eeuwig zijn broek omhoog sjorde over zijn niet-bestaande heupen ter onderstreping van zijn inhoudsloze opmerkingen en onophoudelijke instructies. Op een avond had Reg hem geïmiteerd, terwijl Col – jezus, Col, al bijna zeventien jaar geleden gestorven aan aids, een van de eerste slachtoffers – achter hem met een zak chips schudde als begeleiding. Ze hadden tot huilens toe gelachen. 'Weet je, Gloria...' – sjorren, ratelende chips – '... de habeas-corpuswet verbiedt het recht...' – sjorren, ratelende chips – '... zich als een klootzak te gedragen, maar de advocaat doet niet anders.'

Misschien had je erbij moeten zijn. Gloria was erbij geweest, en ze wist niet meer wat er zo grappig aan was geweest, alleen dát het grappig was geweest. Ze waren ambitieus, ze waren lichtzinnig, ze zouden nooit zo worden als de mensen voor wie ze werkten. En toen, op een dag, waren ze het evenbeeld van die mensen geweest. Hoe had dat kunnen gebeuren?

Liefdesverdriet, dat begrepen mensen. Als ze romantische gevoelens voor Reg had gekoesterd, ook al waren die niet beantwoord, zouden de mensen begrijpen hoe ze zich voelde wanneer ze aan hun vroegere hechte band werd herinnerd, maar een vriendschap kwijtraken kon net zo hard aankomen. Hij was toen nog jong geweest, en hoewel zij hem dat als dertiger niet na kon zeggen, was ze wel zijn gelijke in de kantoorhiërarchie, zijn loopmaatje in het doorlopende gesprek over de zwakheden en pekelzonden van hun bazen. Ze had gedacht dat die gesprekken alleen tot doel hadden de lange avonden door te komen. 'Alleen voor vermaaksdoeleinden', zoals er op de gokkasten in de cafés van Baltimore stond, maar het was gelogen op de gokkasten en in hun vriendschap was het ook een leugen gebleken. Gloria was een uitblinker op juridisch gebied, maar Reg begreep de cultuur van juridische firma's in het algemeen en die van Howard & Howard in het bijzonder. Dat maakte al het verschil van de wereld.

Ze moest eerlijk toegeven dat hij haar er niet uit had gewerkt, absoluut niet, maar hij was ook niet met haar meegegaan. Reg was niet het type dat uit een raam sprong, alleen maar omdat Gloria zei dat het gebouw in brand stond. Reg zag geen rook, laat staan vuur. Bovendien had ze hem nooit precies verteld waarom ze zo plotseling was weggegaan, al had hij wel vermoed dat het iets heel ernstigs was, iets groots. Ze vroeg zich af of hij er ooit achter was gekomen. Ze wilde geloven dat Reg het niet zou toestaan als hij het wist. Je zou kunnen stellen dat hij de enige winnaar was in dit trieste spel, want hij was partner geworden en had de dochter van de baas gekregen. Zalige onwetendheid. Verdiende Reg die zaligheid?

Tisha vond het zo leuk om haar nichtje een middag bij zich te hebben dat ze Reg niet verweet dat hij tegen haar loog over waarom hij een oppas nodig had. Niet dat ze zeker wist waar hij over loog, alleen dat hij haar de situatie om de een of andere reden anders voorspiegelde dan die was. Het zou niet meer hoeven te zijn dan schuldgevoel – Reg en Donna zouden iets beter moeten kunnen omgaan met de kleine noodgevallen van het leven, zoals dat hun kinderopvang opeens wegviel. Tisha had Donna in elk geval nooit gevraagd haar uit de brand te helpen toen haar kinderen nog klein waren. Of misschien was het... Maar ze wilde er niet aan denken wat er nog meer achter kon zitten. Ze koesterde haar verdenkingen tegen haar broer, maar wilde ze zelfs niet eens onder de loep nemen, laat staan dat ze hem op het matje zou roepen. Hij hield van Donna, dat wist ze zeker. Ze dacht zelfs vaak dat hij iets te veel van haar hield, dat hij overhelde naar aanbidding. Waarom had hij dan... Maar zulke dingen mocht ze niet denken. Niet over haar broer. Ze wist het, ze vermoedde het, maar wanneer het idee te concreet dreigde te worden, ging ze bijna zo ver haar vingers in haar oren te steken en haar ogen dicht te doen. La, la, la, ik hoor je lekker toch niet.

Nadat ze het kantoor van haar broer in was geloodst om Aubrey te halen – waar ze zich zoals altijd verschrikkelijk kleinsteeds voelde, echt zo'n moeder, een specimen dat zelden werd waargenomen in de chique burelen van Howard, Howard & Barr – vroeg ze alleen: 'Wat is er aan de hand?'

'Weinig. Ik heb alles onder controle.'

'Wat bedoel je daarmee?'

'Niets, Tisha. Ik ben blij dat je me helpt, meer niet.'

'Het genoegen is aan mijn kant. Aubrey en ik gaan er een leuke middag van maken, hè, snoes?'

Het kind straalde. Het zou echt leuk worden, een middag met een achtjarige. Tisha's kinderen waren best lief, voor tieners, maar haar gezelschap was niet hun eerste keus, niet meer. Ze probeerde zich te herinneren hoe het voelde om acht te zijn, van-binnen. Ze was acht geweest toen ze Cassandra leerde kennen, die eerste schooldag op Dickey Hill. Waarom had ze die knokige witte elleboog gepakt en dat vreemde meisje gevraagd zich bij hun drietal te voegen, bij Donna, Fatima en haarzelf? De hele wereld kende Cassandra's versie, en daar was Tisha blij om. In Cassandra's versie kwam ze er beter vanaf, maar zij herinnerde het zich anders.

Eerlijk gezegd was er een meisje van hun oude school geweest dat Tisha niet mocht, en ze moest iemand anders aan dat vierde tafeltje zien te krijgen, en snel ook, anders was dat kind bij hen komen zitten. Die eerste dag was net een stoelendans; er waren genoeg stoelen, maar niet genoeg goede plekken, en terwijl de minuten verstreken, dwaalden er steeds minder kinderen door het lokaal, niet alleen op zoek naar een zitplaats, maar ook naar een plek waar ze welkom waren. Tisha had Cassandra in hun groepje geprop om te voorkomen dat... Ze kon zich het gezicht nog voor de geest halen, maar ze wist de naam niet meer, ze zag het meisje in de blauwgeruite jurk nog voor zich; ontkroesd haar met ongelijke puntjes, thuis gedaan. Zelfs op haar achtste kon Tisha het grote geheel al zien en nam ze verrassend meedogen-loos bliksemsnelle beslissingen. Jij mag wel meedoen, jij niet. Aubrey leek onkundig te zijn van zulke motieven en oordelen, net als haar moeder destijds.

Of misschien vertrouwde ze erop dat er altijd iemand als Tisha zou zijn om haar vuile werk op te knappen, ook net als haar moeder.

'Gaan we naar Frank's Diner?' fluisterde Aubrey in de lift terwijl ze angstig naar het plafond keek, bijna alsof ze dacht dat Howard, Howard & Barr haar in de gaten hield en alles overbriefde aan haar moeder.

'Zeker weten.'

'Mag ik dan patat met jus en een plak cake?'

'Jij mag patat met jus en een plak cake en een milkshake.'

'Mag ik patat met jus en een plak cake en een milkshake en... uienringen?'

'Jij mag patat met jus en een plak cake en een milkshake en uienringen.'

Het was hun versie van het oude spelletje. Tisha liet Aubrey altijd winnen; hoewel, nu ze erbij stilstond, ze had steeds minder keus. Aubreys geheugen hoefde maar acht jaar vast te houden, was nog scherp, terwijl dat van Tisha steeds papperiger werd. Ze voelde zich als een oude pc die het moest opnemen tegen zo'n nieuwe Mac met een Intel-processor. *Alles onder controle* – waarom hechtte ze zoveel betekenis aan die simpele uitdrukking? Wat voerde Reg in zijn schild?

'Je hebt verloren,' zei Aubrey blij giechelend toen hun menu was aangegroeid tot elf dingen. 'Je was de milkshake vergeten.'

'Brings all the boys to the yard,' prevelde Tisha.

Als haar eigen kinderen haar hadden gehoord, hadden ze haar uitgelachen om de gedateerde verwijzing, haar uitgejoeld omdat ze dacht dat ze de popcultuur kon bijbenen en hen dus ook. Tisha luisterde wel eens naar de muziek van haar kinderen, al was het maar om te horen wat voor ideeën ze onwillekeurig in zich opnamen, maar Aubrey, die de dubbelzinnigheid van Kelis' milkshake niet eens begreep, pakte de hand van haar tante en huppelde door Baltimore Street. Was Tisha ooit zo gelukkig geweest, op welke leeftijd dan ook? Het moest wel. Het probleem was dat je je die simpele, gewone gelukzaligheid zelden herinnerde. Die was te glad en te zijdezacht om te blijven hangen. De slechte dingen, puntig en ongelijk, haakten zich in je geheugen, zoals al die plastic tassen in de bomen van Baltimore bleven hangen. Het was... Babette, zo had ze geheten. Babette had midden in de derde klas gestaan, gekwetst en verbaasd over Tisha's afwijzing.

Cassandra was doodop. Hoewel ze zelden een dutje deed, doezelde ze weg terwijl Reg onder de douche stond. Hij zou er lang moeten blijven staan om de geur van de seks kwijt te raken, haar geur. Ze was nu het liefst samen met hem uit eten gegaan, maar ze kende de regels, wist hoe het werkte. Op het randje van de slaap liet ze de afgelopen twee uur aan zich voorbijtrekken. Eraan denken was bijna net zo lekker als het in het echt was geweest. Ze begreep de chemie van de hersenen en wist dat dit soort passie onmogelijk kon blijven bestaan, maar man, wat was het leuk zolang het duurde. Het was vreemd hoe weinig ze praatten, maar wat viel er ook te bespreken? Ze kenden elkaars verleden en het heden was geen onderwerp waar ze lang bij wilden stilstaan. Ze knipperde met haar ogen, werd helemaal wakker en keek op de wekker. Was het echt een uur later? De kraan liep niet meer, het was stil in haar appartement. Was hij weggegaan zonder afscheid te nemen? Ze schoot een ochtendjas aan en liep naar de woonkamer, waar Reg met alleen een handdoek om achter haar laptop zat.

'Even mijn mail bekijken,' zei hij. 'Vind je het niet erg?'

'Ik dacht dat je een BlackBerry had.' Hij had het ding nota bene op het nachtkastje gelegd voordat ze gingen vrijen, en het had continu gezoemd.

'Die zijn ideaal voor het lezen van e-mails, maar mijn vingers zijn te onhandig om meer dan ja of nee te antwoorden. Maar goed, ze lijken het zonder mij te hebben overleefd op kantoor.'

Ze ging schrijlings op zijn schoot zitten, zodat hij het scherm niet meer kon zien, en masseerde zijn nek.

'Pas op,' zei hij. 'Straks kom ik nog te laat.'

Die macht had ze inderdaad, en het was verleidelijk, maar voorlopig had ze genoeg aan de wetenschap dát ze die macht had. Het zou niet lang duren. Zo werkten die dingen, al had ze nog nooit zoiets als dit gevoeld. Toch was het belangrijk er geen misbruik van te maken, hem niet in de problemen te brengen. Ze moest hem ook bewijzen dat ze de zelfbeheersing had om zich los te maken wanneer dat nodig was. Ze gaf hem een lange, lichte kus, streek met haar wijsvinger over zijn oorlelletje – en hield op voordat het te ver ging.

'Je hebt gelijk,' zei ze. 'Je moet weg.'

'Je bent slecht,' zei hij, maar ze hoorde alleen bewondering in zijn stem.

De Charles Benton Toren, vernoemd naar een budgetadviseur die de stad en de staat lange tijd had gediend, stond er vreemd bij in de straat vol stripclubs die Het Blok werd genoemd. Volgens de plaatselijke geruchten had Benton erop gestaan dat de toren daar werd neergezet in de hoop dat Het Blok erdoor verwoest zou worden. Volgens een extremere versie had zijn vrouw in een van de clubs gedanst voordat ze een vrome christen werd. Gloria, die zich bewust was van de chronisch onjuiste roddels over haar leven, vond het moeilijk die geruchten te geloven, maar het was wel boeiend om langs de fameuze Two O'Clock Club te lopen om financiële campagnegegevens op te zoeken.

'Die kunt u ook online opvragen,' zei de administratief assistente, die jong en verveeld was, zo jong dat het nog niet in haar was opgekomen dat haar werk minder vervelend zou kunnen zijn als ze de kans eens aangreep om het te doen. Het was een van de lessen van de jeugd: niet werk is saai, maar het ontbreken ervan.

'Weet ik,' zei Gloria. Ze had het niet geweten, maar ze was helemaal hierheen gekomen en wilde de reis niet als verspilde moeite zien. 'Maar dat geldt toch alleen voor de recente verslagen? Ik zoek er een uit 1979.'

'1979?' Uit de mond van het meisje leek het net zo'n ver verleden als 1776 of 1492.

'Ja, maar ook van...' Gloria rekende het uit. De stadscampagnes werden in de oneven jaren gehouden, maar die van de staat in de even jaren, en elke vier jaar werd er een staatssenator gekozen. 'Ook van 1990 en 1998.'

'Dat kan wel even gaan duren,' zei de assistente. 'Ik weet niet of het vandaag nog lukt.' Ze wees naar de klok, die aangaf dat het bijna vier uur was.

'Ik zal ze morgen door iemand van kantoor laten halen.' Gloria zweeg even. 'Iemand van het kantoor van Gloria Bustamante, goed? De campagnegegevens van Julius Howard. Het kantoor van Gloria Bustamante, de financiële campagneverslagen van staatssenator Julius Howard, niet alleen voor de senaat, maar ook voor de gemeenteraad.'

Ze sprak beide namen nadrukkelijk uit in de hoop dat het meisje graag roddelde of dat er een luistervink in de buurt was die het boeiend zou vinden. Laat er nog maar een gerucht uit de Benton Toren vliegen, dacht ze. Ze mochten best weten dat ze snuffelde, al had ze geen idee wat ze zou kunnen vinden. Het feit dat Reg een dochter had, was hard aangekomen. Ze had zo'n gevoel, en meer was het niet, dat iemand anders nog harder zou schrikken van die miniatuurversie van Donna Barr. Pardon: Donna Howard-Barr.

26

Callie zette alles klaar, zoals ze tegenwoordig elke donderdag-
ochtend deed. Boter die zacht moest worden, eieren die op ka-
mertemperatuur moesten komen. Bloem en suiker waren altijd
voorhanden, in de voorraadpotten met BLOEM en SUIKER erop. Ze
was dol op die potten, die ze met haar allereerste creditcard had
gekocht. Ze genoot ervan hoe het had gevoeld, toen ze net naar
de kust was verhuisd, om naar Lowe's te gaan en alles te kopen
wat ze nodig had, wanneer het maar nodig was. Ze had niet voorzien hoe belangrijk bloem en suiker voor haar zouden worden,
en als ze nu haar keuken moest inrichten, had ze misschien iets
anders gekozen. De porseleinen potten waren mooi, maar zwaar,
en ze was altijd bang dat ze een van de deksels kapot zou laten
vallen. Ja, ze kon wel een nieuw stel kopen, of het kapotte deksel
lijmen, als haar zoiets overkwam, maar ze had haar angst voor
het breken van dingen nooit overwonnen. 'Onhandig kind,' zei
haar moeder vroeger tegen haar, alsof er een vloek op Callie rust-
te, alsof ze bezeten was door een geest die zorgde dat ze stru-
kelde, dingen liet vallen en morste. 'Stom kind.' Tegenwoordig
beefden de handen van haar moeder en morste ze vaak eten en
drinken op haar eigen kleren, terwijl ze deed alsof ze het niet
merkte. Als Callie zei: 'Mama, er zit een sapvlek op je ochtendjas,' zei Myra Tippet: 'Nee hoor.'
  Callie had een afkeer van liegen. Ze wist dat de meeste mensen erom zouden lachen, aangezien algemeen werd aangenomen
dat ze de grootste leugenaar aller tijden was, zo niet erger, maar
ze vond zwijgen niet hetzelfde als liegen, het uitspreken van on-
waarheden. Lang voordat ze haar heil in het zwijgen had gezocht,
had ze dat onderscheid al gemaakt. Haar moeder had Callie laten

beloven dat ze nooit zou liegen, niet tegen haar. Callie had het niet gedaan, maar soms weigerde ze haar moeder het bewijs te geven dat ze nodig had om haar te straffen. 'Wie heeft er van de pindakaas gesnoept?' 'Wie heeft de handdoek op de vloer laten slingeren?' Haar moeder kon Callie zo hard door elkaar rammelen als ze wilde, ze gaf geen kik. Zolang ze maar niets zei, was ze geen leugenaar.

Wat zou ze vanochtend eens bakken? Ze dacht aan een van haar gecompliceerdere recepten, gemberkoekjes met glazuur die op halvemaantjes leken, maar de kinderen hielden van eenvoudiger dingen. Ze bladerde door een nieuw kookboek dat ze bij de bibliotheek had geleend en vond een recept voor aardbeiencakejes. Het was nog te vroeg voor verse aardbeien, maar ze had ze in de diepvries liggen, en dat mocht volgens het recept. Het was niet aan te bevelen, maar het mocht. De keus zou vroeger te moeilijk voor haar zijn geweest. De aansporing 'kruiden naar smaak' maakte haar bijna aan het huilen. Hoe kon zo'n gewichtige beslissing aan haar worden overgelaten? Hoe kon ze iets overlaten aan haar eigen smaak, haar eigen mond, die zo overduidelijk inferieur was aan die van alle andere mensen?

Toen ze net begon met bakken, had Callie naar de kookprogramma's op tv gekeken en alles wat daarin werd gezegd voor zoete koek aangenomen, tot het tot haar was doorgedrongen dat Martha, Paula en die Italiaanse van wie ze de naam altijd net niet verstond het over allerlei kleinigheden oneens waren. Ze leende kookboeken uit de bibliotheek op zoek naar een autoriteit voor wie ze respect kon hebben, iemand die er desondanks niet al te strenge principes op nahield. Niemand voldeed. Het was weer dat vermanende, weer dat zelfingenomen gemopper van het speelplein. *Je kunt het wel zo doen, maar het hóórt zo.* Die Britse vrouw was bijna de gids geweest die ze zocht, maar toen ze haar op tv zag, had ze vastgesteld dat ze te mooi en te beheerst was. Zo'n vrouw kon nooit echt begrip opbrengen voor iemand als Callie, voor wat er zich afspeelde in haar smetteloze keuken en haar rommelige geest.

Er gingen maanden voorbij voordat Callie besefte dat ze ook een kookboek kon kópen, mocht ze dat willen. Wel meer dan één. Ze had nooit een boek voor zichzelf gekocht, behalve toen ze op de middelbare school zat en het moest. Ze reed naar Salisbury, waar een vestiging van Barnes & Noble zat. Het aanbod was zo overweldigend dat ze wegliep en een tijdje in haar auto moest zitten, vechtend tegen de aandrang om te keren en naar huis te rijden. Ooit, één keertje maar, op haar twaalfde, was ze bij Donna Howard thuis geweest. Ze was naar boven geglipt, waar ze de kastdeuren open had gezwaaid en naar de kleren had gekeken. Hoe kon iemand ooit uit die overvloed kiezen? De boekhandel herinnerde haar aan dat gevoel. In de kleine bibliotheek had ze gewoon kunnen pakken wat er was. Ze had zelfs nooit een boek gereserveerd. Uiteindelijk had ze zichzelf zover gekregen dat ze weer naar binnen ging, en toen ze weer buiten kwam, had ze niet alleen een kookboek, maar ook een koffiedrank, die bijna net zoveel van haar besluitvaardigheid had gevergd.

Het boek dat ze had gekozen, was dik en knalgeel. *Het complete kookboek*, beloofde de titel. Geen foto's, alleen simpele lijntekeningen, en geschreven in een stijl die haar deed denken aan haar favoriete docente op de middelbare school, een biologielerares die de dingen zo opgewekt en zelfverzekerd uitlegde dat Callie niet op het idee kwam zich af te vragen of een opdracht lastig of moeilijk was; ze dacht er niet eens aan dat biologie een bètavak was en dat ze de pest had aan bètavakken. Dit boek had dezelfde kordate je-kunt-het-wel-toon. Ze merkte dat ze onder het koken overlegde met de schrijver, meneer Bittman – ze kon zich niet voorstellen dat ze hem bij zijn voornaam zou aanspreken, al was het leeftijdsverschil waarschijnlijk niet zo groot. 'Moet ik melk aan mijn omelet toevoegen, meneer Bittman?' 'Ja, Callie, dat maakt echt verschil.' 'Hoe denkt u over cakemeel, meneer Bittman? Taartbodems?' 'Ik vind dat je altijd boter moet gebruiken voor taartbodems.' Hoewel ze radio en tv had in haar keuken, werkte ze in stilte om beter met haar leraar te kunnen communiceren.

In het begin had ze haar baksels weggegooid. Het voelde spilziek, maar ze wist niet wat ze er anders mee moest doen. Ze vond het leuk om zoetigheid te bakken, maar zelf was ze gek genoeg geen zoetekauw. De zeven jaar in de gevangenis hadden hun tol geëist van haar spijsvertering en ze kon alleen nog simpele dingen eten, in kleine porties. Een stuk fruit of een bekertje yoghurt bij het ontbijt, soep tussen de middag en 's avonds een sandwich. Ze leerde van meneer Bittman hoe ze haar menu kon uitbreiden. Ze braadde een kip, verwonderde zich erover hoe lekker het was en ging er dagen mee door: koude kip bij de lunch, kipsalade met zelfgemaakte mayonaise. Ze kneep een partje citroen uit boven een portie vis, gegrild, niet gebakken. Toch moest ze elke week minstens één keer bakken, en ze had geen idee wat ze met al dat eten moest doen.

Ze probeerde haar baksels weg te geven en bracht ze aan de man bij buurtwinkels en gaarkeukens, maar stuitte op allerlei regels en voorschriften. Ten slotte had ze een particuliere, christelijke school in de buurt van Cambridge gevonden die haar toestond haar lekkers in de middagpauze te verkopen en de winst aan de school te schenken. Callie had het gevoel dat zelfs deze regeling iets clandestiens had en elk moment verboden kon worden door de Voedsel en Waren Autoriteit. Ze wilde zich ook niet te veel verdiepen in de overtuigingen van de school. Ze had het idee dat die werd geleid door het soort christenen dat niet overliep van de vergevingsgezindheid, dat ze zich niet meer met haar zouden willen inlaten als ze haar verleden kenden. Ze was zelfs even bang geweest dat het hoofd haar naam had herkend, maar dat was pure paranoia van haar kant geweest. Als haar voornaam niet al die jaren geleden was afgekort, was hij gedenkwaardig geweest, maar dankzij Tisha was ze vanaf haar negende Callie geweest, en hoewel het niet de gangbaarste naam was, kon hij je makkelijk ontglippen, wat met Calliope nooit zou lukken. Het was vreemd geweest om haar echte naam weer te horen, een maand geleden. Ze had gedacht – of misschien gehoopt, om eerlijk te zijn – dat er iets zou gebeuren, al wist ze niet wat. Iets, wat dan ook, om de eentonigheid van haar dagen te doorbreken. Als puntje bij paaltje kwam, was haar leven nu niet zo anders dan in de gevangenis. Saaie dagen, kwellende nachten.

De cakejes waren bijna te makkelijk te maken. Ze bladerde in het boek, zo'n boek vol verhalen en schitterende foto's, moeilijker te geloven dan alle sprookjes die Callie als kind had gehoord. Sprookjes, vol slechte mensen en onverklaarbaar gedrag, waren volkomen aannemelijk voor Callie, maar een kookboek waarin voedsel alleen maar gelukkige herinneringen leek op te roepen, was onbegrijpelijk voor haar. Had niemand anders ooit een hamburger laten vallen die vervolgens uit haar hand was gegrist omdat hij op straat had gelegen en ze hem dus niet meer kon eten? Had dan niemand anders ooit thee met suiker gemorst? Ze kon zich niet voorstellen dat ze dit boek ooit zou kopen. Trouwens, meneer Bittman had haar nog steeds niet teleurgesteld. Hij had haar een compleet kookboek beloofd, en het was nog niet voorgekomen dat ze iets wilde maken en hij haar het recept niet kon geven. Callie hechtte ook veel waarde aan beloftes. Als zij iets beloofde, hield ze zich eraan, hoe vaak anderen hun beloftes aan haar ook braken.

Waarom had ze niet voor haar zoontjes gebakken, of voor een van beiden? Donntay had natuurlijk niet lang genoeg geleefd om vast voedsel te kunnen verdragen. Waarom had ze haar huis toen niet zo onberispelijk schoon kunnen houden als nu? Kwam het alleen doordat ze nu ouder was? Of was het ook een kwestie van geld? Had ze eerder geld kunnen krijgen? Ze had er alleen nooit om gevraagd, en ook nu nam ze het met tegenzin aan. Ze was geen goudzoeker, en wat sommige mensen ook dachten, haar zwangerschappen waren geen poging geweest om iemand te strikken of in verlegenheid te brengen. Het moederschap had haar wel overweldigd, onvoorbereid als ze was geweest. En er was meer. Toen Gloria haar een keer met een psychiater had laten praten, had Callie geprobeerd het gevoel te beschrijven, dat vergelijkbaar was met opgesloten zitten in een tunnel zonder lucht. In de weken na de geboorte van de jongens kon ze niet goed ademen en voelde het alsof haar oogleden vanzelf dichtvielen. Niet noodzakelijkerwijs omdat ze moe was, al was ze uitgeput.

Ze was er natuurlijk ook kapot van geweest, maar daar kon ze toch niet over praten? O, ze wist wel wat Gloria had beloofd, dat ze haar of de psychiater alles kon vertellen en dat het vertrouwelijk zou blijven. Alles, natuurlijk, behalve wat er echt was gebeurd die ochtend, op de dag van Donntays dood.

Ze zette de cakejes in de dozen die ze tegenwoordig bij de hand had en reed naar school in haar auto, die zich vulde met de geur van aardbeien. De jongens hielden zich eerst afzijdig, maar de meisjes stortten zich op die roze cakejes en de jongens kregen snel door dat het roze of niets was. Ze rekende vijftig cent, wat inhield dat de school zesendertig dollar kreeg. Het hoofd zei dat Callie het allemaal van de belasting kon aftrekken als ze haar bonnetjes bewaarde, maar Callie deed niet aan aftrekposten. Het huis was afbetaald en de onroerendgoedbelasting was laag, dus het was voor haar niet lonend om een uitgebreid formulier in te vullen. Bovendien was het weer een leugen geweest, de bewering dat ze aan liefdadigheid deed terwijl ze eigenlijk bakte om niet gek te worden.

Op weg naar huis dacht ze aan de taart op Donna Howards feestje voor de laatste schooldag. Het was geen gewone taart geweest, maar meer een bruidstaart met verschillende lagen, hard, glimmend glazuur en een zee van bloemen langs de zijkant. De smaak was teleurstellend geweest. De smaken waren te volwassen geweest voor kinderen, begreep Callie nu. Zou zij zo'n taart kunnen bakken? Hij zou niet geschikt zijn voor de school, maar de uitdaging sprak haar aan. Ze was ver gekomen in de vijf jaar sinds ze had ontdekt dat beslag niet alleen iets op deuren was. Ze kon taart in laagjes bakken, maar hoe maakte je dat keiharde glazuur dat meer op een pantser leek dan op suiker? Ze zou het aan meneer Bittman moeten vragen. Ze stelde zich voor dat hij naast haar stond, sussend en ontspannen tegen haar praatte en zijn hand uitstak om haar een techniek te laten zien. De bibliothecaresse had gezegd dat er video's waren, dat meneer Bittman een weblog had dat Callie op de computers van de bibliotheek kon lezen, maar Callie had haar eigen voorstelling van hem, en die mocht door niets worden aangetast. Ze zou de taart bakken en hem meenemen naar het verpleeghuis van haar moeder, waar de verzorging altijd blij was met haar lekkernijen.

Bij elke draai met de handmixer, elk ei dat ze brak en elk kopje bloem dat ze zeefde, hield ze zichzelf voor dat ze een leugen tot waarheid maakte.

27

Cassandra verdwaalde tot drie keer toe op weg naar Fatima's huis. De straatnamen kwamen haar vaag bekend voor, maar alle herkenningspunten die haar hadden kunnen helpen zich te oriënteren in deze voorstad in het noordwesten waren al heel lang weg. Ze volgde de borden die beloofden haar naar het centrum te brengen, maar belandde bij een winkelcentrum. Ze meende het zich te herinneren van een uitstapje, jaren geleden, maar toen had het er nieuwer uitgezien, chiquer, met dure winkels als Saks. Nu deed het een beetje sjofel en verwaarloosd aan, en Saks moest een luchtspiegeling zijn geweest. Over 'niemand thuis' gesproken, dacht Cassandra terwijl ze haar gps opnieuw instelde.

Uiteindelijk vond ze de weg naar Fatima's buurt, zo'n project met eigenlijk maar één straatnaam, Rosewood, met van alles erachter: Court, Path, Lane en Circle. De huizen stonden dicht opeengepakt rond hofjes, en de voortuinen waren opgeofferd aan immense opritten naar garages met plaats voor drie auto's. Het was best aardig, nam Cassandra aan, een fatsoenlijke burgerwijk, maar er hing dezelfde sfeer van verslonzing, en er stond een overdaad aan TE KOOP-borden. Ze had zo'n gevoel dat de mensen hier te veel hooi op hun vork hadden genomen. Vooral Fatima's huis zag er geteisterd uit. Het was wel netjes en goed onderhouden, maar er waren tekenen van grotere zaken die om een deskundige vroegen: het dak van de garage boog door en er zaten putjes in het pleisterwerk. Toch stond er een grote Lincoln Town Car op de inrit, glimmend van een recente wasbeurt.

'Cassandra,' verzuchtte Fatima gelaten, maar niet verbaasd. 'Hoe heb je me gevonden?'

'Zo moeilijk was het niet,' zei ze. Waarom zou ze Teena's baan in gevaar brengen? En het kon ook geen kwaad om Fatima op het idee te brengen dat Cassandra veel meer van haar zou kunnen weten dan haar adres en kredietgeschiedenis, al waren die twee dingen, samen met het feit dat ze op Spelman had gezeten, het enige wat Cassandra had. Dat, en haar herinneringen aan het meisje dat ze had gekend.

Waar is dat meisje gebleven, dacht ze toen ze ging zitten in Fatima's keurige, maar heerlijk opzichtige zitkamer, die werd gedomineerd door een wandmeubel van glas, spiegels en metaal. Er stond welgeteld één boek in, een in wit leer gebonden Bijbel, en een verzameling voorwerpen die niets met elkaar te maken leken te hebben: een porseleinen pop, een vaas in vaag oosterse stijl, een beeldje van twee herten, een basketbaltrofee, een aardewerken mandje met roze bloemen en een reusachtige familiefoto met tegen de dertig mensen in het kader geperst, allemaal in een T-shirtje met de tekst HOLLINS FAMILIEREÜNIE. Dat laatste maakte haar blij voor Fatima, het idee dat ze deel uitmaakte van zo'n grote, liefdevolle familie. Fatima was enig kind geweest en alleen door haar moeder opgevoed. Hoe brutaal ze ook was, ze had ook altijd een beetje eenzaam geleken.

De vrouw tegenover Cassandra leek uiterlijk nog wel op het meisje, zij het veel en veel dikker, maar het wezen van Fatima ontbrak. Dit was een angstige vrouw, terughoudend en nerveus, woorden die niet van toepassing waren geweest op de jonge Fatima. Ook de bijna eerbiedige toon waarop Fatima sprak, herkende Cassandra niet.

'Dus je bent schrijfster?'

'Ja, dat had ik je laatst bij de kerk al verteld.'

'Ik lees niet veel. Ik heb er geen tijd voor en Gaston, mijn man, je hebt hem daar gezien, keurde eigenlijk ook niet goed wat ik las. Romannetjes en zo. Hij zei dat ze lichtzinnig en niet bepaald christelijk waren.' Ze ging zachter praten, alsof ze afgeluisterd konden worden, hoewel alles erop duidde dat er verder niemand in het huis was. 'Ik lees zo nu en dan nog wel eens stiekem een Zane. Ken je die?'

'Ik heb wel van haar gehoord,' zei Cassandra. 'Ze heeft veel succes.'

'Ze komt uit Maryland,' zei Fatima, plotseling sceptisch, en Cassandra begreep dat Fatima dacht dat de schrijverswereld te vergelijken was met haar megakerk: een enorme gemeenschap van mensen die samen waren gebracht door één enkel gezamenlijk doel en de plek waar ze woonden. Als Cassandra Zane niet kende, kon ze dan wel een echte schrijfster zijn?

'Tja, ze leeft erg teruggetrokken, hè? Waar ik met je over wil praten, is...'

'Callie. Ik weet het, je hebt het me bij de kerk verteld, maar ik heb je niets te zeggen. Ik heb geen contact meer met haar.'

'Maar je hebt toch zeker wel herinneringen aan het meisje van vroeger? Jij kende haar beter dan de meesten, trouwens. Ze hoorde niet bij ons clubje, maar ze kwam uit jouw oude buurt, toch?'

'We hadden samen op school 88 gezeten.' Het was iets van Baltimore, het nummer in plaats van de naam noemen. 'Dat stuk van Edmondson Avenue was ruig, ook toen al. Mijn moeder was blij dat ze me daar weg kon halen.'

'Ruig?'

Fatima schokschouderde. 'Voor die tijd. Gemene kinderen, veel vechtpartijen. Niet het soort ruig dat je nu ziet, met kinderen die gewapend naar school gaan en zo, maar het was erg genoeg.'

'En toen zijn jullie tegenover de Barrs komen wonen, Tisha en Reg.' Cassandra schiep er een kinderlijk genoegen in zijn naam te laten vallen zodra ze de kans kreeg.

'Ja.' Fatima slaagde erin veel emotie in die ene lettergreep te leggen. Was het twijfel? Angst?

'Hoe was Callie?'

'Je hebt het gezien. Stil. Het enige wat ze wilde, altijd, was uit de problemen blijven.'

'Ik kan me niet herinneren dat ze op school ooit in de problemen kwam.'

'Niet op school. Thuis. Haar moeder was... streng. Heel streng.

Het was...' Fatima zweeg en Cassandra spande zich tot het uiterste in om de zin niet af te maken, de stilte niet te vullen. Niet doen, hield ze zich zelf voor. Als jij je mond houdt, zal ze eerder blijven praten, op dreef komen. 'Het was alsof ze zo streng was, Callie zo strak hield, omdat de mensen dan ook niet over háár konden roddelen. Ze noemde zichzelf bij haar eigen naam en dat deed toen nog bijna niemand, weet je?'

'Haar eigen naam?'

'Je weet wel, Myra Tippet. Alleen zette zij er "mevrouw" voor, al was er geen meneer. Daarom wilde ze juist zo fatsoenlijk zijn. "Mevrouw Myra Tippet gedoogt geen ruw gedrag, Fatima." Dat soort dingen.'

'O, de derde persoon,' zei Cassandra, waarna ze zichzelf erom vervloekte.

Fatima glimlachte. 'Nog dezelfde oude Cassandra, altijd het goede antwoord. Maar goed, ze kon zichzelf nog zo vaak mevrouw noemen en nog zo streng zijn tegen Callie, iedereen wist dat Callie geen vader had, nooit gehad ook. Ik ook niet, maar ik was tenminste wettig, snap je? Nou ja, maar net wettig. Mijn moeder was zes maanden heen op haar trouwdag en zes maanden daarna was mijn vader weg, maar ik had de naam van een vader op mijn geboorteakte staan, een echte. Callies vader? Niemand heeft ooit geweten wie hij was, zelfs mevrouw Myra Tippet niet, al liet ze Jenkins op het geboortebewijs zetten.'

'Ik snap het niet. Waarom zou ze Calliope een andere achternaam geven?'

'Geen idee.' Fatima zoog peinzend op haar onderlip. 'Als je liegt, moet je specifiek zijn, toch? Of misschien zat er een Jenkins tussen haar mannen en had ze nog niet besloten echt een nieuw, fatsoenlijk leven te beginnen. Ze was zo'n feestbeest dat een tijd lol maakt en dan besluit zo braaf te worden dat niemand nog aan haar kan twijfelen.'

'Net als jij?'

'Wat zeg je nou?' Cassandra zag een flits van de oude Fatima: uitdagend, opstandig.

266

'Ik heb van Tisha gehoord, of misschien van Donna, dat je...'
– ze zocht naar het woord, dat ze prachtig had gevonden – '... ver-
kérkelijkt was, en niet meer wilde omgaan met mensen die je
voorheen had gekend.'

'Wie heeft dat gezegd, Tisha of Donna?'

Het leek vreemd dat ze zich daarop fixeerde. 'Ik weet het niet
meer. Tisha, geloof ik.'

'Nou...' Fatima was duidelijk boos, maar probeerde zich te be-
heersen. 'Ik probeer gewoon mijn leven te leiden. Ik heb een
goede man ontmoet en ben met hem getrouwd. We hebben drie
zoons. Het is niet altijd makkelijk voor ons geweest – hij is twee
jaar geleden voor zichzelf begonnen, een autoverhuurbedrijf.
Luxeauto's en limousines, het soort auto's waar de mensen zich
tegenwoordig niet meer aan te buiten gaan, al komen de eind-
examenbals eraan, dat moet helpen.'

'Wanneer heb je Callie voor het laatst gezien?'

'We zaten samen in de bovenbouw, en we hebben een tijdje
samengewerkt.'

'Waar?'

'Weet je dat niet?'

'Nee.'

Fatima keek haar lang aan. 'Laat ze liever met rust,' zei ze uiteindelijk.

'Wie?'

'Doet er niet toe. Geloof me maar. Als jij hen met rust laat,
laten zij jou ook met rust. En ze geven je een kans, als je die nodig hebt. Ze zijn niet onredelijk. Ze helpen je als je hulp nodig
hebt. Alleen moet je hiermee ophouden.'

'Maar...'

Fatima leunde naar voren. Ze had een enorme omvang, maar
al dat vet had iets stevigs, iets massiefs. Cassandra vroeg zich onwillekeurig af hoe het voelde in Fatima's lichaam. Haar houding
was nog net zo brutaal en zelfbewust als vroeger en haar kleding-
stijl getuigde van een bijna vrolijk exhibitionisme. Cassandra
had haar verrast, deze middag, maar ze droeg een tuniek met een

boothals, bedrukt met groene, oranje en gele bloemen op een bijpassende groene broek en gele flatjes.

Of had Cassandra haar niet verrast? Ze had niet uitgesproken
verbaasd geleken toen ze Cassandra zag, niet zoals in de kerk.

'Laat ik je dit zeggen: ik weet niet waar Callie is. Als ik het
wist, zou ik het nog niet zeggen, maar ik weet het niet. Ik zweer
het je. We hebben elkaar niet meer gezien sinds we bijna twintig
waren, en toen ben ik in Atlanta gaan studeren.'

'Aan Spelman.'

'Ja, aan Spelman. Callie had ook kunnen studeren. Misschien
niet daar, maar ze had wel ergens haar opleiding kunnen afma-
ken en iets met haar leven kunnen doen. Ze was alleen koppig,
zoals iedereen snel genoeg merkte. Zij deed de dingen op haar
manier, en ik op de mijne. Ik zeg niet dat ik slimmer of beter
was, maar ik ben gelukkig met waar ik nu ben. Callie had ook
gelukkig kunnen worden, als ze had gewild. Gelukkig genoeg, in
elk geval. Laat haar met rust. Laat het allemaal rusten, Cassandra. Dit is geen proefwerk op school waarmee je iedereen kunt
laten zien hoe slim je bent. Als je echt slim bent, loop je hiervoor
weg. Dat is soms de verstandigste zet.'

'Voor wie ben je bang, Fatima? Wie moet ik mijden?'

'Je kent ze niet,' zei Fatima gedecideerd. 'Je wilt ze niet kennen.'

'Ik werk aan een boek,' zei Cassandra. 'Ik ga dit verhaal vertellen.'

'Dan zul je iets moeten verzinnen, net als toen we nog op
school zaten.' Het vernisje van de kerkmevrouw was gebarsten,
en de vechter die Fatima altijd was geweest, brak erdoorheen. 'Ik
herinner me die opstelletjes van een tien van jou nog wel, zo
leuk en mooi, en hoe de docenten je de hemel in prezen. Ik vond
ze saai, maar ik weet natuurlijk ook niets van li-te-ra-tuur.'

Cassandra zag plotseling levensecht voor zich hoe Fatima in
de derde klas middelbare school haar opstel had gedánst. Gekleed in een diep uitgesneden gympakje en een batik wikkelrok
die ze halverwege de voorstelling had uitgetrokken, had ze een

verhaal over bendeoorlogen en verraad opgevoerd, voor een groot deel gejat uit *West Side Story*, wat ze rechtvaardigde door erop te wijzen dat *West Side Story* van Shakespeare was gejat, dus waarom zou zij dat dan niet mogen? Cassandra had het een uitstekende redenering gevonden, al was ze niet onder de indruk geweest van Fatima's verhaal, niet op papier. Als woorden op papier was het een alledaags stuk geweest, maar zoals Fatima het danste, vertelde en zelfs zong – met obsceen wippende borsten en handen en voeten die bewogen op een ritme dat alleen zij kon horen – was het indrukwekkend geweest, al was het maar als een staaltje volslagen gebrek aan gêne. Cassandra herinnerde zich dat iemand van achter uit de klas had geroepen: 'Ik wil maar even zeggen dat we dit nooit zouden kunnen doen als er jongens werden toegelaten op deze school,' waar een goedkeurend, opstandig applaus op was gevolgd. De docente had Fatima een zes gegeven omdat het bijna alleen maar plagiaat was, zei ze, en niet in de goede stijl.

Later, toen ze zoals elke dag samen in de bus naar huis zaten, had Fatima vreemd nederig voor haar doen gevraagd of ze Cassandra's opstel mocht lezen, een klein, scherp geobserveerd verhaal over een godsdienstig meisje dat door haar eigen schijnheiligheid een hels leven krijgt. Cassandra wist er niet veel meer van, alleen dat ze had geprobeerd poëtisch over de straatlantaarns van die tijd te schrijven, de heldere, meloenkleurige bollen die in de jaren zeventig waren ingevoerd, toen iedereen was geobsedeerd door berovingen. Waarschijnlijk had ze het echt meloenkleurige bollen genoemd en er iets ongelukkigs aan toegevoegd, zoals dat ze in de winterschemering leken te zweven als een net ontdekt zonnestelsel. Man, over in de kiem smoren gesproken... Maar de docente had het mooi gevonden, al had ze Cassandra een standje gegeven voor haar veelvuldige gebruik van onafgemaakte zinnen, en er een tien boven gezet.

'Dus dit is een opstel van een tien,' had Fatima gezegd, en Cassandra had alleen maar bewondering in haar stem gehoord. Nu viel het haar in dat Fatima was blijven zitten met de vraag hoe zo'n klein verhaaltje zonder schietpartijen of een gedoemd paar jonggelieven een tien kon krijgen, terwijl haar virtuoze podiumkunst met een zesje was beoordeeld. 'Schrijf over dingen die je kent,' had de docente hun op het hart gebonden, maar dat had Fatima toch ook gedaan? Als *West Side Story* nu eens net zo echt was voor Fatima, door haar vroege jeugd in de oude buurt, als Cassandra's kleine verhaaltje voor haar?

'Het was leuk je te zien, Fatima,' zei ze, en ze meende het.

'Gezegende dag,' zei de onbekende die Fatima's lichaam tegenwoordig bestuurde. Ze stond niet op om Cassandra uit te laten.

Meidengroepjes

We zaten in de zesde klas toen Tisha besloot dat we een meiden-groep gingen oprichten. Het was de twaalfjarige geest aan het werk: Diana Ross was dik met de Jackson Five; ze zou ze hebben ontdekt, al was dat reclamekletspraat. Toch redeneerden we dat als Diana Ross de Jackson Five had ontdekt, wij een kortstondige band met de Jackson Five zouden scheppen door net zo'n groep-je als de Supremes te beginnen, en dan zouden zij óns ontdek-ken. Tisha, Donna en Fatima oefenden in de pauzes en maakten dansjes bij hun liedjes: ze wiegden met hun armen om *'baby love'* aan te duiden en hielden taxi's aan die moesten stoppen *'in the name of love'*.

Ik vroeg aan Tisha of ik ook bij de Cliftonettes mocht, een naam die was afgeleid van de straat waar Donna en zij woonden.

'Er zijn maar drie Supremes,' zei ze snel.

'Ik zou de vervanger kunnen zijn, de invaller,' opperde ik. 'Voor als er iemand ziek wordt.'

'Kun je zingen?' mengde Donna zich in het gesprek.

'Ja hoor.' Iedereen kon toch zingen? Tijdens de muzieklessen zong ik luidkeels mee, met veel gevoel.

'Weet je zéker dat je kunt zingen?' drong Fatima aan.

Ik werd tot invaller benoemd, geen gewichtige rol voor een groep die alleen op het schoolterrein optrad, maar ik was er blij mee. Niemand zei: *Maar de Supremes zijn zwart en jij bent wit.* Het was een tijdperk van mogelijkheden. Die dingen waren we ontstegen.

Dat dacht ik althans, tot de dag dat ik een foto van Jermaine Jackson uit *16 Magazine* knipte en in mijn blauwe multomap plakte.

'Je kunt Jermaine niet leuk vinden,' zei Fatima.

'Is iemand anders al op hem?' Zo waren de regels, begreep ik, voor het verdelen van de buit van een jongensgroep. Paul, John, George en Ringo; Davy, Micky, Peter en Mike. In bijna elke groep zaten twee leuke jongens, een of twee die ermee door konden en een ontzettende kneus. Het leven leek niet zo anders te zijn dan het spel Mystery Date, dat het hele spectrum bestreek van droom (wit smokingjasje, corsage) tot druiloor (slonzig, ongewassen). Van de Jackson Five wilde bijvoorbeeld niemand Michael hebben, niet omdat we een vermoeden hadden van de problematische persoonlijkheid die hij later zou worden – hij leek toen vrij normaal, of zo normaal als een exceptioneel getalenteerde jongen met een pooierhoed op tv maar kon zijn – maar omdat hij van onze leeftijd was en nog jonger leek. Dan waren er toch nog vier Jacksons over, en hoewel ik wist dat het inhalig van me was om de leukste te kiezen, was ik degene met het abonnement op *16*, een van de door schuldgevoelens ingegeven cadeautjes van mijn vader.

'Nee, hij is nog niet bezét,' hakkelde Fatima, 'maar je kunt niet... want... nou, je kunt hem niet kiezen, het kan gewoon niet.'

'Jij mag Jackie wel hebben,' zei ik gul. Jackie was de op één na beste, vond ik. Ik had hem gereserveerd voor Tisha, de peetmoeder van onze kleine maffia. *The Godfather* zou nog een paar jaar op zich laten wachten, maar we voelden intuïtief aan hoe je eer moest bewijzen.

'Je mag ze geen van allen,' zei Fatima, en Donna schudde haar hoofd. Tisha volgde het gesprek aandachtig, maar hield zich er zorgvuldig buiten.

Het was ons laatste voorjaar samen, al had ik nog geen besef van onze naderende scheiding. Ik zou naar Rock Glen Junior High in het zuidwesten gaan, en mijn vriendinnen naar Lemmel in het noorden. Dit was niet bepaald door grenzen op een kaart; in Baltimore was de inschrijving vrij. Leerlingen konden elke school uitkiezen die ze wilden. We hadden echter wel grenslijnen in ons hoofd en, nog belangrijker, die hadden onze ouders ook. Zwarte gezinnen stuurden hun kinderen de ene kant op, blanke gezinnen kozen de andere kant. Er was iets gaande, iets waar we geen woorden voor hadden. Uiteindelijk mengde Tisha zich in het gesprek, nadrukkelijk, maar toch omzichtig.

'We zijn te oud om jongens uit tijdschriften te knippen,' zei ze. 'Het is tijd voor echte vriendjes in plaats van verzonnen vriendjes.'

Het duizelde me. Echte vriendjes? Daar was ik nog niet aan toe. Daarom las ik *16*, met die eindeloze reeks veilige, geslachtsloze jongens, af en toe onderbroken door een verontrustende Jim Morrison. De relatie tussen Annie en mijn vader – ze woonden samen, al deden ze alsof het niet zo was, al was het maar omdat het mijn vader kon benadelen in de echtscheidingsprocedure die zich, bijna twee jaar na zijn vertrek, nog steeds voortsleepte – was zo onverbloemd hartstochtelijk dat ik ervoor koos het hele bestaan van hartstocht te ontkennen.

Maar toch: als mijn vader van Annie kon houden, waarom mocht ik dan niet verliefd zijn op Jermaine? Insinueerden mijn vriendinnen dat de relatie van mijn vader ongepast was op een manier die zelfs mijn moeder niet durfde te noemen? Dat was de bom die Tisha niet wilde laten barsten. Het was haar gelukt als er niet een jongen die vlak bij ons zat, een opgeschoten nietsnut met vet haar dat voor zijn ogen hing, in de lach was geschoten.

'Hé, Cassandra kan er niets aan doen. Ze is nikkergek, net als haar vader.'

Dit is het vreemde, het deel dat onze huidige, politiek correct getrainde geest niet goed kan bevatten: die uitspraak was in 1970 veel minder opruiend dan hij nu zou zijn. Als een docente de opmerking had gehoord, had ze Curtis Bunch een standje gegeven en hem misschien naar het hoofd gestuurd of laten nablijven, maar dat had ze ook gedaan als hij had gevloekt, en op het meebrengen van een Zippo-aansteker naar school stond een veel zwaardere straf. Curtis Bunch was een pyromaan in de dop, een berucht vreselijke jongen die er volgens de roddels genoegen in schiep katten te laten stikken in de oude, geïsoleerde melkbussen die toen nog op de veranda's en stoepjes van Dickeyville stonden.

Destijds had een jongen een andere jongen kunnen aanvliegen vanwege dat woord, maar alleen als het tegen hemzelf was gebruikt. Een vluchtige verwijzing naar het schandalige gedrag van de vader van een ander... Tja, het was moeilijk te zeggen wie er dan boos moest zijn, wat er verdedigd moest worden. Annie was mijn stiefmoeder nog niet. Mijn vader hield van haar, maar was hij daarom... wat Curtis Bunch zei?

Tisha, Fatima en Donna keken Curtis Bunch dreigend aan, maar lieten de opmerking lopen. Ik wilde wel voor mijn vader in de bres springen, maar dan zou ik mijn vriendinnen moeten verloochenen. Er was van alles mis met mijn vaders liefde voor Annie: mijn moeder schaamde zich, hij had ons allemaal financieel geruïneerd en dan was er nog het ongemakkelijke idee dat de affaire om seks draaide, hoe vaak mijn vader het woord liefde ook gebruikte. Maar Annies ras was niet een van de problemen. Nee toch? Toch?

'Mijn vader is geen...' begon ik, maar ik kon het woord niet herhalen. 'Mijn vader is tenminste niet zoals de jouwe.' Ik wist niets van de vader van Curtis Bunch, maar ik dacht dat hij verschrikkelijk moest zijn.

'Nee, mijn pa woont bij mij thuis, bij mijn moeder, niet bij een negerin,' zei Curtis.

'Hij woont niet... Ik ben niet...' begon ik, maar toen zag ik de gezichten van mijn vriendinnen voor me dichtklappen. De bel ging, het was pauze en we gingen naar buiten, waar we deden alsof er niets was gebeurd. De Cliftonettes repeteerden die dag niet. In plaats daarvan speelden we trefbal, een van de weinige spelletjes waarin ik uitblonk, maar ik had mijn dag niet en werd bijna meteen uit gegooid, terwijl Tisha en Fatima het grootste deel van het spel aan de beurt bleven (Donna, die zo sierlijk was in andere dingen, was niet sportief en keek liever toe). Later had ik het gevoel dat de andere meiden tegen me hadden samengespannen, dat ze de bal met een boosaardige draai naar me toe hadden gegooid om ervoor te zorgen dat ik mijn beurt kwijt zou raken.

Onze vriendschap leek onveranderd, oppervlakkig gezien. Ik werd uitgenodigd voor het grote feest bij Donna thuis om het eind van de zesde klas te vieren. Iedereen was natuurlijk uitgenodigd, maar ik voelde me welkom, als iemand die erbij hoorde, en dat gold niet voor iedereen. Pas drie jaar later zouden mijn vriendinnen me letterlijk de rug toekeren, me eindelijk de straf geven die ik verdiende.

Natuurlijke selectie
28-29 maart

28

Teena's rechterhand klopte toen ze wakker werd, een teken dat het weer omsloeg. Maart was warmer geweest dan anders, maar de wintermaanden konden Teena niet zacht genoeg zijn. Om het nog erger te maken was ze in haar slaap op haar rechterhand gaan liggen, misschien om hem warm te houden onder haar lichaam, maar hij was alleen verstijfd tot een soort klauw. Ze moest zich zo goed als eenhandig klaarmaken voor haar werk, en het föhnen van haar haar was daardoor een rotklusje, maar ze kreeg het voor elkaar en tegen de tijd dat ze in de auto stapte, deed haar rechterhand het weer zo'n beetje.

Het winkelcentrum was uitgestorven. Teena hoefde geen kranten te lezen om te weten hoe het met de economie stond; ze zag het elke dag op haar werk. De bedrijfsleiders bleven als een hoopvolle mantra herhalen dat het vóór Pasen beter zou worden. Het ouderwetse Baltimore hing aan de traditie van nieuwe kleren en hoeden met Pasen en had zelfs een eigen versie van een paaspromenade, al had die de slechte gewoonte op een bijna-rel uit te draaien. Pasen was gekomen en gegaan en Teena had nog nooit zo'n dooie boel gezien. Hoezo, de huizenmarkt, de aandelenmarkt – als je wilde weten hoe angstig de consumenten waren, hoefde je maar op de dure afdelingen van Nordstrom te kijken.

Ze voerde verveeld Fatima's naam nog eens in het computersysteem in. Ze had het zich bijna persoonlijk aangetrokken toen Cassandra haar had gemeld dat het interview een flop was geworden, dat Fatima niet alleen had geweigerd haar te helpen Callie Jenkins te vinden, maar ook nog eens had laten doorschemeren dat het gevaarlijk voor Cassandra was om op zoek te gaan,

279

dat ze er spijt van zou krijgen. Teena geloofde er niets van. Zij wist wat manipuleren was, wanneer iemand probeerde onwetendheid te laten overkomen als opzettelijk zwijgen. Ze wist niet precies hoe de computer, die haar Fatima's adres al had gegeven, nog iets voor haar zou kunnen doen, maar ze had niets anders te doen en...

Het openstaande bedrag op Fatima Hollins' Nordstrom-pas was afgelost, compleet. Een week geleden had Fatima achtergelopen met de aflossing en ze zou nu op nul hebben gestaan, alleen had er iemand twee dagen na de aflossing nog eens voor zeshonderd dollar aan kleding gekocht, twee dagen voordat Cassandra bij Fatima was geweest. Fatima was niet in de koopjeskelder geweest, maar op de grote-matenafdeling op Teena's verdieping.

Teena wilde meteen Cassandra bellen, maar wat wist ze nu helemaal? Niet zo snel, hield ze zichzelf voor. Het was een boeiende combinatie van feiten, maar voorlopig ook niet meer dan dat. Cassandra gaat op bezoek bij Fatima en die heeft opeens het geld om haar kredietschuld af te lossen en nog meer te kopen. Alleen was het altijd hollen of stilstaan met haar krediet. Zoals zoveel mensen liet ze zich wel eens meeslepen en haalde haar schuld dan weer in. Nordstrom zou, net als bijna alle warenhuizen, failliet gaan zonder mensen die meer uitgaven dan ze te besteden hadden.

Nee, Cassandra was niet degene die ze moest bellen. Ze voerde een andere naam in, eentje waar ze eigenlijk al jaren niet meer aan had gedacht. Ja, daar was de rekening, al was die zo goed als slapend; de laatste aankopen dateerden van voor de kerstdagen. Deze vrouw zocht nu waarschijnlijk exclusievere winkels op, maar Teena herinnerde zich Gloria Bustamante uit de tijd toen ze de confectieversie van zakenpakken had gedragen, met bobbelige schoudervullingen die eruitzagen als kippetjes die zich in de plooien van haar colbertje hadden verstopt. Gloria was ouder dan Teena, maar ze was een laatbloeier geweest, zo groen als gras in haar eerste zaak. Teena wist nog dat ze destijds medelijden met haar had gehad, dat ze haar had gezien als een veredelde presse-papier die op Callie was gezet om haar op haar plaats te houden, om haar stil te houden. Toen Gloria bij Howard & Howard wegging, had Teena aangenomen dat ze voor een minder strijdlustige vorm van het recht had gekozen, maar ze had een goede praktijk als strafpleiter opgebouwd, wat deed vermoeden dat ze meer in haar mars had dan Teena had gedacht. Wat zou Gloria Bustamante kunnen weten?

'Stel dat dit echt was?' zei Reg tegen Cassandra.

Misschien kwam het doordat ze zo weinig tegen elkaar zeiden – een gevolg van het feit dat ze bijna al hun tijd in bed doorbrachten om geen minuut te verspillen – maar de woorden klonken onheilspellend. Cassandra evalueerde ze, nam alle mogelijke betekenissen onder de loep en besloot het luchtig te houden.

'Ik dacht dat ik echt was,' zei ze. Ze pakte Regs hand en sloeg ermee op haar heup. 'Voelt dit niet echt?'

Hij liet zijn hand liggen. 'Dit is anders voor me, en niet alleen omdat je ouder bent dan de andere vriendinnen die ik heb gehad.'

'Dank je wel,' zei Cassandra droog. 'Fijn dat ik het weet.'

'Ik bedoel... Hoor eens, ik heb altijd... pleziertjes gehad in mijn leven. Ik ging ervan uit dat je dat wist toen we hieraan begonnen.'

'Ik weet het. Weet Donna het ook?' vroeg ze iets minder luchtig.

'Ik denk dat Donna het niet erg vindt,' zei hij. Ze draaide haar gezicht naar het zijne en toen hij haar verbaasde blik zag, krabbelde hij terug. 'Ik zeg niet dat ze het weet, bewust weet, maar ze vermoedt het. Ik ben altijd discreet geweest. Ik heb haar niet te schande gemaakt. Daar kan ze mee leven.'

Cassandra wilde niet met hem in discussie gaan, niet hierover, maar – daar had je die woorden weer – ze was de dochter van haar vader en kon het niet nalaten hem op zijn onlogische redenering te wijzen, al kon ze het beter niet doen. 'Ik was hier nog maar een maand toen ik al hoorde dat je een rokkenjager werd genoemd. Kan Donna echt zo'n beschut leven leiden?'

'Ik weet het niet. Hoe goed kende je haar vader?'

'Niet zo goed, maar ik was nog een kind. Ik vraag niet naar je dochter, maar naar je vrouw.'

'Ik heb je boek gelezen...'

'Echt waar?' Ze kon er niets aan doen; het was bijna net zo opwindend als de woorden die ze dacht te hebben gehoord, die ze nog steeds probeerde te ontcijferen. *Stel dat dit echt was?* De zin op zich gaf natuurlijk al aan dat het níét echt was, maar toch...

'Nou ja, ik heb het beluisterd. Ze hadden het door jou moeten laten voorlezen. Jouw stem is veel prettiger dan die van de vrouw die ze hebben genomen. Maar goed, ik geloof niet dat je moeder het wist, niet echt, terwijl je vader haar er zo ongeveer met haar neus in wreef.'

'Eerst niet, maar ben je bij het stuk gekomen waarin hij haar bij haar roepnaam noemt, die hij altijd zo verafschuwde? Het is duidelijk dat ze toen vermoedens kreeg van zijn ontrouw.'

'Duidelijk voor jou, achteraf gezien. Heb je je moeder ook gevraagd wat zij wist, en wanneer?'

Ze werd tegen wil en dank wrevelig. Hoe durfde Reg het gezag te betwisten waarmee ze over haar eigen leven had geschreven, haar eigen ouders?

'We hebben nooit... openlijk over die dingen gepraat. Dat was te pijnlijk voor mijn moeder geweest, maar ik heb haar laten zien wat ik had geschreven, en ze heeft het nooit tegengesproken. Mijn vader ook niet.'

'Misschien vond ze jouw versie gewoon prettiger. Dat zouden de meeste mensen toch vinden, denk je niet? Je wilt liever niet voor gek staan. Misschien heb je je moeder een waardigheid gegeven die ze in het echte leven niet voelde.'

Cassandra hees zich moeizaam in zittende houding. 'Hebben we ruzie?'

'Hè?'

'Het voelt alsof we bekvechten, en ik weet niet waarom.'

'Sorry.' Hij sloeg een arm om haar heen en drukte een zoen op haar voorhoofd. Ze voelde zich zeventien, maar het soort zeventien dat niemand ooit echt is. Lekker in haar vel, overlopend van kennis. Leda weer, in de snavel van Zeus, maar nu hield ze stand, als zijn gelijke. 'Ik had beter moeten weten. Denken dat een meisje uit Baltimore haar moeder niet kent? Stom van me.'

Hij stond op om te douchen. Ook mensen die niet vreemdgingen douchten na de seks, maar toch maakte het Cassandra een beetje triest. Wat haar nog triester maakte, was dat ze hem had afgeleid van die tergende woorden: *Stel dat dit echt was?* Wat dan? Maar het kon niet. En als ze niet oppaste, zou de herinnering aan deze verhouding alles zijn wat ze aan haar tijd in Baltimore overhield. Ze moest zich op het boek concentreren, op Callie, maar tot nog toe was alles net zo frustrerend verlopen als haar tocht door de voorsteden van Baltimore, alleen maar doodlopende wegen en straten die weer op hun beginpunt uitkwamen. Ze dacht weer aan Fatima's impliciete dreigement. Hoe zou iemand Cassandra kwaad kunnen doen? Zij had haar verleden niet begraven, zoals Fatima. Ze had het op papier gezet en iedereen mocht het zien. Vrienden konden zich er net zo over verwonderen als critici, alsof het heel gedurfd was, maar Cassandra, die was opgegroeid in een huis waar alles en niets werd gezegd, vond het de eenvoudigste manier om te leven. Als je het allerergste over jezelf zegt, kan geen mens je nog kwetsen.

Behalve misschien de man onder haar douche, een man van wie ze hield, al deed ze wanhopige pogingen om het te ontkennen.

'Er zit een oude vrouw in de lobby die u wil spreken,' had de receptionist tegen Gloria gezegd, en dat zag ze ook toen ze naar beneden kwam. Een oude vrouw, goed gekleed maar met een beetje kromme schouders.

Toen besefte ze dat ze die oude vrouw kende, en dat die bijna tien jaar jonger was dan zijzelf.

'Rechercheur Murphy.'

'Geen rechercheur meer. Al heel lang niet meer, maar dat weet je.'

'Ja.' Gloria keek naar Teena's rechterhand, maar maakte geen aanstalten om die te pakken of Teena op wat voor manier dan ook te begroeten.

'Ik denk dat je heel veel weet.'

'Het valt bijna allemaal onder mijn beroepsgeheim. Daar stond mijn cliënt op. De dingen die ik aan de weet ben gekomen in de tijd dat ik haar verdedigde, mag ik met niemand bespreken. Dat weet jij ook.'

'Bijna allemaal. Je zei bijna.'

Gloria keek naar Teena's gezicht. God, wat was ze lelijk oud geworden. Het maakte Gloria bijna dankbaar dat ze nooit knap was geweest, als dit was wat ervan overbleef, als de ouderdom je zoveel kon afpakken. Zo had ze er al over gedacht toen ze nog jong was, toen ze nog met Callie werkte. *Goddank ben ik niet knap, want moet je zien wat het dit meisje heeft gebracht.* Teena's goed gemaakte, smaakvolle kleren en verzorgde kapsel benadrukten alleen maar hoe de tijd haar gezicht had verwoest. Het kwam voor een deel doordat ze gewoon te dun was, maar ook door die zware oogleden, alsof ze nooit genoeg slaap kreeg. *Waarom niet? Omdat je je wapen liet vallen en je surveillancewagen over je pols is gereden? Als je het echt had gewild, had je wel bij het korps kunnen blijven.* Gloria herinnerde zich zelfs een rechercheur die zijn rechterhand was kwijtgeraakt en met de linker had leren schieten.

Maar Gloria begreep het wel. Ze had het altijd begrepen. Teena had zich arbeidsongeschikt laten verklaren omdat ze voor straf verbannen wilde worden, omdat ze naar die straf hunkerde. Teena Murphy had altijd bekendgestaan om haar kleren, maar wat ze het liefst droeg, was een boetekleed. Stom van haar.

'Ben je privédetective geworden?'

'Niet echt.'

'Wat kan het je dan schelen?'

'Ik werk...' Teena veranderde van koers. 'Gewoon.'

'Ze heeft je te pakken gekregen, hè?'

'Wie?' Het gezicht mocht dan veranderd zijn, de staalharde beheersing was nog hetzelfde en maar iets minder opmerkelijk dan toen Teena nog jong was. Ze was altijd zo onverstoorbaar geweest, zo kalm. Het was moeilijk te geloven, maar Gloria had haar erom benijd.

'Die vrouw, die schrijfster, dat mens dat alles wil oprakelen. Waarom help je haar? Wat levert het je op?'

De lobby van Gloria's appartementencomplex was het soort grote, lege ruimte dat je zou verwachten in een glazen paleis van Mies van der Rohe, waarin Gloria's woorden weerkaatsten en een vreemde nadruk kregen. Gloria mocht dan fouten hebben gemaakt, ze was haar eigenbelang nooit uit het oog verloren. Misschien had ze zelf ook een paar boetekleedjes in haar kast hangen.

'Ik weet het niet,' zei Teena na een korte stilte. 'Niets, denk ik. Wat heb jij eraan overgehouden?' Ze keek om zich heen. 'Dit, denk ik. Je eigen advocatenkantoor. Dus dat heb je ervoor teruggekregen, voor wat je ook maar wist. Ik dacht dat je stom was, maar je hebt het een stuk slimmer aangepakt dan ik.'

Iedereen dacht dat ik stom was, dacht Gloria. Ik had wel boekenwijsheid, maar wist niet hoe de wereld in elkaar stak. Ik dacht dat het een beloning was, maar ze rekenden op mijn stomheid, mijn passiviteit. Toen ik eindelijk eens wat initiatief nam, richtte ik mezelf bijna te gronde. Dat waren mijn keuzes: rampzalig mislukken of succes op mijn eigen voorwaarden. *Wat had jij gekozen? Wat héb jij gekozen?*

'Weet jij hoe je een financieel verslag van een campagne leest?' vroeg ze aan Teena.

'Pardon?'

'Ik heb boven verslagen liggen van de commissie Vrienden van Julius Howard. Papieren verslagen uit de jaren zeventig en negentig. De recentere staan op internet.'

'Wil je zeggen...'

'Ik zeg dat ik verslagen heb. Je mag ze hebben. Iedereen mag ze hebben. Het zijn openbare documenten. Ik heb ze pas een paar dagen geleden opgevraagd.'

'Waarom? Waarom heb je ze opgevraagd, bedoel ik?'

'Ik zou het echt niet weten.' *Omdat ik een oude vriend tegen-*

kwam die mijn vriend niet meer is en ik het niet kan verdragen. Omdat ik nu al vijftien jaar probeer erachter te komen wat rechtvaardigheid is. Omdat ik onschuldige en minder onschuldige mensen vrij heb weten te krijgen om goed te maken dat ik de eerste cliënt die me werd toevertrouwd niet kon helpen. Goed, ze wilde niet geholpen worden, maar het was mijn taak haar zover te krijgen dat ze zichzelf wilde helpen, en dat is me niet gelukt. Dus heb ik haar in de steek gelaten en mijn kennis gebruikt om mijn eigen leven te veraangenamen.

'De eerste zullen wel makkelijk zijn. Die staan nog op papier,' zei ze. 'Pas nu die verslagen op internet staan, zijn ze zo ontoegankelijk. Begrijp je me? In die oude verslagen kun je alles makkelijk vinden, als je goed oplet, maar die nieuwe moet je echt ontleden. Wacht je even?'

Ze wilde niet dat Teena meeging naar haar appartement. Als ze ooit werd beschuldigd van het schenden van haar beloftes, als ze haar wilden royeren, moest de portier kunnen zeggen dat ze Teena in het openbaar had gesproken.

Een paar minuten later kwam ze terug met de verslagen. De verslagen en een oude cd, *The Rhythm of the Saints* van Paul Simon.

'Studeermuziek?' vroeg Teena.

'Ik ben vooral dol op het eerste nummer,' zei Gloria. Het was waar. Ze had het album gekocht omdat ze weg was geweest van dat ervoor, *Graceland*, dat haar herinnerde aan de avonden met Reg en Colton waarop ze hun bazen imiteerden en hun parodie op 'You Can Call Me Al' zongen. Ze had het volgende album gekocht in de hoop die kameraadschappelijke avonden weer op te roepen, maar uiteindelijk had één nummer haar niet losgelaten.

'"The Obvious Child",' las Teena hardop. 'Bedoel je...'

'Ik heb je verteld wat ik je kan vertellen. Denk erom: ik heb je niets verteld. Denk daar goed om. Ik heb je niets verteld.'

'Oké,' zei Teena, en Gloria ving een glimp op van de voortvarende, brutale vrouw die ze twintig jaar eerder had leren kennen. Teena had Gloria te min gevonden, bijna de moeite niet waard. Misschien had ze gelijk.

'O, en Teena?' De stem riep haar na toen ze wegliep, met de mappen onder haar linkerarm. De beschadigde rechter hing langs haar zij. Niet dood, maar zichtbaar aangetast.

'Ja?'

'Als je Callie Jenkins vindt, zorg dan dat ze weet dat ik je niet heb verteld waar ze zat. Ik weet het ook echt niet, en ik wil het niet weten. Ik had haar graag met rust gelaten, maar anderen niet. Zeg tegen haar dat ik er niets aan kan doen en zeg...'

Ze zweeg zo lang dat Teena haar uiteindelijk moest aansporen. 'Ja?'

'Zeg tegen haar dat Gloria Bustamante hoopt dat het goed met haar gaat. En zeg dat Reg Barr een dochter heeft. Vergeet niet haar dat te vertellen. Reg en Donna hebben een dochter.'

29

Het was bijna een uur 's nachts en Cassandra had een bonzend hoofd. In haar studententijd was ze de koningin van het nachten doorhalen geweest. Ze hield zichzelf wakker met sterke koffie en NoDoz en kon binnen vier uur een essay van twintig bladzijden schrijven. Destijds had ze het werk van een heel semester in de donkere uurtjes gepropt, maar dat soort uithoudingsvermogen is niet te handhaven. Haar bijna vijftigjarige lichaam was in sommige opzichten fitter dan haar twintigjarige, toen ze nog niet regelmatig aan lichaamsbeweging had gedaan en die extra studentenpondjes had meegetorst, maar haar geest was slapper, geen twijfel mogelijk. Dat de papieren die rondom haar slingerden geen verhaal behelsden, geen ordenend principe, geen logische volgorde, hielp ook niet echt. Het waren alleen maar eindeloze lijsten bedragen en wie ze had ontvangen, die allemaal afgezaagd legitiem leken.

Teena, die Cassandra's laptop min of meer met één hand bediende, bracht het er niet veel beter van af. Ze had Callie Jenkins' naam en alle mogelijke varianten in de verslagen op internet ingevoerd, maar zonder resultaat. Cassandra schonk zichzelf nog een glas wijn in en Teena, die cola light had gedronken sinds ze een paar uur eerder met die papieren was aangekomen, trok een afkeurend gezicht.

'En dan te bedenken dat ik ooit forensisch accountant wilde worden,' pruttelde ze verbolgen naar het computerscherm.

'Wanneer dan?' vroeg Cassandra, die blij was met de afleiding, al wist ze dat ze de laatste bladzijden straks opnieuw zou moeten lezen.

'Nadat... Erná. Ik wilde toch een soort politiewerk doen, maar het was een zware opleiding. Na drie colleges heb ik het bijltje erbij neergegooid.'

'Moest je bij het bureau weg?'

'Bij het korps,' zei Teena. 'Niet het bureau.' Ze glimlachte om haar eigen semantische pietluttigheid. 'Het hangt ervan af wat je onder moeten verstaat, denk ik. Misschien had ik kunnen blijven, maar ergens was het een opluchting dat het voorbij was.'

'Dat klinkt als het standpunt van een psycholoog. Je wilde weg, dus bracht je jezelf in gevaar en liep onherstelbaar letsel op.'

'Ik had met mijn linkerhand kunnen leren schieten,' zei Teena. 'God, ik kende iemand die blind was geraakt door een schot onder diensttijd, en die is docent op de politieacademie geworden. Als ik revalidatietherapie had gevolgd, had ik zelfs weer met mijn rechterhand kunnen schieten.'

'Waarom heb je dat niet gedaan?'

'Ik weet het niet. Ik voelde me zo'n kneus. Telkens weer naar de gevangenis om met Calliope Jenkins te praten. Geen bekentenis. Geen stoffelijke resten. Geen aanwijzingen. Ken je die films waarin een rechercheur het opneemt tegen een crimineel meesterbrein? Al dat gepraat? Ik had een moord gedaan voor iemand die echt eens iets tegen me zei. Met haar was het eindeloos zwijgen. Het was alsof ze... op de bus wachtte. Ik voelde me net een mug die maar bij haar oor zoemde, en zij nam niet eens de moeite me van zich af te slaan.'

'Alsof ze standbeeldje speelde.'

'Heb jij dat ook gedaan?'

'De meeste meisjes in Baltimore, denk ik. En televisietikkertje... Ik weet niet meer precies hoe dat ging, alleen dat we de namen van tv-series riepen.'

'En Moeder, mag ik? Babypasjes, reuzenstappen... wat nog meer?'

'Bananenstappen?' Cassandra, die in een doodlopende straat met alleen oudere kinderen was opgegroeid, had die spelletjes zelden gespeeld. Ze had wel toegekeken, op zomeravonden, maar was nooit oud genoeg bevonden om mee te doen. Toen het eindelijk zover was, waren de anderen weer met andere dingen bezig. Het was eenzaam geweest aan Hillhouse Road. Meer had ze niet willen zeggen met haar roman. Hoe had zo'n simpel idee zo verkeerd kunnen uitpakken? Misschien kwam het doordat ze het niet ronduit had willen zeggen. Misschien was het ook een te gewoon inzicht. Waren niet alle kinderen op de een of andere manier eenzaam?

Haar vermoeide ogen bleven op een volgende bladzij hangen. Bedrag, betaald aan. Bedrag, betaald aan. God, wat waren politieke campagnes saai. Rekeningen van cateringbedrijven, schoonmakers, kantoorboekhandels. Haar ogen gleden naar boven. Schoonmaakkosten, betaald aan Myra Tippet. *Myra Tippet.* Ze had zich zo geconcentreerd op variaties op Callie, Calliope en Jenkins dat dit haar op het eerste gezicht was ontgaan. Cassandra had de naam niet eens gekend als Fatima hem de vorige dag niet had genoemd. 'Ze noemde zichzelf bij haar eigen naam en dat deed toen nog bijna niemand... Alleen zette zij er "mevrouw" voor, al was er geen meneer.'

Ze keek naar de bovenkant van de bladzij: dit was 1990, drie jaar na Callies aanhouding. Ze pakte 1988 er nog eens bij – en daar was de naam weer. Niet elke maand, maar minstens één keer per kwartaal, en het waren vreemde bedragen: $ 3.017, $ 2.139, $ 4.045. Het waren geloofwaardige getallen, maar hoe grondig moest een campagnekantoor worden schoongemaakt?

'Was Callies moeder schoonmaakster?' vroeg ze aan Teena.

'Zou kunnen. Ik geloof dat ze bij Parks Sausages werkte, maar het zou best kunnen dat ze er nog wat bij schnabbelde.'

'Voer de naam Myra Tippet eens in? Eens zien wat je vindt.'

Ook met maar één vinger van één hand was Teena een snelle typiste. 'Niets,' zei ze.

Cassandra dacht er hardop over na. 'In 1988 begint het campagnekantoor van Julius Howard de moeder van Callie op regelmatig-onregelmatige basis geld uit te keren, maar haar naam verdwijnt wanneer de verslagen op internet komen en makkelijker te doorzoeken zijn.'

'Boeiend, dat moet ik je nageven. Ik weet niet eens of ze nog leeft.' Teena typte bliksemsnel door. 'Ik kan haar niet vinden in de database van Sociale Zaken – daar kun je de namen van overledenen in vinden – dus ik moet aannemen dat ze nog leeft, al heb ik geen idee waar ze is. Ik denk dat we terug moeten naar het album van Paul Simon. Gloria wilde me er iets mee zeggen.'

'"The Obvious Child",' zei Cassandra. 'Tja, dat ligt toch voor de hand? Ze bedoelt Callies vermiste zoontje.'

'Of de dochter van Reg. Ze zei heel nadrukkelijk dat we Callie moesten vertellen dat Reg een kind had.'

'Waarom zou het Callie iets kunnen schelen of Reg een dochter heeft? Hij werd pas na vijf jaar haar advocaat. Misschien probeert Gloria Bustamante ons af te leiden van iets wat zij heeft gedaan.'

Het verhaal over Regs dochter had op meer manieren gestoken, maar dat kon Cassandra niet aan Teena vertellen. De wetenschap dát Reg een dochter had, zat haar al dwars, want door dat feit was hun verhouding gedoemd. Cassandra kon wel houden van een man die zijn vrouw verliet, maar ze zou nooit kunnen houden van een man die zijn dochter in de steek liet. Ze had zichzelf er mooi in laten tuinen, besefte ze nu, maar ze had niet geweten dat Reg een dochter had, in het begin nog niet. In tegenstelling tot Annie, die Cassandra in het ziekenhuis had gezien. Ze vond het vreselijk om herinnerd te worden aan die kleinigheid, de enige smet op het blazoen van haar stiefmoeder, voorzover ze wist. *Je hebt me gezien, je hebt óns gezien. Ook al werd je verliefd op hem op de dag dat hij je redde, had je je niet van je gevoelens kunnen distantiëren, weg kunnen lopen? Ja, ik weet wel dat hij achter je aan zat toen hij eenmaal uit het ziekenhuis was ontslagen, en ik weet hoe volhardend hij kan zijn, maar had je je niet kunnen verzetten, Annie, voor mij? Was die liefde echt zo overweldigend?*

'Myra Tippet is niet genoeg,' zei Teena. 'Tenzij we haar vinden, maar welke zoekmachine ik ook gebruik, ik krijg geen enkele treffer.'

'Het tippetje van de sluier,' zei Cassandra, en ze lachte om haar eigen woordspeling op de lichtelijk hysterische manier van iemand die te weinig slaapt. 'Maar er staan toch nog steeds schoonmakers tussen de crediteuren?'

'Dat zou je wel denken,' zei Teena, en ze richtte haar aandacht weer op het scherm. 'Cateringbedrijf, zalenverhuur, kantoorbenodigdheden, particuliere diensten, cateringbedrijf, kantoorbenodigdheden, limousineverhuur, zalenverhuur...'

'Stop.'

'Sorry,' zei Teena. 'Soms is het makkelijker om dingen hardop te zeggen.'

'Nee, terug, bedoel ik. Limousineverhuur. Hoe heet dat bedrijf?'

'High Styles Transportation Services.'

Maar Fatima had niet gezegd hoe het bedrijf heette, alleen dat het slecht ging.

'Adres?'

'Rosewood Path in Owing Mills, Hey...'

'Dat is het adres van Fatima's man, dat je net noemde. Kun je gewoon onder limousineverhuur zoeken?'

'Vast wel.' Gerammel op de toetsen. Cassandra zou normaal gesproken in elkaar krimpen van die harde aanslagen op haar laptop, maar onder deze omstandigheden vond ze het niet erg. 'Het bedrijf komt maar drie keer voor in de afgelopen twee jaar.'

'Fatima zei dat het bedrijf pas twee jaar bestond, maar wat wil jij erom verwedden dat het bedrijf in het volgende verslag weer wordt opgevoerd, met een bedrag dat hoog genoeg is voor die rekening bij Nordstrom die Fatima net heeft betaald, plus de dingen die ze daarna nog heeft gekocht?'

'Normaal, politici die campagne voeren, huren luxeauto's en limousines en dergelijke. Het is moeilijk te bewijzen dat dit niet klopt.'

'We staan niet voor de rechtbank, we zoeken informatie die we kunnen gebruiken om mensen aan de praat te krijgen. Fatima waarschuwde me telkens voor een schimmige "ze". Misschien doelde ze op Julius Howard. Misschien komt het wel door Julius

Howard dat Howard & Howard Callie verdedigde. Wat stond er in die oude artikelen? Dat Donna's vader de zaak op zich had genomen als gunst aan de ACLU. Misschien was het wel een gunst aan Julius, zijn broer.'

'Waarom zou hij dat doen?'

'Vanwege het kind. Het voor de hand liggende kind.'

'Julius was de vader van Callies overleden kind? Maar er was een biologische vader opgegeven, ook een junk.'

'Ik weet het niet. Ik weet alleen dat de toevalligheden zich opstapelen, dat het domweg te veel wordt.' Cassandra wroette in haar geheugen op zoek naar nog iets over Fatima, iets wat ze niet van Fatima zelf had gehoord. Het had iets te maken met Spelman, hoe ze daar was toegelaten, hoe beledigd Fatima was geweest door het idee dat ze verkerkelijkt was, haar boze behoefte te weten wie er precies had gezegd dat ze zo radicaal was veranderd.

'Teena, mag ik de computer even? Ik moet iets opzoeken in mijn aantekeningen.'

In de fractie van een seconde die het Teena kostte om de laptop over de tafel naar haar toe te schuiven, schoot het Cassandra weer te binnen. Tisha was degene die had gezegd dat Fatima verkerkelijkt was, maar Donna had zich erover beklaagd dat Fatima zich uit de groep had losgemaakt. *Mijn oom Julius had haar aanbevelingsbrief geschreven. Ze had zich in de zomer na ons eindexamen als vrijwilliger bij hem aangemeld.*

De zomer na het eindexamen. In dat jaar had Julius Howard zich kandidaat gesteld als voorzitter van de gemeenteraad – en de verkiezingsstrijd verloren. Hij had nooit meer een poging gedaan een functie te bemachtigen die hem meer status had kunnen bezorgen, maar was veilig in zijn senaatsdistrict blijven zitten. Eind jaren zeventig... Fatima moest twintig of eenentwintig zijn geweest, een pittig meisje. Ze was op haar twaalfde al pittig geweest. Had Callie zich ook als vrijwilliger gemeld? *We hebben een tijdje samengewerkt. Waar?* had Cassandra gevraagd, maar Fatima had de vraag ontweken.

Cassandra staarde zonder iets te zien naar haar computerscherm terwijl ze probeerde haar tollende gedachten te ordenen, die allemaal een melancholieke ondertoon hadden: dit gaat me Reg kosten. Het zij zo. Ze was toch niet van plan geweest hem te houden. Toen dacht ze: maar wat heeft dit te maken met Regs dochter, waarom zou Callie daar iets om geven? Ze wilde er nog steeds niet aan denken. Bovendien was wat ze nu had een samenzweringstheorie die alle samenzweringstheorieën te boven ging, een en al vage vermoedens. Als het niet zo laat was, zou ze haar vader bellen, hem om raad vragen. Hij zou haar helpen orde in de chaos te scheppen. Nu ja, ze zouden de volgende ochtend samen ontbijten. Ze wreef in haar ogen, een, twee, drie keer, en als in een sprookje kwam bij de derde keer de geest uit de fles. Niet echt een geest, maar een regel op het computerscherm, waarop nog steeds het financiële verslag van Julius Howards laatste campagne te zien was.

Amuse Catering, Bridgeville, Delaware.

Ze hoorde haar eigen jonge stem in haar hoofd, zelfbewust en neerbuigend. *Je spreekt het verkeerd uit, maar je bent vernoemd naar een van de muzen. Ik was zelf ook bijna naar een muze vernoemd, maar mijn vader besloot me Cassandra te noemen, naar de vrouw die de toekomst kon voorspellen.* Ze zag voor zich hoe Callie het glimlachend aanhoorde, blij te weten dat haar naam, al werd die verkeerd uitgesproken, van zo'n hoge afkomst was. 'Wil dat zeggen dat ik amusant ben?' had Callie gevraagd. 'Niet a-muze,' had Cassandra haar verbeterd. 'Een. Muze. De muze van de epische poëzie.' En ze had de andere acht opgedreund, want zij was het soort meisje dat dat kon. Het was waarschijnlijk het langste gesprek dat Cassandra ooit met Callie had gevoerd, en ze was zelf bijna continu aan het woord geweest.

'Waarom zou een staatssenator, eentje uit Baltimore, een cateringbedrijf uit Delaware gebruiken?'

Teena haalde haar schouders op, maar Cassandra had de naam al als zoekterm ingevoerd. Het bedrijf kwam elk kwartaal terug. Net als bij de schoonmaakdiensten van Myra Tippet waren de bedragen vreemd genoeg om geloofwaardig te zijn, en gemiddeld werd er per kwartaal vijftienduizend dollar betaald. Niet veel. Waarschijnlijk niet genoeg om zeven jaar van het leven van een vrouw af te kopen, maar Callie zou het gul kunnen vinden, en een verslaggever zou ervan watertanden, mocht er ooit een in deze gegevens zoeken. Maar wie zou er nu onderzoek doen naar Julius Howard, toegewijde, weinig prominente politicus die hij was geworden? Wie kon Callie Jenkins vinden bij Amuse Catering, een bv die in een andere staat geregistreerd stond?

'Ze is het,' zei Cassandra tegen Teena.

'Het is een postbus.'

'Ze moet wel een rijbewijs hebben, als ze daar woont. Ik wil wedden dat dat openbare informatie is. Dat kunnen we vinden. Niet hier, vanavond, maar het moet kunnen.'

Teena stak haar linkerhand op. Cassandra begreep niet meteen dat het een uitnodiging was voor een high five, maar toen gaf ze een klapje tegen de hand. Ze voelde zich triomfantelijk, maar ook verdrietig bij het idee wat deze hele dappere onderneming haar zou gaan kosten. Niet alleen Reg, maar ook elke kans op een herstel van de vriendschap met Tisha, laat staan dat Fatima en Donna haar nog zouden willen kennen. Op dat moment, bij het zien van de verdwijnende mogelijkheden, besefte ze hoe hevig ze had gehoopt op een verzoening met haar oude vriendinnen. Ze had altijd geweten dat ze Reg maar te leen had, dat hij misschien zelfs een subtiele wraakoefening was, maar ze had Tisha graag weer als vriendin gehad, iemand in haar leven die haar helemaal kende. Niet alleen de delen die ze had opgeschreven en bijgeslepen, maar elk rafelig detail, elk moment op de speelplaats, elke kleine overwinning en elke reusachtige mislukking. Zelfs dat onhandelbare haar.

Laat ze met rust, had Fatima gewaarschuwd. Haar angst was echt, maar zij had dingen aan de Howards te danken en was hun eigendom op een manier die voor Cassandra ondenkbaar was. Als de vriendschappen waren blijven bestaan – maar dat was niet het geval, en dat was hun beslissing geweest, het gevolg van hun dadeloosheid. Het zou haar geen genoegen doen Donna en haar familie te kwetsen, maar ze moest wel opgetogen zijn bij het vooruitzicht dat ze Callie zou vinden en haar verhaal te horen zou krijgen.

'Ondanks dit alles zou ze nog steeds haar mond kunnen houden,' waarschuwde Teena. 'Je bent tenslotte een bedreiging voor haar levensonderhoud.'

'Ik kan haar een deel van de winst op het boek beloven, mocht het ervan komen, om het inkomen te vervangen dat ze kwijtraakt. Maar je hebt gelijk, misschien wil ze niet praten. Ik ga liever alleen naar haar toe, als je het goedvindt.'

Teena deed haar mond open alsof ze wilde tegenstribbelen, maar knikte toen. 'Ja, neem jij het maar over. In die zeven jaar heeft ze nog geen tien woorden tegen me gezegd, telkens dezelfde woorden. Misschien wil ze tegen jou wel iets zeggen.'

Maar misschien ook niet, besefte Cassandra. Wat dan? Wat was ervoor nodig om Callie Jenkins aan de praat te krijgen?

30

'Wat vind je?' vroeg haar vader de volgende ochtend.

'Markant,' zei Cassandra om zich heen kijkend in het restaurant, dat was gevestigd in een oude fabriek. Die omgebouwde fabrieken gaven Cassandra het gevoel dat ze oud was, aangezien ze was opgegroeid op maar een kilometer van de Dickey Mill in zijn laatste jaren, toen de vrachtwagens nog in en uit denderden. Anderzijds gaf alles Cassandra het gevoel dat ze oud was, na maar vier uur slaap.

'Niet de ambiance, het eten. Het valt onder de *locavore*-stroming, alleen plaatselijk eten.'

'Ik heb alleen nog maar een kop koffie gehad, en die komt toch zeker niet van hier?'

Haar vader nam zijn ontdekking in bescherming. 'Het is maart,' zei hij, 'en niet alles kan van hier komen, want dan zouden we alleen maar, weet ik veel, een soort knollen met eieren kunnen krijgen, denk ik, maar de filosofie hier is dat ze zoveel mogelijk streekproducten gebruiken.'

Cassandra had meestal bewondering voor haar vaders hang naar het nieuwe, zeker nu die betrekking had op eten. Hij verraste haar vaak met zijn kennis van merkwaardige keukens, die soms niet eens werden aangeboden in Baltimore en omgeving. Ze vroeg zich wel eens af als hij vertelde over, om maar iets te noemen, de Maleisische keuken, of zijn kennis niet uit de tweede hand kwam, of hij er niet alleen over had gelezen, maar hoe moest een hoogleraar in de klassieke talen iets dan benaderen, als het niet via geschreven teksten was? En met hem uit eten gaan was prettiger dan eten met haar moeder, die telkens dezelfde restaurants koos, over de prijzen tobde en ontzet was als Cassandra een voor- en een tussengerecht bestelde, en dan had je het nog niet eens over de angst die de uitdrukking *à la carte* opriep.

'Het is vast lekker,' zei ze. Haar hart bonsde van het gebrek aan slaap. Teena was pas om twee uur die nacht weggegaan, al had het extra uur zoeken geen nieuwe aanwijzingen opgeleverd. Toch mocht ze niet klagen over wat ze aan de weet waren gekomen: Myra Tippet, Fatima en Callie Jenkins kregen allemaal geld via Julius Howards campagnebureau. Ze had geen tijd gehad om aan een advocaat te vragen of het legaal was, niet dat ze zich daar druk om maakte. Waar het om ging, was dat ze Callie, zodra ze haar had opgespoord, duidelijk moest zien te maken dat ze iets te verliezen had als ze Cassandra niet in vertrouwen nam.

'Cassandra, luister je wel?'

'Sorry,' zei ze in een reflex. 'Het is laat geworden. Het boek heeft een boeiende wending genomen. Ik geloof dat ik Callie Jenkins heb gevonden.'

'Aha.' Haar vader wachtte en ze begreep dat hij aannam dat ze hem over de nieuwste ontwikkelingen zou vertellen en, zoals gewoonlijk, zijn advies zou vragen. Opeens drong het tot haar door dat ze dat niet meer wilde. Om te beginnen kon ze hem niet het hele verhaal vertellen, vanwege Reg. Hij zou haar een standje geven – niet vanwege de verhouding, natuurlijk, zo hypocriet was hij niet, maar de ethiek zou hem dwarszitten. In dat opzicht was hij een rare. Hoe abominabel hij zich in zijn privéleven ook gedroeg, in zijn werk had hij zich altijd ethisch opgesteld. Zijn privéleven was hem op Hopkins duur komen te staan, wat niet eerlijk was geweest. Hij was verre van de enige rokkenjager geweest op de faculteit en in tegenstelling tot sommige anderen was hij geen serieverleider van studentes. Trouwens, wat er ook schortte aan zijn privéleven, hij was een fantastische docent, veeleisend maar redelijk. Hij had tot zijn zevenenvijftigste colleges gegeven en zijn tekst nooit telefonisch gedicteerd of op de automatische piloot opgelezen.

In zijn laatste jaar als docent was Cassandra stiekem zijn col-

legezaal binnengeglipt en had ze hem over Homerus horen doceren. 'De wijndonkere zee,' had hij voorgedragen, 'in verschillende vertalingen ook wel de wijnrode zee genoemd.' Hij had een
overzicht gegeven van de vertaalproblemen, de twijfel van sommige onderzoekers aan Homerus' beschrijvingen. Hij vertelde
even over de vertaling van Fagles, die zijn hart had gebroken,
voornamelijk omdat hij er niets laakbaars in had kunnen vinden.
Cassandra wist dat haar vader de droom had gehad zo'n werk te
produceren, een oorspronkelijke vertaling, maar het was een
droom geweest, en die was vervlogen toen iemand anders had bereikt waar hij alleen over kon fantaseren.

Hij had zijn voorbereide college abrupt onderbroken met de
vraag: 'Wie van jullie volgen de schrijfsems?' Het was de op Hopkins gehanteerde afkorting voor de schrijfseminars, een studie-
programma dat een aanzienlijke reputatie genoot. Er gingen een
paar handen omhoog. 'Met alle respect,' zei haar vader, 'maar jullie zullen waarschijnlijk nooit iets schrijven wat kan wedijveren
met Homerus. Zelfs een zo bedrieglijk simpele zinsnede als "de
wijndonkere zee" zal voor de meesten van jullie niet haalbaar
zijn.' Hij vervolgde overdreven vriendelijk: 'Maar het blijft de
moeite van het proberen waard.' Cassandra had beseft dat zij ook
langs die meetlat werd gelegd, ondanks het feit dat de schrijfstu-
denten een moord hadden gedaan voor haar succes. Ze zou nooit
een zin schrijven die aan Homerus kon tippen. Was het een on-
eerlijke vergelijking? Of was haar vader bewonderenswaardig om
zijn koppige principes, zijn weigering de lat lager te leggen, al
was het maar voor zijn dochter?

Hij mocht haar schrijfkunst misschien niet bewonderen, ze
vroeg zich af of ze dan tenminste zijn bewondering kon afdwin-
gen voor haar onderneming.

'Callie zit in Delaware, al weet ik niet precies waar. Ik moet
nagaan of ik haar adres via het bureau Kentekenregistratie of zoiets kan vinden.'

'En wat ga je zeggen als je je Heilige Graal tegenover je hebt?
Ben je goed voorbereid?'

'Ik denk het wel.' Ze ging weer niet in op de impliciete uitnodiging meer te vertellen, zijn advies in te winnen.

'Het echte leven,' zei haar vader, 'kan teleurstellend banaal zijn. Stel dat ze zegt: "Ja, ik heb mijn kind vermoord, laat me met rust."'

'Het zou een antwoord zijn.'

'Antwoorden worden overschat.'

Ze probeerde het nog eens. 'Het zou een begin zijn.'

'Van wat?'

'Ik weet het niet. Dat maakt het zo boeiend voor me. Mijn andere boeken heb ik geleefd voordat ik ze schreef. Ik kende de afloop en die rechtvaardigde ik in zekere zin door de vorm waarin ik mijn herinneringen goot. Zelfs in de roman...'

'Niet je beste werk,' zei haar vader. 'Je schrijft goed, Cassandra, maar fictie past niet bij je.'

Ze moest hard slikken om niet in huilen uit te barsten. Wat gênant, om op je vijftigste nog tranen van schaamte te huilen om iets wat je vader zegt. Kinderachtige, nukkige gedachten streden in haar, gretig om te ontsnappen. *Mijn woorden waren goed genoeg om jou te helpen het appartement aan Broadmead te kopen. Nee, fictie was jouw stiel, als overspelige. Ik zou nooit iets beters kunnen verzinnen dan de verhalen die jij moeder vertelde.*

In plaats daarvan vroeg ze: 'Vond Annie het erg dat ze ons gezin kapotmaakte? Dat is een antwoord dat ik graag zou willen krijgen.'

'Wat een boeiende overgang,' zei haar vader. Hij was van alles, maar dom was hij niet. 'Ik heb dat nooit een prettige uitdrukking gevonden, kapotmaken, als het om gezinnen en relaties gaat. Het zijn geen vazen. Het zijn dynamische organismen die groeien, veranderen en zich aanpassen. Stel dat we Darwins ideeën zouden toepassen op onze relaties? Dan ontwikkelden ze zich en veranderden om onze overleving mogelijk te maken.'

'Maar levende organismen, of in elk geval gewervelden, hebben dingen in zich die kapot kunnen.'

'Botten, niet het hart. Het hart breekt niet. Het hart hapert, het hart staat stil, het hart ontwikkelt vetafzettingen...'

'Dát is pas een poëtische beeldspraak.'

Hij lachte en Cassandra deed met hem mee. Ze had de wilskracht niet om aan te dringen, om nu nog emotionele schadeloosstelling te eisen. Ze had het hárt niet, als spier en als metafoor. Anderzijds zou ze het hem op het podium van de Gordon School kunnen vragen, haar vijfhonderd toeschouwers kunnen gebruiken om het antwoord af te dwingen dat zo lang was uitgebleven.

Toen Cassandra zich opmaakte om naar Delaware te gaan, ging haar mobieltje. Ze zag dat het haar moeder was, overwoog niet op te nemen, voelde zich er schuldig over en nam op vlak voordat de voicemail het overnam.

'Over het eten vanmiddag...' begon haar moeder.

Had ze een dubbele afspraak gemaakt, met haar beide ouders? Hoe kon ze zo'n vergissing begaan?

'O, mam, ik wilde je net bellen. Er is iets dringends tussen gekomen, dus ik moet afzeggen.'

'Het geeft niet.' Het gaf duidelijk wél.

'Het gaat om het boek. Ik heb Callie gevonden. Ik heb een afspraak met haar.' Ze vond het vreselijk om te liegen, maar het was makkelijker dan bekennen dat ze bijna twee uur wilde rijden om een vrouw voor haar deur te overrompelen.

'Natuurlijk. Je had misschien beter eerder kunnen gaan, maar je hebt met je vader ontbeten, is het niet? Hij belde me net op.'

'O?'

'Hij zei dat je er moe uitzag. En iets te mager.'

'Het was laat gisteren, meer niet. Ik kan me niet voorstellen dat ik ben afgevallen.' Al was het misschien wel zo. Sinds de ontmoeting met Reg leefde ze in een amfetamineachtige roes en gaf ze niets meer om eten. Anderzijds was het restaurant dat haar vader had uitgekozen in theorie interessant geweest, maar in de praktijk een hele dobber. Hij had er niet ver naast gezeten met zijn knollen en eieren. De zogeheten streekkaas was weer-zinwekkend geweest.

'Kunnen we de afspraak naar morgen verzetten, mam?'

'Tja, het is zondag en dan ga ik liever niet uit eten, dan is het overal brunchen, brunchen en nog eens brunchen, je kunt niet eens een club-sandwich krijgen. Niet dat ik dat wil, het was maar een voorbeeld...'

'Laten we dan 's avonds uit eten gaan.' Ze wilde haar moeder niet onderbreken, maar ze had geen andere keus.

'Jij eet altijd zo laat.' Cassandra at meestal om een uur of zeven, halfacht, niet later dan acht uur.

''s Avonds,' herhaalde Cassandra om er een verordening van te maken. 'In een nieuw restaurant. Maar we kunnen best om zes uur afspreken.'

'Ik weet niet of ik wel een nieuw restaurant ken...'

'Ik zoek wel iets, mam, en dan bel ik je op met een voorstel.'

Op een zomerse zaterdag zou de rit naar Bridgeville verstikt zijn door het verkeer op weg naar het strand, maar Cassandra schoot lekker op, zelfs op het lange tweebaansstuk van de 404, en ze was er binnen twee uur. Ze nam per ongeluk de ringweg, moest terug en belandde in het hart van zo'n dorp dat meldde: ALS U HIER WOONDE, WAS U NU THUIS. Was dat een tautologie? De huizen aan de hoofdstraten waren charmant genoeg, uitnodigend zelfs, en Cassandra vroeg zich af of ze in zo'n dorp kon wonen, maar stelde onmiddellijk vast dat ze het nooit zou kunnen. Iedereen zou alles van haar weten. Ze had Callie Jenkins' adres uiteinde-lijk ook niet via Kentekenregistratie gevonden, maar via Teena, die een bevriende politieman had gevraagd een collega hier te bellen, hem te paaien en te vragen of hij Callie van naam of sig-nalement kende. 'O, ja, die lange zwarte,' had hij gezegd. 'Leeft op zichzelf, rijdt in een kastanjebruine Chevrolet Beretta, heeft een moeder in een verpleeghuis ergens bij Denton, geloof ik. Ze woont aan Walnut Street.' Cassandra hoefde alleen maar door de straat te rijden en naar de auto uit te kijken.

Daar stond hij, op een inrit. Het was een doorsnee huis, niets bijzonders, niet zo'n victoriaanse verleider van de hoofdstraat, maar een bungalow met witte kunststof gevelbekleding en groene luiken. Cassandra reed een blokje om, en nog een, en ze had een derde blokje om gereden als ze niet bang was geweest voor achterdochtige blikken van buurtbewoners. Ze dwong zichzelf te parkeren, en toen had ze nog eens vijf minuten nodig voordat ze in staat was uit de auto te stappen en naar de voordeur te lopen.

Toen er geen reactie kwam op haar klop op de deur, was ze bijna opgelucht. Mooi zo, ze kon naar huis. Toen hoorde ze echter trage, zachte voetstappen naderen, de tred van een lichtvoetig iemand die helemaal niet benieuwd was wie er op een zaterdagmiddag onaangekondigd op bezoek kwam.

'Ja?' zei de vrouw die door de hordeur naar Cassandra gluurde.

Sommige mensen uit je jeugd herken je na tien, twintig of veertig jaar nog. Tisha, Donna en zelfs Fatima behoorden tot die categorie. Ze waren veranderd, maar ze waren nog herkenbaar. Cassandra had Callie Jenkins echter niet meer gezien sinds ze veertien was, en ze had het soort metamorfose ondergaan dat zo uit een sprookje kwam. 'Het lelijke jonge eendje', om precies te zijn. De krantenfoto's hadden haar uitzonderlijke schoonheid niet getroffen, en hoewel die was afgesleten, bleef er nog genoeg van over. Ze moest een stuk zijn geweest toen ze in de twintig was, maar de foto's waren allemaal even onflatteus geweest. De redactie had waarschijnlijk altijd beelden gekozen waarop ze fronste of een grimas trok, of misschien kwam het gewoon doordat ze zo vaak naar beneden keek op die foto's. Gegeven hoe ze er nu uitzag, op haar vijftigste, moest ze als twintiger adembenemend zijn geweest. Lang en slank, maar niet zonder rondingen. Krachtige gelaatstrekken en immense, blauwgroene ogen. Haar haar en kleding, de dingen die ze zelf in de hand had, waren minder opmerkelijk. Niet dat ze onverzorgd of slonzig was, ze had er alleen niet veel zorg aan besteed. Ze droeg een groene broek en een zwarte trui en haar ontkroesde haar zat in iets wat geen paardenstaart was, maar ook geen knotje.

'Kan ik iets voor u doen?' vroeg ze met een stem die beleefd en belangstellend klonk, meer niet.

'Callie? Ik ben Cassandra Fallows, we hebben bij elkaar op school gezeten.'

Callie zette een stap achteruit en drukte een arm tegen de deur alsof Cassandra zou kunnen proberen hem in te trappen.

'Ik weet het nog,' zei ze. 'Jij was altijd zo'n hand-opsteek-meisje.'

'Wat?'

'Zo'n meisje dat alles wist. Wat kom je doen?'

'Ik ben schrijfster, ik werk aan een boek...'

'Nee.'

'Maar...'

'Ik kan niet met je praten. Het kan gewoon niet. Het spijt me.' Ze zette nog een stap achteruit en maakte aanstalten om de voordeur dicht te doen.

'Ik weet het, van Amuse Catering.'

Daar keek ze van op.

'En van je moeder.'

'Laat mijn moeder erbuiten.'

'Fatima ook. Wist je dat? Zij krijgt ook geld via de campagne, vermoedelijk om haar mond te houden.'

'Ik ben cateraar,' zei Callie. 'Ik bak voor een school hier in de buurt.'

'Bak je genoeg om zestigduizend per jaar binnen te halen?'

'Hoor eens, bel de politie maar als je wilt. Beleg een persconferentie en vertel iedereen hoe slim je bent. Ik wil nog steeds niet met je praten.'

Cassandra wilde niet zeggen wat ze als laatste te zeggen had, deels omdat ze niet wilde weten waarom het er iets toe deed, maar ze had geen keus.

'Reg Barr heeft een dochter.'

Callie Jenkins kneep haar groene ogen tot spleetjes en keek

Cassandra indringend aan. Als ze had gelogen, was ze ter plekke door de knieën gegaan. Dus dit was de vrouw die Teena tegenover zich had gehad, de vrouw die haar had verslagen.

'Van Donna?'

'Ja, natuurlijk van Donna.' De implicatie dat Reg ontrouw was, maakte dat ze haar stekels opzette, hoewel ze uit de eerste hand wist dat het waar was.

'Donna kon geen kinderen krijgen.'

'Dat weet ik niet. Ik weet alleen dat er een kind is.'

'Wanneer is het geboren?'

Het leek een vreemde vraag. 'Een jaar of acht geleden. Negen, misschien. Ik weet in elk geval dat ze op de basisschool zit.'

Callie Jenkins sloeg haar armen om zichzelf heen alsof ze het ijskoud had, hoewel ze nog binnen stond. Ze schudde haar hoofd alsof ze, als ze maar volhield, ongedaan kon maken wat ze had gehoord. *Nee, nee, nee. Nee, nee, nee. Nee, nee, nee.* De tranen stroomden over haar gezicht, al leek ze het zelf niet te merken. Ze bleef haar hoofd schudden en toen begon haar lichaam bijna te stuiptrekken. Een panisch moment lang dacht Cassandra dat Callie op het punt stond een epileptische aanval te krijgen.

Toen maakte Callie de hordeur open voor Cassandra en wenkte haar om binnen te komen.

Evolutie

Het systeem van de openbare scholen in Baltimore halverwege de jaren zeventig had een paar eigenaardigheden. De eerste was het beleid van de vrije schoolkeuze, dat inhield dat leerlingen naar elke school mochten die ze wilden, al waren de ouders vervolgens zelf verantwoordelijk voor het vervoer. De meeste mensen kozen scholen in de buurt, en gezien de segregatie in de stad leidde dat tot eenzelfde segregatie op de scholen. Tegen de tijd dat ik naar de middelbare school ging, in 1972, wist iedereen dat het nog maar een kwestie van tijd was voordat het systeem aangevochten en ontmanteld zou worden. De witte vlucht, die al voor de rellen van 1968 was begonnen, nam toe.

Om de zaken nog verder te compliceren, hanteerde de stad een bovenbouwsysteem voor het middelbaar onderwijs dat in de vierde klas begon. Tenzij je als leerling in aanmerking kwam voor het A-programma, dat inhield – dit moet mensen van buiten Baltimore nog merkwaardiger in de oren klinken – dat je de derde klas op een van de openbare meisjes- of jongensscholen kon volgen.

Ook dat systeem stond naar verluidt op het punt te veranderen. De technische school, die alleen voor jongens was, zou al meisjes toelaten voordat ik mijn eindexamen deed. De meisjesschool, Western, heeft tot op heden niet één mannelijke leerling toegelaten. Dat zou komen doordat geen jongen ooit het verlangen heeft uitgesproken er onderwijs te volgen, maar dat lijkt verdacht – dertig jaar, en niet één brutale jongen die zich meldt, opgewonden over die kans, erop belust de enige man op een school vol meisjes te zijn. Maar zelfs in mijn tijd, nog voordat de technische school de eerste leerlinge had ingeschreven, waren mijn klasgenotes er al op gebrand Western verboden voor mannen te houden. Ze demonstreerden zelfs bij de afdeling Onderwijs tegen het gemengde onderwijs op de twee meest prestigieuze openbare scholen van de stad. Ik demonstreerde niet mee, maar tegen de tijd dat mijn vroegere vriendinnen zich hard maakten voor die zaak, was ik al overgestapt naar de Gordon School. Al na één jaar op Western besloten mijn ouders dat ik daar niet veilig was.

Het probleem was, zoals altijd, dat ik mijn mond niet kon houden. Ik was acht jaar lang het slimste meisje van de klas geweest en nu volgde ik het A-programma, samen met vergelijkbare meisjes uit de hele stad. Degenen die me van vroeger kenden – en ik werd tot mijn blijdschap herenigd met onder anderen Tisha, Fatima en Donna – hadden er geen moeite mee mij de beste van de klas te laten zijn. Anderen waardeerden de uitdaging en genoten net zo van de competitie als ik.

Alleen zat mijn klas op Western vol meisjes die uit heel Baltimore kwamen, en vaak van confessionele scholen. De meerderheid van die meisjes redde zich niet bij vakken waarvoor je moest nadenken. Ze konden alles in hun geheugen prenten, elke reeks ja/nee-vragen foutloos beantwoorden en uitblinken in multiple-choicetoetsen, maar wanneer ze hun kennis moesten toepassen, wisten ze zich geen raad. Mijn eigen wraakgodin was een lang, ongezond ogend meisje met kleurloos haar dat ze in vlechten droeg die er tegelijkertijd strak en slordig uitzagen. Martha, het arme kind. Ze hield hele tirades tegen de docentes die haar uitdaagden en smeekte zo ongeveer om zo saai mogelijk onderwijs. Wanneer haar bijvoorbeeld werd gevraagd een gedicht in een bepaald metrum te schrijven, wilde ze weten waarom ze een gedicht moest schrijven, waarom ze er niet een uit haar hoofd kon opzeggen. Ze had een geheugen als een ijzeren pot.

Niets maakte haar zo woest als maatschappijleer in de derde, waar we over Darwin en natuurlijke selectie leerden. Het was niet waar, foeterde ze. Het was niet de evolutie op zich; het probleem was dat Martha dacht dat we binnen één enkele generatie inspelen op veranderingen in onze leefomgeving. Giraffes hadden een lange nek nodig om bij hun eten te kunnen, en dus kregen ze een lange nek. 'Nee, Martha,' zei de docente keer op keer, 'er was een gen dat de ontwikkeling van een lange nek bevorderde en de giraffes die dat gen niet hadden, werden op de lange duur uit de genenpoel gezift.' Martha was niet roekeloos genoeg om de docente voor leugenaar uit te maken, maar ze eiste bewijs en weigerde genoegen te nemen met de antwoorden die ze kreeg.

We kregen al snel de pest aan elkaar, en ik had er niet genoeg aan de hoogste cijfers te halen, de slimste dingen te zeggen en de docentes die Martha van zich vervreemdde om mijn vinger te winden. Ik moest haar ook nog eens verpletteren. Ik vind het verschrikkelijk om me dit van mezelf te herinneren, maar ik wil mijn jeugdige wreedheid niet verdoezelen. Ik bespotte niet alleen haar ideeën, maar ook haar haar en haar huid, die rood zag van de puistjes. Mijn vriendinnen, die genoten van onze schermutselingen, moedigden me aan. We waren goedkoop vermaak voor de bevoorrechten, zoals Tisha, Donna en Fatima, die van hun grote hoogte koeltjes neerkeken op onze capriolen, godinnen die voor hun eigen plezier de arme stervelingen tegen elkaar opzetten.

Want dat was de trieste, vreemde realiteit van de derde klas: de meisjes van wie ik in de eerste en tweede klas gescheiden was geweest, waren mijn vriendinnen niet meer. We gingen wel vriendschappelijk met elkaar om: we zaten elke dag in dezelfde bus naar huis en konden hele gesprekken met elkaar voeren, maar er was een kloof ontstaan. Destijds dacht ik dat het door de jongens kwam. In de derde hadden zij allemaal een vriendje, en ik nog niet. Ik had zelfs geen idee hoe ik er een zou kunnen krijgen. Dat stond tenslotte niet ergens in een boek, en ik kon het al helemaal niet aan mijn vader vragen. Jammer, want hij wist als geen ander wat mannen wilden.

Dat jaar bracht hij me elke dag naar school, hoewel het ver weg was en nog vroeg ook; hij hoefde pas om acht uur op de universiteit te zijn. Toch bracht hij me elke dag vanuit het appartement een paar kilometer verderop dat hij met Annie had gehuurd. Ik denk dat mijn moeder het van hem eiste, als een soort boetedoening, maar het resultaat was dat ik elke ochtend een minuut of twintig, vijfentwintig met mijn vader alleen had, en ik koesterde die tijd. Ik kon misschien niet met hem over jongens praten, of mijn verlangen naar hen, maar verder kon ik hem alles vertellen. Ik vergastte hem op verhalen over Martha: haar bekrompenheid, haar koppigheid en haar mogelijke racisme.

'Dat meisje, die Martha,' zei hij, 'komt ze soms van een katholieke school? Sint-Robert van de kreupele kudde? Onze Lieve Vrouwe van het perpetuum mobile?'

Ik proestte. Die grap kende ik nog niet. 'Zoiets. Ze komt uit het noordoosten.'

'Tja, je weet wat dat betekent.'

Ik wilde wijs knikken, alsof ik mijn vader begreep, maar ik wilde ook weten wat hij bedoelde. Ik maakte hem met tegenzin duidelijk dat ik een nadere verklaring behoefde.

'Nu er zo wordt gepraat over integratie en schoolbussen, zijn de leerlingen van de confessionele scholen doodsbang dat ze betrokken raken bij een omwenteling van het hele systeem, dus volgen ze liever het A-programma dan het risico te lopen dat ze volgend jaar naar de andere kant van de stad worden gestuurd. Alleen zijn sommige van die leerlingen alleen maar toegelaten op grond van aanbevelingen van hun leraar. Dat maakt het hele systeem minder waard.'

Ik weet tot op heden niet of mijn vader gelijk had, of zijn eigen versie van een complottheorie ten beste gaf. Die hebben we toch allemaal? Keiharde overtuigingen die bij nader inzien niet meer blijken te zijn dan een aaneenrijging van vooroordelen. Mijn vader had een lage dunk van religie en een nog lagere dunk van de blanke arbeidersbuurten in Baltimore, waar Annie en hij letterlijk voor hun leven moesten vrezen. Je zou die twee bijvoorbeeld nooit bij Haussner's zien. Ik vergeet wel eens hoeveel mijn vader voor zijn liefde moest opofferen, hoe sterk en zelfs moedig hij was in zijn vaste besluit bij Annie te blijven.

Mijn strijd met Martha en onze competities werden in die tijd een vreemd lichtpuntje. Ik werd roekeloos, wreder. Ik bespotte haar godsdienst. Toen we een keer een opstel moesten schrijven, leverde ik een verhaal in dat duidelijk over Martha ging, een meisje dat in een kleine sociale hel belandt doordat ze de lessen uit de Bijbel over goedheid en liefdadigheid niet tot zich heeft laten doordringen. Ik las het voor zonder ook maar één keer haar kant op te kijken. Er was maar één opstel dat beter in de smaak viel bij de klas. De favoriet, moet ik toegeven, was het opstel van Fatima, een totaal onsamenhangend verhaal over straatgeweld dat niet alleen de slordige intrige ontsteeg, maar ook Fatima's niet echt vurige schrijfstijl door de wijze waarop ze het presenteerde: ze danste een deel van haar verhaal.

Martha had echter haar achterban, trouwere vriendinnen dan de mijne. Een paar dagen na het incident met het korte verhaal hadden we gym. Het was voorjaar, we speelden softbal en ik liep te piekeren, want gymnastiek bracht continu mijn kostbare gemiddelde van een tien in gevaar. Om mijn cijfer op te krikken meldde ik me vaak als vrijwilliger voor extra punten. Die dag zou ik alle benodigdheden terugbrengen, en toen ik over het sportveld liep op zoek naar verdwaalde ballen, kwamen Martha en haar vriendinnen naar me toe.

'Het was weer een van je topdagen op gym,' zei Martha. 'Je hebt een hoge bal gemist, je bent uit gegaan en dat kleine stukje naar het eerste honk heb je alleen weten te bereiken doordat hun werper te hoog gooide.'

'Tja, als ik een groot softballer moet worden, zal ik die ontwikkeling tijdens mijn leven nog wel doormaken. Zo werkt het toch volgens jouw overtuigingen? Misschien heb je daarom zo'n slechte huid – die hoeft zich niet te ontwikkelen. Maar neem maar van mij aan, Martha, dat de natuurlijke selectie ervoor zal zorgen dat jouw genen nooit meer in de poel terechtkomen.'

Ik keerde haar de rug toe om meer ballen te zoeken. Martha – ik neem aan dat het Martha was – gaf me van achteren een trap, met een kracht die met niets te vergelijken was. Ik had een paar keer een pak op mijn billen gekregen als kind, en dan was daar nog die afschuwelijke avond dat mijn moeder me in mijn gezicht had geslagen, maar ik had nooit echt gevochten. Martha's trap haalde me onderuit. Ik krulde me op als een coloradokever in een poging mezelf te beschermen, en toen begonnen ze alle drie te schoppen, te slaan en aan mijn haar te trekken. Ik worstelde me overeind en werd weer tegen de grond geslagen, maar in het korte moment dat ik rechtop stond, zag ik Tisha, Donna en Fatima, die vanaf de andere kant van het sportveld mild belangstellend toekeken. Nee, ik kon hun gezichten of gezichtsuitdrukkingen niet zien; van die afstand herkende ik ze alleen aan hun lengte en vorm, vooral Fatima, maar hun houding, de achteloosheid waarmee ze daar stonden, maakte duidelijk hoe weinig het ze uitmaakte. Voor hen was het één pot nat, besefte ik, niet anders dan wat er in de klas gebeurde. Daar vochten Martha en ik met woorden, hier met vuisten. Gaaf.

Het is drie tegen één, wilde ik roepen. *Het is gemeen.* Maar niemand schoot me te hulp, tot een docente eindelijk in de gaten kreeg wat er gebeurde en over het veld sprintte om me te redden.

Vechten was een ernstig vergrijp, maar Martha en haar vriendinnen moesten alleen nablijven. Over schorsing of van school sturen werd niet eens gesproken, en ook niet over het aanbieden van verontschuldigingen. Niemand zei hardop dat ik het over mezelf had afgeroepen, maar het verwijt hing wel in de lucht: ik verdiende het om afgeranseld te worden. Ik durfde niet meer naar Western terug en maakte het jaar af met privédocenten die me na school een paar uur les kwamen geven. Toen het schooljaar was afgelopen, in juni, verkondigde mijn moeder dat haar werkgever, de Gordon School, bereid was me een beurs te geven. Ik zag Tisha, Donna en Fatima nooit meer terug.

Wat is er met ons gebeurd? Hoe zijn we van vriendinnen vreemden voor elkaar geworden? Waarom stonden zij aan de andere kant van het veld te kijken hoe drie andere meiden mij in elkaar sloegen? Ik weet alleen dat ik niet langer bij hen hoorde; ze vonden mijn aframmeling gerechtvaardigd, mijn straf voor de vernederingen waarmee ik Martha het hele jaar had overladen. Martha en ik waren als die worstelaars van kanaal 45, en hoewel ik Gorgeous George was geweest, was het nu tijd dat ik het onderspit delfde. Mijn vader, de hoogleraar klassieke talen, had het me kunnen uitleggen. Niemand kan altijd de held blijven, niemand ontloopt haar lotsbestemming.

En Agamemnon dood
29-31 maart

31

Cassandra zat in Callies keuken, met een kop Lipton-thee die voor haar stond af te koelen. De omgeving had iets onopgesmukts dat nieuw was voor Cassandra. Ze was gewend aan huizen zoals het hare, een soort decors, die zo waren ingedeeld en versierd dat ze een direct, plagerig inkijkje boden in de persoonlijkheid van hun bewoner. Callies huis was zo steriel als een modelwoning. Het leek geen esthetisch principe te zijn, maar eerder een gebrek aan esthetiek, een compleet ontbreken van keuzes. Dingen waren wit – muren, bekers, apparaten – tenzij ze niet wit waren. Het beige linoleum op de vloer, de blauw-met-witte schaal waarop Callie per se koekjes wilde presenteren, hoewel Cassandra had geprotesteerd dat ze geen trek had.

'Ik heb ze vanochtend gebakken,' zei Callie.

'Wat zijn ze volmaakt, zo allemaal hetzelfde,' zei Cassandra bewonderend terwijl ze een stukje afbrak. Het was geen beleefdheid. Het waren zachte gemberkoekjes met een boogje wit glazuur erop, als maansikkeltjes. 'Zijn ze moeilijk te maken? Het moet een hele kunst zijn om ze zo in het glazuur te dopen.'

Callie zei niets, niet meteen. Cassandra begon haar ritme op te pakken, haar conversatiestijl, als je het zo kon noemen. Callie was als een nerveuze bestuurder die wacht om in te voegen op de snelweg. Ze had heel veel tijd en ruimte nodig om in beweging te komen.

Cassandra keek om zich heen op zoek naar iets persoonlijks of afwijkends. Er hing een kalender van een plaatselijke verzekeringsagent. De maand maart was voorzien van een landschap dat naar Cassandra's idee ergens aan de kust van Maryland te vinden moest zijn. Op sommige hokjes waren met potlood aantekeningen gemaakt, maar die kon ze niet lezen vanaf de plek waar ze zat. Haar blik bleef rusten op een set witte aardewerken voorraadbussen.

'Ik bewaar de theezakjes in de koffiebus,' zei Callie, die haar blik had gevolgd.

'Hè?'

Callie kromp in elkaar, maar ditmaal had ze minder lang nodig om zich weer in het gesprek te mengen. 'Die bussen. Ik heb ze bij QVC besteld, bij die vrouw, je weet wel, die met die grote wolk zilvergrijs haar. Zoiets als het jouwe.'

Cassandra, die geen idee had waar Callie het over had, knikte.

'Weet je, in de bussen voor bloem en suiker bewaar ik bloem en suiker, maar ik drink geen koffie, dus bewaar ik de theezakjes in de koffiebus. Is dat goed, denk je?'

Cassandra, die zich bespot voelde, alsof er met haar werd gesold, had bijna gesnauwd: *Voor mijn part stop je heroïne in die bus*, maar toen drong het tot haar door dat Callie bloedserieus was. Deze vrouw was zo gekoeioneerd dat ze toestemming dacht te moeten vragen om haar theezakjes in een bus met het opschrift KOFFIE te bewaren. Vanaf Callies plek aan de andere kant van de ruwe eiken tafel was de wereld vol regels die niemand haar wilde vertellen. Misschien hield ze haar omgeving daarom sober. Ze wist niet wat er was toegestaan, ze vertrouwde haar eigen keuzes niet. Cassandra stelde zich voor hoe Callie voor de tv haar telefoontje naar QVC zat te repeteren, bang dat ze niet wist hoe het hoorde.

'Fatima zei dat je moeder, Myra, je heel streng heeft opgevoed.'

Callie knikte, maar stak toen snel haar kin omhoog alsof ze het gebaar wilde terugnemen. 'Ze bedoelde het goed.'

'Woont ze bij jou?'

'Nee, in een verpleeghuis in Denton.'

'Op jouw kosten?'

Weer zo'n afgebroken knikje. Nog een lange stilte. Cassandra flitste terug naar de enige echte herinnering die ze had aan Callie als meisje, opgeslagen in haar eigen boek: Callie op een hoge keukenkruk, zwaaiend met haar benen, absoluut niet aangeslagen door de aanblik van een moeder die haar kind slaat.

'Ik kan het niet zelf betalen,' zei Callie. 'Op geen stukken na.'

Wie helpt je dan? wilde Cassandra vragen, maar vragen, ook maar de geringste verhoging van een stem die eisen en verplichtingen impliceerde, werkten niet bij Callie. Teena had haar gewaarschuwd dat niets werkte bij Callie, maar toch had ze gereageerd op de vraag over haar moeder, toch had ze toegegeven dat ze financiële steun ontving en die niet kon verliezen. Misschien waren de kosten van Myra Tippets verpleeghuis ook ergens verstopt in de financiële verslagen van Julius Howards campagnekantoor.

'Je vindt dat je het haar verplicht bent.'

'Ze is mijn moeder.'

'Ook al behandelde ze je... streng.'

'Ze deed haar best.'

'Mishandeling is nooit...'

'Ik had het niet over mishandeling.' De woorden kwamen snel, maar er volgde weer een lange stilte op, alsof Callie was geschrokken van haar eigen felheid. Hoeveel woorden zei Callie in een week? Waarschijnlijk minder dan Cassandra op een dag. Soms, tijdens lange autoritten, deed Cassandra haar oordopjes in, zodat de mensen zouden denken dat ze in gesprek was, en kletste er dan op los om zichzelf gezelschap te houden. Dacht Callie wel in woorden, of waren haar gedachten beeldender, visueel?

Callie hield haar hoofd schuin alsof ze verbijsterd naar de echo van haar eigen scherpe woorden luisterde. 'Nee, ik had het niet over mishandeling. Dat is een groot woord. Dat zeiden ze ook over mij, en het was niet waar. Ik heb nooit iemand mishandeld, en dat ga ik niet van een ander zeggen.'

Maar wat... Nee, geen vragen. Misschien helemaal geen woorden. Cassandra nipte van haar thee, peinzend, en probeerde niets te zeggen. Misschien was zwijgen ook een soort taal; misschien kon niet-praten een vorm van communicatie zijn. Ze dwong zichzelf geduldig te zijn, die woorden die vochten om te ontsnappen tegen te houden. Het moment werd een minuut en toen nog een. Ze begon zich af te vragen of Callie soms telepathisch met haar wilde communiceren.

'Ik ben hier niet zo goed in,' opende Callie het gesprek weer.

Cassandra knikte niet eens; ze knipperde met haar ogen en nam nog een slokje thee.

'Ze dachten dat ik sterk was, al die jaren, maar ik kan niet zo goed vertellen. Ik haal dingen door elkaar.'

Slokje, knipper.

'Je zei dat Donna een kind had. Een dochter. Lijkt ze op haar moeder?'

Cassandra hield haar adem bijna in. Moest ze antwoord geven? Verbrak ze de betovering dan niet?

Callie beantwoordde haar eigen vraag: 'Vast wel.' Toen begon ze te huilen. Dat deed ze helemaal niet stil, maar luid en rauw. Dierlijke keelgeluiden leken zich uit Callies keel te klauwen. Haar neus liep, haar ogen stroomden over. Cassandra stond op, zag niets bruikbaars en gaf Callie maar een stuk keukenpapier uit de houder aan de wand. Waarom trok Callie het zich zo aan dat Reg een dochter had? Cassandra had er geen behoefte aan die vraag hardop te stellen, laat staan dat ze het antwoord wilde horen.

'Callie, je hoeft me niets te vertellen.'

'Weet ik wel,' zei ze, 'maar je bent al hier, je... je weet dingen. Je gaat de mensen vertellen wat je weet. Misschien moet je wel, vanwege de wet of zo, maar hoe moet het dan? Het gaat niet alleen om mij, maar ook om mijn moeder. Ik moet voor haar zorgen.'

'Je moet in de eerste plaats voor jezelf zorgen, Callie.'

Ze keek Cassandra aan alsof het idee haar volkomen vreemd voorkwam en haalde een paar keer diep adem alsof ze zich voorbereidde op een lichamelijke taak, een wedloop of een duik van de hoge. Iets wat niet alleen energie kostte, maar waar ook moed voor nodig was.

Callie haalde diep adem. Ze dacht aan een heuvel bij de school, een heuvel die onmogelijk hoog had geleken toen ze nog klein waren. Aan de voet van de heuvel had een prachtige boom gestaan – een wilg was het, zo werd hij genoemd – en de heuvel, die bedekt was met klaver, wachtte op de geduldige kinderen die de klavertjesvieren eruit zouden pikken. Callie was een van die geduldige kinderen. De heuvel stond vlak bij de school en ze kon er na school niet spelen, want dan moest ze de bus halen, maar op mooie dagen tegen het eind van het schooljaar ging de juf er soms met hen naartoe, bij wijze van verwennerij. Op een gegeven moment had iemand, waarschijnlijk Fatima, een spel bedacht waarbij ze op hun zij van de heuvel rolden. Giechelend en tegen elkaar op botsend waren ze telkens opnieuw van de heuvel gebuiteld. Toen Callie die middag thuiskwam, bood ze haar moeder een boeket aan van paardenbloemen, viooltjes en drie klavertjesvieren. Drie, terwijl verder niemand er ook maar één had gevonden. Callies moeder had haar een pak slaag gegeven met een haarborstel omdat er grasvlekken op haar schooljurk zaten.

Nu stond ze weer boven op die heuvel en ze wilde naar beneden rollen, ze popelde, maar ze was ook bang, want ze had geleerd wat ervan kwam als je je liet gaan. Er waren altijd gevolgen. Ze zouden haar moeder op een zo gruwelijke plek onderbrengen dat het verpleeghuis waarin ze nu zat achteraf gezien een paleis zou lijken. Ze zouden de zaak tegen Callie heropenen. *Moord verjaart niet*, zoals haar zo vaak te verstaan was gegeven. *De zeven jaar die je hebt gezeten wegens minachting van de rechtbank, worden niet afgetrokken van de straf die je voor moord zult krijgen. Als je het vertelt, kunnen we je niet beschermen.*

Trouwens, waarom zou ze haar hele leven overhoopgooien? Ze was toch gelukkig? Niet echt gelukkig, maar tevreden, zo tevreden als ze in dit leven kon worden. Wat zou ze met al dat vertéllen bereiken? Het niet-vertellen was jarenlang het bewijs geweest van haar kracht, een bevestiging van de kracht van haar liefde, haar wezen. Nu... nu bewees het dat ze een dwaas was. Hij had haar gemanipuleerd. Nou en? Iedereen werd gemanipuleerd.

Het lucht op om het te vertellen, had die kleine rechercheur keer op keer tegen haar gezegd. Ze had geprobeerd Callie ervan te overtuigen dat haar geheimen een zware last waren, dat ze erdoor werd gekweld, en dat ze de ziel van haar baby kon bevrijden als ze maar vertelde wat er met Donntay was gebeurd, maar Callie had begrepen dat haar geheim haar aan de grond hield, dat het een bewijs was van een liefde die door de rest van de wereld werd ontkend. Zelfs nu geloofde ze nog dat er van haar was gehouden, dat er van haar werd gehouden. Hoe slecht ze zich ook had gedragen, hij hield echt van haar. Het was het enige wat ze had, de schat van haar leven, en als ze haar mond opendeed, zou ze die niet meer hebben.

Ze veegde de tranen uit haar ogen, snoot haar neus, liep naar de koelkast, pakte ijs om haar gezwollen oogleden te kalmeren en sloeg haar handen om de koud geworden beker thee. Was de thee koud of waren haar handen koud van het ijs? Ze nam een slokje thee en wist het nog steeds niet. De uitersten van het leven – warm, koud, hoog, laag – waren haar lang geleden al afgenomen.

'Het eerste wat ik wil zeggen, is dat ik niet geloof dat ik mijn zoontje Donntay heb vermoord, maar dat zou niemand geloven omdat mijn eerste kind me al was afgepakt, toch?'

Ze zag Cassandra's hand als een slang in haar leren tas duiken en een recordertje pakken. Ze hield het omhoog, vragend om toestemming. Callie schudde haar hoofd.

'Luister,' zei ze. 'Lúíster.'

Tot haar verbazing stopte Cassandra het recordertje weer in haar tas. Deed iemand wat zij zei? Die macht had ze nooit over iemand gehad. Behalve over hem, in het allereerste begin, en in het begin had ze hem niets willen opdragen, zolang hij maar bleef doen wat hij deed. Als hij haar maar bleef bellen, als hij maar van haar bleef houden en haar bleef vertellen hoe bijzonder ze was. Gek hoe dat werkte, dat je de macht had als je die niet nodig had, en hem niet terug kon krijgen wanneer je ernaar snakte.

'Toen ik eindexamen had gedaan, zei Fatima dat ik mee moest werken aan Julius Howards campagne om voorzitter van de gemeenteraad te worden. Ze zei dat hij de eerste zwarte staatssenator zou worden en dat het de moeite waard was om daaraan mee te werken, ook al betaalde het niet. Ze had gelijk. Het was het beste wat me ooit is overkomen. Ik werd verliefd.'

'Op Julius Howard,' zei Cassandra. Callie wilde haar uitlachen om de stelligheid waarmee ze het beweerde, om hoe slim Cassandra Fallows zichzelf blijkbaar nog steeds vond. Ze was dus nog steeds een hand-opsteek-meisje. Alleen had ze het nu fout. Misschien was dat van meet af aan zijn bedoeling geweest. Iedereen zou het denken, zag Callie nu in. In weerwil van zichzelf was ze bijna trots op hem. Hij was altijd slim geweest. Daarom had ze zich gevleid gevoeld toen hij Fatima liet vallen en haar koos, omdat hij slim was. Fatima zei dat het geen liefde was, dat het zo niet werkte, dat je van hem moest pakken wat je pakken kon en doorgaan met je leven, maar zij wist dat het echte liefde was en dat ze niets zou pakken. O, hij liet haar wel eens een tijdje alleen, maar hij kwam altijd terug. Tot ze zwanger raakte.

'Niet op Julius. Op Andre. Donna's vader. We hadden een verhouding die bijna twee jaar duurde. Toen raakte ik zwanger, en hij maakte het uit, en toen ben ik een beetje gek geworden. Ik denk dat het zo is gekomen. Ik denk dat het daar is begonnen.'

Ze moest wel genieten van Cassandra's gezichtsuitdrukking. Op school was Cassandra's arm altijd lang en recht omhoog geschoten, sidderend als de staart van zo'n jachthond. Niet dat Callie ooit zo'n hond in het echt had gezien, als kind, alleen maar in cartoons. Nu ze aan de kust woonde, al... – god, was het echt al dertien jaar? – zag ze in het najaar pointers en retrievers die vogels uit het moeras dreven, blij dat ze hun baasje konden bijstaan. *Waarom?* wilde ze altijd vragen. *Wat heb je er zelf aan? Een klopje en iets lekkers, maar die eend mag je nooit zelf houden. Er zijn meer mensen die van je willen houden, die je ook*

eten en onderdak willen bieden, maar er niets meer voor terug-
vragen dan je toewijding.

Ze begreep het echter wel, want ze had haar eigen leven net zo goedkoop verkocht. Ze had haar kindjes aan de voeten gelegd van de man van wie ze hield, hun leven geruild voor een aai over haar bol, een klopje en een paar gemompelde beloftes van liefde.

32

Tegen de tijd dat Cassandra uit Bridgeville wegging, had ze zoveel thee gedronken dat ze twee keer een plaspauze moest inlassen voordat ze de baai overstak. Bij de tweede, bij een McDonald's aan Highway 50, besefte ze dat ze afgezien van een paar hapjes van een koekje niets meer had gegeten sinds het weinig bevredigende ontbijt met haar vader. Ze bestelde een Quarter Pounder met kaas, à la carte, wat het meisje zo lastig vond dat ze probeerde haar over te halen een Value Meal te nemen. 'Betalen voor dingen die je niet wilt hebben,' zei Cassandra, 'heeft geen toegevoegde waarde.' Zulke dingen zei haar vader ook. De Quarter Pounder was overigens griezelig lekker, proustiaans lekker. Ze herinnerde zich dat ze zeventien was en op het messcherpe randje tussen slet en populair meisje balanceerde. De kneep zat hem erin dat je de seks tot vriendjes moest beperken, maar een relatie die maar een maand duurde, kon ook legitiem zijn. Toen was Cassandra als een blok gevallen voor een jongen, Chris. Hij was niet uitgesproken populair of opmerkelijk geweest, al betekende zo'n reputatie veel minder op een school als Gordon. In een klas van zestig leerlingen was ruimte voor meer genuanceerde persoonlijkheden, minder nadruk op kliekjes. Chris had gewoon Chris mogen zijn: een Dungeons & Dragons-fanaat, een blower, een musicus en een veldloper.

Intelligent en sardonisch als hij was, paste hij goed bij haar. Toen had hij het uitgemaakt, zonder verklaring, zonder zelfs maar een officieel afscheid. Zonder ook maar iets te zeggen, zelfs. Om het nog erger te maken, had hij geen ander. Gedumpt worden voor een ander meisje was één ding, hoe pijnlijk ook, maar als iemand liever alleen was dan met jou, moest je wel ontzettend saai zijn.

Cassandra was aan het eten geslagen om zichzelf te troosten, en ze had grote hoeveelheden Quarter Pounders naar binnen gewerkt. Hoewel ze tegen die tijd meestal door een jongen naar huis werd gebracht, reed haar vader haar nog elke ochtend naar school. Ze nam hem echter niet meer in vertrouwen. Na de zomer van het troosteten, toen ze in de eindexamenklas zat, had haar vader op een ochtend in september gezegd: 'Quarter Pounders. Oftewel een hamburger van iets meer dan een ons. Hoeveel heb je er daarvan op je lichaam geplakt? Veertig? Zestig?' Ze was op dieet gegaan en er in wezen nooit meer mee opgehouden. Diëten was een soort oorlogstoestand in haar leven: nooit onderbroken, soms iets losser en vaak op de proef gesteld. Ze vroeg zich af of Callie ooit nadacht over wat ze at. In de loop van hun lange, stokkende gesprek was ze er niet in geslaagd haar thee op te drinken en had ze niet eens geknabbeld aan een van haar exquise koekjes.

Cassandra pakte haar Moleskine-opschrijfboekje en noteerde wat ze zich herinnerde. Callies verhaal was zo simpel dat het bijna banaal werd. Ze had een verhouding met Andre Howard en werd zwanger. Hij maakte het uit, zij stortte in. Ongeveer een halfjaar na de geboorte van haar kind was ze betrapt op verwaarlozing. De baby was bij haar weggehaald en ter adoptie aangeboden. De paar jaar daarna had ze maar wat gedobberd, zelfdestructief en doelloos, niet in staat een baan te houden en niet geïnteresseerd in een studie, al had Andre Howard haar die wel aangeboden. De staatssenaat had een beursprogramma dat vrijwel alles dekte, had Callie uitgelegd. Het was, samen met Julius Howards aanbeveling, Fatima's vrijkaartje voor Spelman geweest. Callie, die niet wilde toegeven dat haar relatie met Andre Howard vergelijkbaar was met die van Fatima, had zijn hulp geweigerd omdat ze zijn liefde wilde. Andere mannen vielen op haar, ze gebruikte ze graag en wanneer ze met een man was, nam ze zijn gewoontes over, goed of slecht. Toen ze Donntay kreeg, was ze aan de crack geweest – ze chineesde, zei ze zelf – waardoor ze weer onder toezicht van Jeugdzorg was komen te staan.

Ze beweerde met klem dat ze geen junk was geweest, zoals ze het noemde, dat ze het maar zo af en toe had gedaan. Nadat Donntays vader was weggegaan, in de laatste maand van haar zwangerschap, had ze amper nog gebruikt.

Op een dag werd ze wakker en zag dat Donntay dood was. Ze had niets gedaan, hem met geen vinger aangeraakt, maar wie zou haar geloven? Een recreatieve crackgebruikster, een feestbeest, en haar eerste kind was haar al afgenomen. Ze was hysterisch geworden en had Andre Howard gebeld. In de loop der jaren was ze hem af en toe blijven bellen, en hij was altijd vriendelijk tegen haar geweest. Hij bezwoer haar dat hij van haar hield en bij haar wilde zijn, maar er was altijd een reden waarom het niet kon. De politieke ambities van zijn broer. Het verdriet van zijn vrouw omdat Donna zo ver weg woonde. Hij noemde zelfs Donna's onvruchtbaarheid. Zolang zijn vrouw niet de troost had van kleinkinderen, kon hij haar niet in de steek laten om een nieuw leven te beginnen met Callie. Dat zei hij tegen Callie toen ze in de gevangenis zat, en toen ze weer vrij was. Hij moest bij zijn vrouw blijven, want ze zou nooit kleinkinderen krijgen.

Wel had hij het lijkje van haar tweede kind verborgen, haar beschermd tegen vervolging, wat voor hem een groot risico had ingehouden. Dat was voor Callie het bewijs dat hij van haar hield.

God, wat een triest, bedrieglijk verhaal. Wie zou het geloven? Cassandra wist niet eens of ze het zelf wel geloofde. O, dat zou haar er niet van weerhouden het op te schrijven. De verschillende versies van de waarheid mochten het op papier uitvechten. Alleen kon dit verhaal niet beperkt blijven tot het papier. Callie beweerde dat Andre Howard, een van de meest eerbiedwaardige burgers van Baltimore, met haar onder één hoedje had gespeeld door het lichaam van haar kind te verbergen, zodat er geen grondig onderzoek naar de doodsoorzaak kon worden gedaan. Het was niet iets wat iedereen klakkeloos zou aannemen, te beginnen bij de juristen van Cassandra's uitgever, waarna het bij de rechtbank terecht zou komen en een nieuw onderzoek onvermijdelijk zou zijn. Andre Howard zou alles vermoedelijk ont-

kennen en wat had zij dan? Het woord van iemand die zelf toegaf dat ze crack had gebruikt tegen dat van een man die werd ge-
roemd om zijn fatsoen en goede werken.

Alleen had ze meer dan Callies woord, zelfs als Fatima weigerde haar verhaal te onderschrijven. Ze had de financiële verslagen van de campagne, de overduidelijke afkoopsommen. Konden die zo makkelijk weggeredeneerd worden?

Cassandra had haar Quarter Pounder op en at de augurk die
van de hamburger was gegleden, al lustte ze eigenlijk geen augurk. Binnen een paar minuten nadat ze aan de rit naar huis was
begonnen had ze Teena gebeld, met het idee dat die het nieuws
opgewonden in ontvangst zou nemen, maar Teena had boos en
afwijzend gereageerd.

'Wat, houdt ze het nu op wiegendood? Briljant, zeker als er
geen lichaam is. Heeft ze al die jaren gewacht voordat ze het vertelde omdat het nu niet meer nagetrokken kan worden?'

'Waarom zou ze liegen?'

'Jezus, Cassandra, omdat mensen dat nu eenmaal doen. Ze liegen. Zeker als ze nog steeds beschuldigd kunnen worden van
moord. Ze heeft twintig jaar de tijd gehad om dit verhaal te bedenken. Ik vind eerlijk gezegd dat ze wel iets beters had kunnen
verzinnen.'

'En Andre Howard? Als hij niet geloofde dat haar kind het
slachtoffer was van moord, zou hij dan niet tenminste kunnen
zeggen dat hij geen moord had verdoezeld? Ik neem aan dat hij
dan schuldig is aan belemmering van de rechtsgang, maar meer
ook niet...'

'Op dat punt geloof ik haar ook niet. Die vent had een verhouding met haar, hij is de vader van haar eerste kind... Oké, hij is
een smeerlap en hij wil niet dat anderen daarachter komen, maar
zou hij op basis daarvan samenzweren in een moordzaak? Ik
dacht het niet.'

'Maar toch...' Het was een goed punt, maar Cassandra wist dat
er iets tegen in te brengen was. Ze kon er nu alleen even niet op
komen.

'Het eerste kind is voldoende om de chantage te verklaren,' hield Teena vol.

'Maar de eerste betalingen dateren van ná Donntays overlijden.'

'Voorzover wij het kunnen nagaan. Misschien hebben ze haar eerst rechtstreeks geld toegestopt en zijn ze de campagne pas gaan gebruiken toen ze werd verdacht van moord, wat haar problematischer maakte. Luister, ze kwam in de nesten en zocht hulp bij een machtig man die ze kon dwingen haar te helpen omdat ze iets had wat ze tegen hem kon gebruiken. Hij bedacht een juridische strategie die voorkwam dat ze werd aangeklaagd. Maar het idee dat Andre Howard zou regelen dat het lijkje van een baby verdwijnt? Dat zal geen mens ooit geloven. Ik denk dat ze nu beweert dat hij erbij betrokken was omdat ze doodsbang is zijn financiële steun kwijt te raken. Hij vindt een nieuwe manier om haar geld toe te stoppen en dan ontkent ze alles wat ze je heeft verteld. Heb je hier opnames van?'

'Nee, ze wilde niet dat ik het opnam.'

'O, jezus, Cassandra, je hebt níéts.'

'Ik hoef geen waterdichte zaak bij het OM in te dienen, Teena. Ik ben schrijfster. Ik hoef alleen maar een verhaal te hebben en dat heb ik nu.'

'Tenzij ze erop terugkomt,' zei Teena. 'Ze gebruikt je.'

Wie wie gebruikte, was in dit geval hoogst problematisch. Cassandra had het antwoord dat ze had moeten vinden. Het was, gaf ze in de McDonald's aan zichzelf toe, geen bijzonder bevredigend antwoord, maar de meeste antwoorden zijn nu eenmaal niet bevredigend. Voor een raadsel gesteld, kronkelt de geest in duizend verschillende richtingen; de mógelijkheid van een antwoord is spannend. Wanneer de puzzel is opgelost, vervliegt de spanning. Dat is de aard van vragen. Zelfs in een tv-quiz komt de echte spanning op het moment vóór het antwoord wordt gegeven, in het martelende afwachten of de kandidaat het goed of fout heeft. Cassandra had haar boek, als ze het wilde, een afloop om naartoe te schrijven. Het was meer een waar gebeurd misdaadverhaal dan ze had verwacht, al was het wel gevuld met contrasten en symmetrieën. Callie, het arme kind van een alleenstaande moeder die haar mishandelt, vindt een vader en geliefde in Andre Howard. Donna, de gekoesterde prinses van een van de meest vooraanstaande families van Baltimore. Het viel haar nu pas op hoe sterk die namen op elkaar leken, Donna en Donntay, bijna alsof Callie had geprobeerd een soort connectie met de Howards te scheppen. Cassandra zou zichzelf schrappen en een simpel verhaal schrijven over de Howards en het stille meisje dat als een bom in hun leven was gebarsten.

Alleen kón Cassandra zichzelf niet schrappen, want ze was naar bed geweest met de advocaat van Callie, die toevallig de schoonzoon van Howard was. Hoe moest ze dat oplossen?

Ze fixeerde zich op een beeld dat ze van zichzelf had op de microficheprojector in de bibliotheek, toen ze haar eerste glimp opving van Reg. Ze zag in een flits Reg in bed voor zich, maar probeerde het beeld uit haar gedachten te zetten. 'The Obvious Child', had Gloria Bustamante gezegd. Nou ja, gesuggereerd, laten doorschemeren. Ze was zo gesloten als haar cliënt naïef was geweest. Cassandra had eerst aangenomen dat het kind Donntay was en toen Aubrey, wier bestaan alleen al Callies lange stilzwijgen had verbroken, maar stel dat het voor de hand liggende kind het eerste moest zijn? Het kind dat Callie definitief was afgenomen op grond van een anonieme tip over haar geestelijke toestand? Het kind dat volgens Callie van Andre was? Cassandra zag zichzelf weer achter de projector, waarop de dagen van 1988 letterlijk voorbijflitsten, bijna misselijk van de beweging en de geur van het apparaat. Een los feitje was er als een boemerang uit gesprongen. Ze had het vreemd gevonden, maar niet essentieel, en het was weer teruggezeild voordat ze het kon pakken.

Toen wist ze het. Ze begreep wat Gloria had achterhaald en wat Callie zichzelf niet eens kon toegeven. Andre Howard had een fout begaan, maar hij was de enige niet, verre van dat. Hij had het feit dat hij een onwettig kind had wel kunnen overleven. Het was de manier waarop hij zijn fout had aangepakt die hem in een kwaad daglicht had kunnen stellen.

Cassandra bestelde een cola light voor onderweg, wat haar op een preek van het meisje achter de kassa kwam te staan: ze had dus toch beter een Value Meal kunnen bestellen. Iedereen vindt het heerlijk om 'heb ik het niet gezegd' te kunnen zeggen. Toen ze weer achter het stuur zat, belde ze een nummer dat ze nooit in het weekend zou mogen bellen, maar het was zakelijk, min of meer, en onmiskenbaar dringend.

33

Toen Reg Cassandra terugbelde over een afspraak, had hij vrijwel geen vragen gesteld; hij zei alleen dat hij haar zondagmiddag thuis kon ontvangen. Ze had aangenomen dat die locatie moest onderstrepen dat hun ontmoeting een zakelijk karakter had. Waarschijnlijk dacht hij dat een leeg advocatenkantoor vragen om moeilijkheden was.

Het was niet in Cassandra opgekomen dat Donna erbij aanwezig zou zijn.

'Reg wilde me erbij hebben,' zei Donna, beheerst en lieftallig, nog steeds in haar kerkkleding. Zelfs Donna, hoe keurig ze ook was, zou op zondagmiddag geen groen tricot mantelpakje dragen. 'Aangezien jouw boek ook aan mijn leven raakt.'

'Jouw leven?' herhaalde Cassandra.

'Als kind. Dat was toch de opzet? Over een aantal van ons schrijven hoe we in onze jeugd waren en hoe het nu met ons is?'

'Het was een idee,' gaf Cassandra toe, 'maar het heeft een andere wending genomen...'

'Ik neem aan dat jij de succesvolste van ons bent, natuurlijk,' zei Donna. Ze was er goed in door iemand heen te praten zonder onbeleefd of ongeduldig over te komen. 'Dat is toch wat het voor jou boeiend maakt? Tisha is een leuke moeder uit de voorstad, Fatima heeft die verbluffende metamorfose ondergaan van feestbeest in kerkdame en ik sta vooral bekend als iemands dochter en iemands echtgenote, maar jij bent ons sterretje.'

Haar stem klonk vriendelijk en haar gezicht was glad. Het was goed mogelijk dat Cassandra zich het knerpende van de toon maar verbeeldde, als een heel dun korstje ijs dat na de eerste echt koude nacht van het jaar onder je voeten kraakt. Ze wierp een snelle blik op Reg in een poging iets van zijn gezicht te lezen, maar hij stond met zijn rug naar haar toe aanmaakhout op het vuur te stapelen, wat een beetje overdreven leek voor een middag in maart. Cassandra kreeg het zelfs opeens ontzettend benauwd, en ze had bijna gewild dat het een opvlieger was. De aankondiging van de menopauze was te verkiezen boven dit sluipende gevoel van schaamte en vernedering. Had Reg Donna over hun verhouding verteld? Ze had definitief met hem moeten breken voordat ze naar Callie ging. Ze had nooit aan de verhouding moeten beginnen.

Maar hoeveel discipline ze in andere aspecten van haar leven ook kon opbrengen, ze was nooit goed geweest in het zichzelf ontzeggen van de mannen die ze wilde hebben.

'Donna, ik weet niet of je er wel bij moet zijn,' zei ze.

'Toe,' zei Donna, die haar handen opstak alsof Cassandra een leuk grapje had gemaakt. 'Reg en ik hebben geen geheimen voor elkaar.'

Cassandra had weer graag naar Regs gezicht gekeken, maar hij leek elk oogcontact met haar te willen mijden. Had een haardvuur ooit zoveel aandacht en gepook gevergd?

'Ik heb Callie Jenkins dit weekend gevonden.'

'In Bridgeville, ja,' zei Donna.

'Wist je waar ze was? Reg zei dat hij geen idee had.'

Donna knikte. 'Ja, hij heeft één leugentje om bestwil verteld. Het spijt me, maar het is in niemands belang, zelfs niet in dat van Callie, júíst niet in dat van Callie, om hierin te spitten. Ken je de uitdrukking dat geen goede daad onbestraft blijft? Mijn vader probeert Callie te helpen en zij verspreidt die bespottelijke leugens over hem. Het slaat nergens op, maar de mensen zijn eraan gewend dat de waarheid nergens op slaat. Dat is toch de kern van jouw werk?'

'Mijn werk?'

'De dingen die je schrijft. Wat je ook verzint, de waarheid is nog gekker. Dat maakt dat mensen zo'n verhaal als dat van Callie willen geloven, hoe absurd het ook is. Het was makkelijker om haar gratis juridische bijstand en geld te geven dan haar toe te staan hem te vernederen met haar buitenissige leugens.'

Cassandra had iets nuttigs geleerd van Callie; je hoeft niet meteen iets te zeggen, elke stilte te doorbreken. Ze ziftte Donna's woorden en vond de fout uiteindelijk.

'En Fatima dan, Donna? Wat voor buitenissige verhalen vertelt zij, waarom krijgt zij geld? Is het misschien alleen omdat Fatima, die ook als vrijwilliger aan de campagne heeft gewerkt, de verhouding zou kunnen bevestigen? En, voorzover ik het heb begrepen, over haar eigen seksuele relatie met je vader zou kunnen vertellen?'

'Fatima's echtgenoot verhuurt limousines. Tijdens campagnes worden er continu auto's gehuurd. Ik weet zeker dat Fatima het je graag wil uitleggen.'

'Maar het is niet tegen de wet om tegen mij te liegen. Zou ze hetzelfde voor de rechtbank willen verklaren?'

'O, ik kan me niet voorstellen dat de rechtbank zich hier druk om zou maken,' zei Donna. 'Trouwens, zoals je net zelf al zei, niemand zet iets op het spel door tegen jou te liegen, dus waarom ga je ervan uit dat Callie de waarheid sprak?'

Reg had zich eindelijk afgewend van het haardvuur, maar hij leek er genoegen mee te nemen zijn vrouw het woord te laten doen. Zijn gezicht was een raadsel. Cassandra kon niet zien of hij boos was of van streek. Of zich verraden voelde. *Je hebt tegen me gelogen*, wilde Cassandra zeggen. *Je hebt gezegd dat je niet wist waar ze was.* Anderzijds waren ze allebei overspelig, en liegen is de hoeksteen van het overspel. In dat opzicht kon ze zich moeilijk beledigd voelen. Opeens zag ze voor zich hoe Reg met alleen een handdoek om aan haar laptop zat. Ze herinnerde zich Fatima's gelaten begroeting bij de voordeur, het ontbreken van enige verbazing. Reg had de zoekfunctie kunnen gebruiken om bepaalde namen in haar computer op te zoeken, om na te gaan hoe ver ze was. Was dat de enige reden waarom hij met haar had geslapen?

'Misschien is dit meer een gesprek voor onder vier ogen?' vroeg ze smekend aan Reg.

'Mee eens,' zei Donna met een begripvol knikje.

Alleen was Reg degene die de kamer verliet.

'Je moet het hem maar vergeven,' zei Donna. Pas nu begreep Cassandra wat de uitdrukking 'de onschuld zelve' inhield, hoe geraffineerd je moest zijn om je zo voor te doen. 'Hij heeft veel te verwerken gehad. Hij wist dat mijn familie Callie hielp. Hij wist niet dat het in feite chantage was, al had hij zijn vermoedens. Oom Julius heeft altijd zijn... neigingen gehad.'

'Oom Julius had neigingen, maar je vader niet?'

Donna leek zich even geen raad te weten. Ze was sterk, maar ze was er niet aan gewend haar eigen strijd te voeren, niet openlijk. Donna ging te werk in een wereld waarin onaangename dingen ongezegd bleven. Waar, om maar iets te noemen, een echtgenoot leerde niet te veel vragen te stellen over de cliënt die hij op verzoek van zijn baas verdedigde.

'Dit gaat niet om mijn vader,' zei Donna. 'Meer hoef je niet te weten. En hij mag niet worden vernederd omdat een crackhoer op leeftijd opeens meer geld wil.'

'Callie heeft niet om geld gevraagd. Ze heeft haar geld op het spel gezet door met me te praten.'

'Ze manipuleert je.'

Teena had het ook gezegd, maar Teena was verpletterd, diep teleurgesteld omdat Callie geen echte bekentenis had afgelegd.

'Ik zal je vertellen wat ik zelf aan de weet ben gekomen. Callie had een verhouding met je vader. Ze kreeg een kind. Ongeveer een maand voordat het jongetje werd geboren, verbrak hij de relatie en zij was boos, zo boos dat ze de achternaam van je vader op het geboortebewijs liet zetten. Oké, geboortebewijzen zijn niet echt openbaar, maar het was een problematisch document, iets waar ze hem eindeloos mee kon dreigen. Ze had alimentatie kunnen eisen, en de rechtbank had een vaderschapstest geëist.'

'Maar dat heeft ze niet gedaan. Wat zegt dat jou?'

Cassandra had erover nagedacht. 'Dat ze van hem hield en geloofde dat hij je moeder voor haar zou verlaten, uiteindelijk. Zo hield hij haar onder de duim. Maar ze was depressief, hysterisch.

Haar gedrag werd steeds onberekenbaarder. Het moet zorgwekkend zijn geweest voor de fatsoenlijke Andre Howard, de goede broer van de Howards, om met zo'n ongeleid projectiel te zitten. Het kwam zonder meer goed uit dat de jongen bij Callie werd weggehaald en ter adoptie werd aangeboden.'

'Een godsgeschenk voor het jongetje. Anders had hij ook kunnen sterven, net als zijn broertje.'

'We hebben het over jóúw broer, Donna. Denk na. Jouw halfbroer, Aubreys oom... en je zult hem nooit meer zien. Tenzij hij zich heeft laten inschrijven in zo'n register dat ze in de jaren tachtig gingen aanbieden aan adoptiekinderen en hun biologische ouders. Zo rond de tijd dat Donntay, het tweede kind, kwam te overlijden.'

'Ga je toch weer fictie schrijven, Cassandra? Misschien pakt het deze keer beter voor je uit.'

De belediging stak wel, maar naar Donna's maatstaven was ze onbeholpen.

'Ik denk dat je vader de anonieme tipgever is die heeft gemeld dat Callie haar kind verwaarloosde. En al was hij het niet, dan heeft hij die gelegenheid aangegrepen om Callie over te halen het kind af te staan voor adoptie. Binnen een halfjaar na de eerste melding werd ze uit de ouderlijke macht ontzet. Dat gebeurt alleen als een ouder zelf afstand doet van de voogdij. De onbekwaamste advocaat van de wereld had het niet laten gebeuren, maar Callie stemde erin toe afstand te doen van haar eigen zoon.'

'O, dit is nieuw,' zei Donna. 'Ze voegt dingen aan het verhaal toe.'

'Nee, dit heeft ze niet vrijwillig verteld. Ze schaamt zich ervoor dat ze hem zo makkelijk heeft afgestaan, maar toen ik haar gisteravond belde, gaf ze toe dat je vader haar had overgehaald het kind voor adoptie af te staan.'

'Het verhaal wordt steeds fantastischer, hè?'

'Ik vind dat het steeds logischer wordt. Het verklaart waarom je vader Callie heeft geholpen toen haar tweede kind stierf. Ja, hij had hún kind zo ongeveer laten verdwijnen; de geboorteakte was een vertrouwelijk document geworden dat niemand ooit zou mogen zien, zelfs hun zoon niet, maar Callie liep nog los rond en ze werd steeds onvoorspelbaarder. Ze gebruikte drugs en ze was weer depressief, net als na de geboorte van haar eerste kind. Wat erop duidt dat ze een postnatale depressie gehad zou kunnen hebben, niet dat haar advocaten dat hebben opgemerkt of er iets om gaven. Hij moest iets hebben om haar mee te dreigen, en een aanklacht wegens moord was daar heel geschikt voor. Ook al zouden de omstandigheden zoals Callie die heeft beschreven de verdediging rechtvaardigen dat het kind aan wiegendood was overleden, dat een autopsie had kunnen aantonen dat het kind niet was mishandeld. Als zij de waarheid spreekt, was een autopsie in haar voordeel geweest, maar dat gold niet voor je vader. Hij leerde haar te zwijgen, geheimen te bewaren, en ze wantrouwde hem nooit, maar Gloria wel. Gloria begon te wroeten. Is ze daarom vertrokken en vervangen door Reg?'

'Heeft Gloria je dat verteld? Want ze zou geroyeerd worden als ze...'

'Gloria Bustamante wil me niet eens telefonisch te woord staan.' Het was waar, tot op zekere hoogte. Gloria had haar openbare gegevens en de cd gegeven, wat vermoedelijk geen kwaad kon, maar waarom zou ze haar leven ingewikkeld maken? Cassandra vroeg zich af of Gloria wel wist waarom het bestaan van Aubrey Callies geheimen zou ontsluieren.

'Callie Jenkins was een slechte moeder. Haar eerste kind was haar afgenomen...'

'Wegens verwaarlozing, niet mishandeling. Callie zegt dat ze geen van beide kinderen een haar heeft gekrenkt, en ik geloof haar, want ze wist hoe het was om klappen te krijgen, en dat zou ze haar eigen kinderen nooit aandoen.'

'Hou op, zeg. Iedereen weet dat mishandelde kinderen een grote kans hebben later zelf gewelddadig te worden. Bovendien was haar tweede zoontje een crackbaby, daarom werd ze ook onder toezicht gesteld. Waarschijnlijk heeft ze hem dood geschud omdat hij niet ophield met huilen.'

'Crackbaby's zijn een mediahype.'

'Alle baby's huilen. We zullen nooit weten wat er is gebeurd, hè?'

'Omdat je vader dat kind heeft weggehaald, ervoor heeft gezorgd dat Donntays lichaam nooit gevonden zou worden. Wie had er baat bij dat Callie zeven jaar in de gevangenis zat te zwijgen? In de eerste plaats jouw vader.'

Donna tikte met haar voet alsof het gesprek haar alleen maar ongeduldig maakte, alsof ze op een zondagmiddag haar tijd zat te verdoen.

'Hoor eens, wat wil je van ons?'

'Niets. Het is een gunst dat ik hier ben. Ik ga hierover schrijven, maar gezien de aard van het gebeurde zullen er waarschijnlijk juridische consequenties zijn, al vóórdat het boek uitkomt.'

Donna sloeg in de lucht alsof ze een vliegje in haar hand wilde vangen. 'Er komen geen juridische consequenties. O, goed, het OM zou onder druk gezet kunnen worden om de zaak te bekijken, mocht je iemand kunnen overhalen die bizarre nonsens te publiceren, maar uiteindelijk is het mijn vaders woord tegen dat van Callie. Wie zouden ze geloven, denk je?'

'Daar gaat het me niet om. Ik schrijf wat ik weet en iedereen mag voor zichzelf beslissen wat de waarheid is.'

Donna vond het duidelijk vreemd dat wie dan ook – Cassandra, lezers, onbekenden – niet onmiddellijk begreep dat een Howard veel meer waard was dan andere mensen.

'Misschien ben ik niet duidelijk geweest,' zei ze. 'Wat wil je hebben om hiervan af te zien?'

'Je kunt het contract voor dit boek niet afkopen, Donna. En al had ik geen contract, dan zou ik me nog verplicht voelen iemand te vertellen wat ik weet. Anders zou ik medeplichtig zijn. Ik ga deze week met de officier van justitie praten.'

'Wil je Reg?' Ze zei het alsof ze thee of koffie aanbood.

'Wát?'

'Om te houden? Het kan geregeld worden. Je moet toegeven dat je een paar problemen met je geloofwaardigheid krijgt als je dit per se wilt opschrijven. De afgewezen vrouw enzo.'

Stel dat dit echt was! Cassandra had gedacht dat Reg zich afvroeg wat er zou gebeuren als hun verhouding serieuzer werd,
duurzaam. Nu moest ze zich wel afvragen of hij haar er onopzettelijk op had gewezen wat een schijnvertoning het was, een
situatie die was bedoeld om haar af te leiden en, zeker, in dis-
krediet te brengen.

'Heb jij je man opdracht gegeven met mij te slapen?'

Donna zuchtte alsof ze op de proef werd gesteld door een
domme verkoopster. 'Ik heb tegen hem gezegd dat hij je moest
helpen met je project omdat we je dan beter in de gaten konden
houden. Ik heb hem niet opgedragen je te neuken en ik hoopte
eigenlijk dat hij het niet zou doen, maar ik ken mijn man. Ik
weet alles van hem, wat de mensen ook denken. En jij... tja, je
hebt miljoenen lezers heel gedetailleerd verteld over je promis-
cue neigingen. Jij kunt je benen met geen mogelijkheid bij elkaar
houden, wat een tikje ongepast is op onze leeftijd, Cassandra.
Zelfs Fatima is daaroverheen gegroeid.'

'Met hulp van je vader, wellicht.'

'Hoor eens, het kan me niet schelen wat er tussen Reg en jou
is gebeurd. Mijn man houdt van me.'

'Hou jij van hem?'

Als een bedreven politicus ging Donna niet in op vragen die ze
niet wilde beantwoorden. 'Jullie zouden een leuk leven kunnen
hebben samen. Niet hier in Baltimore; hij zou als advocaat een
paria zijn nadat hij me zo had vernederd, nadat hij me had verlaten voor een neurotische blanke vrouw die continu over zichzelf
moet praten, maar iemand zou zijn belang in de firma uitkopen
en dan is hij rijk, zelfs nadat hij mij mijn deel heeft gegeven.'

Cassandra voelde zich verontwaardigd, namens Res en namens zichzelf, zoals ze in een paar welgekozen woorden werd
gereduceerd tot een weerzinwekkende karikatuur. *Een neurotische blanke vrouw die continu over zichzelf moet praten.* Anderzijds zouden Donna, Fatima en zelfs Tisha zeggen dat zij hetzelfde had gedaan met hen, dat ze hen met een paar achteloze
beschrijvende regels aan de bladzijde had genageld. Donna's ver-

337

sie van Reg als een man die alles deed wat zij zei was nog minder vleiend.

'Geheimen zijn als een overstroming, Donna,' zei Cassandra. 'Uiteindelijk breken ze door. Je hebt geen macht meer over Callie. Je kunt mij niet in verlegenheid brengen. Ik heb altijd de waarheid over mezelf verteld, hoe onaantrekkelijk die ook mag zijn.'

'Weet je dat zeker?'

'Natuurlijk weet ik dat zeker.' Ze bloosde tegen wil en dank. Er waren een paar dingen die ze liever geheim wilde houden. Niet de verhouding met Reg; ze had zich erbij neergelegd dat die in de openbaarheid zou komen als ze tegen de Howards in opstand kwam, maar Bernard was er ook nog, en Bernards vrouw.

Donna liep naar een antieke secretaire, een overdadig, opgesmukt geval dat binnenhuisarchitecten 'belangwekkend' noemden, een eufemisme voor 'afstotelijk'. Een echt zelfbewuste vrouw, iemand die op haar eigen smaak vertrouwde, had zich nooit zoiets laten opdringen. Donna pakte een envelop uit een van de vakjes van het bureau en gaf hem aan Cassandra.

'Wat...' Het was een proces-verbaal, niet meer dan twee bladzijden. Een proces-verbaal van 6 april 1968.

'Je mag het hardop lezen, als je wilt.'

Cassandra las het liever in stilte: *De centrale kreeg een melding van geweld aan Druid Hill. Surveillanten troffen een man aan die een tweede, naakte man sloeg, terwijl een vrouw probeerde tussenbeide te komen. De belager, Manfred Watson, vertelde de politie dat hij het slachtoffer, Cedric Fallows, in bed had aangetroffen met zijn vriendin. Het slachtoffer onvluchtte het appartement van het stel...* 'Dit is gelul.'

'Jouw boek was gelul. Controleer de datum, Cassandra. Volgende maand is het veertig jaar geleden; er is geen gebrek aan informatie. Er waren een paar incidenten aan het begin van dat weekend, maar niet in die buurt. Het echte geweld begon later die middag. Je vader was ertussenuit gepiept om met zijn vriendin te vrijen en kreeg een pak rammel van haar vriend. Hij gebruikte de rellen als dekmantel.'

Cassandra was geschokt, maar het kon haar niet ontgaan dat die sobere, pragmatische zinnen een draad door een fijne naald haalden. Haar vader die pertinent een taart wilde halen, haar moeders op elkaar geknepen lippen van spanning. De taart zelf: Annie werkte bij bakkerij Silber's. Waarschijnlijk had zij Cassandra's zeemeerminnentaart gemaakt. Hij had haar misschien twee maanden eerder leren kennen, toen hij die afgrijselijke verjaardagstaart ter ere van Washington voor haar moeder had gekocht. Dit was de reden waarom haar doorgaans welbespraakte vader de vechtpartij nooit echt dramatisch had kunnen beschrijven, waarom Annie verlegen en timide was geweest toen Cassandra haar in het ziekenhuis tegenkwam. Alleen was het niet haar vader die het verhaal had verspreid. Cassandra was degene die het de wereld in had geholpen. Hij was gewoon te trots om het te herroepen.

'De privacy van mijn familie in ruil voor die van de jouwe,' zei Donna. 'Niet dat je ouders nog privacy overhebben, maar je begrijpt me wel. Jouw versie mag onbetwist blijven, maar niet als je over Callie gaat praten.'

Cassandra, die verpletterd was, dacht als een razende na. Ze wilde zeggen dat er belangrijke verschillen waren tussen hun vaders. Ja, Cedric Fallows had gelogen, maar die leugen was alleen bestemd geweest voor zijn vrouw en dochter, niet voor de buitenwereld. Andre Howard had met een veel grotere leugen geleefd, zonder zich te bekommeren om de mensen die hij ermee trof, als hij zijn reputatie maar kon handhaven. Het verhaal van haar vader was maar een deel van haar eerste boek, dat tenminste nog de verdienste had dat het volkomen oprecht was. Maar misbruikte Cassandra Callie niet ook, in zekere zin?

'Het is niet altijd beschamend om een geheim te bewaren,' zei Donna. 'En niemand lijdt eronder, niet in dit geval. Callie Jenkins heeft haar zoontje vermoord en zeven jaar in de gevangenis gezeten. Jouw vader heeft een leugen verteld. De mijne is gezwicht voor chantage.'

Cassandra vond haar stem terug. 'Mensen die zich laten chanteren, hebben meestal iets te verbergen.'

'Cassandra, iedereen heeft iets te verbergen.'

Ze was niet luchthartig of glad, besefte Cassandra. Donna wist alles van geheimen, en niet alleen die van haar vader. *Wat is er in je eerste huwelijk gebeurd?* wilde Cassandra vragen. *Waarom is het zo'n onbespreekbaar onderwerp, zelfs voor Reg? Is dat de reden waarom je geen kinderen kunt krijgen? Kun je echt zo achteloos voorbijgaan aan Regs ontrouw? Is het niet dodelijk vermoeiend om jou te zijn, om bij te houden waar je allemaal niet over mag praten, om die volmaakte façade in stand te houden?*

Ze zei: 'Je hoort nog van me, Donna. Ik kan hier uiteraard niet alleen over beslissen, maar één ding kan ik je nu al vertellen: ik bedank voor het aanbod van je echtgenoot.'

Ze reed Bolton Hill uit en de stad in, waar ze de vertrouwde straten wel en niet zag en afwezig de weinige herkenningspunten opmerkte die haar jeugd hadden overleefd. Het huis met de zebrastrepen; de beschaduwde laan door Leakin Park, waar de bomen in knop kwamen; de lang geleden verdwenen Windsor Hills Pharmacy, die was overgenomen door het aangrenzende benzinestation en een avondwinkel. Het geknerp van grind onder haar banden riep haar terug naar de werkelijkheid. Haar moeder, die een auto had gehoord, kwam uit de garage, haar handen afvegend aan een oude lap.

'Cassandra,' zei ze. 'Ik dacht dat we in het restaurant hadden afgesproken. Trouwens, je bent uren te vroeg.'

'Eerder veertig jaar te laat.'

34

Lenore was in de onverwarmde garage bezig de lak van een bij-
zettafeltje te verwijderen. 'Neem me niet kwalijk dat ik door-
werk, maar het is bijna te koud om dit te doen en ik durf er geen
straalkachel bij te zetten, dus ik moet wel aan het werk blijven.'

'Ik ken dat tafeltje niet,' zei Cassandra, die probeerde een stof-
vrij plekje te vinden om op te zitten, of tenminste te leunen.

'Ik heb het bij het grofvuil gevonden,' zei haar moeder zichtbaar trots. 'Er wordt nog steeds veel in het park gedumpt. Het is
moeilijk te zeggen of het hout van dit tafeltje goed genoeg is van
zichzelf, maar ik kan het altijd verven.'

De geur van het afbijtmiddel was niet echt sussend, maar toch
vertrouwd. Als kind had Cassandra zich geschaamd voor de zui-
nigheid van haar moeder – in het grofvuil zoeken, winkelen bij
de legerdump en op rommelmarkten. Toen Cassandra goed begon te verdienen, had ze ervan genoten te kopen wat ze wilde
wanneer ze maar wilde, en geweigerd kortingsbonnen uit te
knippen of op de uitverkoop te wachten. En ze weigerde hard-
nekkig te leren hoe je iets repareerde. Ze herinnerde zich het eerste project van haar moeder: Lenore had besloten een douche-
kraan te installeren in de oude badkamer naast de kamer van
Cassandra. Ze had in de loop van een regenachtige zaterdag drie
keer naar de gereedschapswinkel moeten gaan, en het resultaat
leed denken aan een sculptuur van Rube Goldberg, met verschillende... tja, Cassandra wist nog steeds niet hoe je die onder-
delen moest noemen. De nieuwe kraan had bijna vijftien centimeter uitgestoken en ze stootte zich er de hele tijd aan, maar
Lenore had vorderingen geboekt. Tegenwoordig kon ze een afvalvermaler installeren, lofwerk aanbrengen en vloeren leggen

– weliswaar met plaktegels, maar ze deed het. Ze kon zelfs projecten met elektrische bedrading aan, maar ze was in de zeventig en haar handen verloren aan kracht en behendigheid. Wat zou haar moeder doen, wie zou ze zijn als ze niet langer dingen kon opknappen?

'Ik weet het,' zei Cassandra. 'Van pap en Annie.'

Lenore keek niet eens op van haar werk. 'Heeft hij het je verteld? Hij zat erover in.'

'Hoe...' *De telefoongesprekken.* Daarom hadden haar ouders elkaar gesproken. Cedric had Lenore niet gestangd met Cassandra's bezoekjes aan hem. Hij had zijn ex-vrouw in vertrouwen genomen, de enige nog levende persoon die zijn ware verhaal kende. 'Heb jij het altijd geweten? Vanaf het begin?'

'Niet helemáál vanaf het begin,' zei Lenore, die licht zuchtend aan de tafelpoten begon. 'Ik vergeet altijd hoe moeilijk poten zijn in verhouding tot het blad. Ik neem me voor met de poten te beginnen, het makkelijkste voor het laatst te bewaren, en dan vergeet ik het weer. Het is zoveel lonender, een plat oppervlak behandelen.'

Cassandra was niet van plan erover op te houden. 'Wanneer dan?'

'Kort nadat hij definitief was weggegaan. Ik had al eerder mijn vermoedens, natuurlijk. Eerst wilde hij per se weg op je verjaardag, en toen zag ik Annie in het ziekenhuis. Maar ze leek zijn type helemaal niet, na al die knokige hoogleraarsvrouwen. Ik probeerde mezelf wijs te maken dat hij met geen mogelijkheid van haar kon houden. Ik dacht: ze leest de *New York Review of Books* niet eens!'

Cassandra kon haar lachen niet bedwingen en toen Lenore begreep dat haar dochter haar niet uitlachte, lachte ze mee. De tegenwerpingen van haar moeder weerspiegelden haar eigen oude verwarring met betrekking tot de keuzes van haar vader.

'Heb je het proces-verbaal ooit gezien?' Ergens hoopte ze dat haar moeder zou zeggen: *Proces-verbaal? Wat voor proces-verbaal?* Wat deed het er ook toe? Haar moeder had al zo goed al bevestigd dat het verhaal klopte.

'Ik heb een tijd een kopie bewaard omdat ik dacht dat ik hem ermee onder druk kon zetten, financieel, maar van een kale kikker kun je geen veren plukken, zoals je vader graag zei, en er was domweg niet zoveel geld.'

'Maar waarom heb je me zijn... versie van het verhaal laten geloven? Waarom liet je hem ongestraft liegen terwijl... terwijl...'

Lenore begreep de vraag zo ook wel. Waarschijnlijk had hij jarenlang door haar hoofd gespeeld.

'Terwijl ik je aan mijn kant had kunnen krijgen? Tja, ook al haatte ik je vader, en ik heb hem heel lang gehaat, Cassandra, ik wilde niet dat jij hem ook ging haten. Je vader had je belast met een hoop problemen, maar ook... ook...'

Lenore kreeg tranen in haar ogen en ze had geen handen om ze mee weg te vegen, want ze droeg dikke rubberhandschoenen en de vingertoppen zaten onder het afbijtmiddel. Ze probeerde haar ene oog tegen haar schouder te drukken, een zinloos gebaar dat Cassandra bijna ook aan het huilen maakte. 'Je was altijd een vaderskindje, Cassandra. Ik had hem bij je zwart kunnen maken, maar dat heb ik nooit gewild. Ik wilde alleen maar dat je mij ook interessant zou vinden.'

'Dat vind ik ook,' zei ze. 'Ik vind je heel bijzonder.'

Dat ze het nooit hardop had gezegd, hield niet in dat het niet waar was. Haar moeder was echt heel bijzonder. Cassandra dacht terug aan het begin van haar eerste boek, hoe ze had leren praten. Hoe makkelijk had ze de rol van haar moeder in die geliefde anekdote gebagatelliseerd, de zenuwslopende keuze die ze had gemaakt toen ze de auto de ijzige helling van North Parkway af liet glijden. Hoe was het om alleen thuis te zitten met een klein kind, een kind dat ook nog eens niets zei, terwijl je echtgenoot zich in een wereld vol ideeën en intelligente gesprekken bewoog? Was haar moeder echt zo anders dan Callie, depressief en overbelast, hunkerend naar een man die ze nooit zou krijgen? Cedric had haar het hof gemaakt en naar haar hand gedongen, hij had de regels van Poe over Lenore voor haar geciteerd – en toen was hij verder gegaan. Lang voordat hij Annie leerde kennen, had hij Cassandra's moeder eigenlijk al verlaten. Toch had ze geweigerd haar kennis te gebruiken om Cassandra tegen hem op te zetten.

Lenore wees het compliment hoofdschuddend af. 'Nee, ik was mal en gênant, de ouder die je gedoogde. Dat was niet veranderd als ik je had verteld dat je vader tegen je had gelogen. Ik was niet uit op je relatieve bewondering. Ik wilde je echte bewondering.'

'Ik heb je nooit mal gevonden.' Het was niet waar. 'En ik geneerde me alleen voor je toen ik een tiener was. Alle tieners schamen zich voor hun moeder.'

'Misschien is mal niet het goede woord. Saai, denk ik. *Dochter van mijn vader.* De titel alleen zegt al genoeg. Het was alsof je uit een ei was gekomen, alsof die olifant, je weet wel, je tot leven had gewekt.'

Haar vader zou Zeus en Leda erbij hebben gehaald, wist Cassandra, maar ze vond het leuk dat haar moeder Dr. Seuss had gekozen. 'Horton?'

'Ja, Horton, die was het. Alsof de olifant het ei had uitgebroed terwijl ik aan de boemel was.'

Lenore had zich hersteld, min of meer, en ging weer aan het werk. Haar schouders trokken een beetje, alsof ze nog steeds hevige emoties bedwong, maar verder was ze beheerst.

'Zodra ik erachter kwam, ben ik naar jou toe gekomen,' zei Cassandra. 'Je moet weten dat... iemand dreigt dit openbaar te maken, maar ik kan er een stokje voor steken. Het is jouw beslissing.'

'Meer die van je vader, lijkt me. Bespreek het maar met hem.'

'Dat zal ik doen, maar zijn raad zal doordrenkt zijn van eigenbelang. Hij heeft zijn keuzes gemaakt. Jij niet. Wat moet ik doen, mam?'

Ze besefte dat het heel goed de eerste keer in jaren kon zijn dat ze haar moeder niet alleen uit beleefdheid om raad vroeg.

'Vraag je me of ik me vernederd zou voelen als dat oude verhaal naar buiten kwam? Een beetje wel, denk ik, maar dat is niets in vergelijking met wat je vader zou doormaken. Anderzijds denk ik dat het een opluchting voor hem zou zijn. Hij ziet als een berg op tegen dat gedoe in de Gordon School.'

'Shit.' Cassandra was de geldinzameling glad vergeten. Wat ze ook besloot, ze kon die schijnvertoning niet doorzetten, maar als ze afzegde, zou ze een geloofwaardige verklaring moeten geven, en mogelijk zou ze de kosten moeten vergoeden die de school al aan de voorbereidingen had besteed. Geheimen zijn als een overstroming, had ze Donna gewaarschuwd, maar dat was voordat ze wist dat ze zelf ook een geheim moest beschermen.

'Waarom heeft pap niets gezegd voordat het boek uitkwam?'

'Het was te laat. Je bent niet eerst naar ons toe gekomen om te zeggen wat je ging doen. Het boek was al geschreven en verkocht. We hadden natuurlijk nooit gedacht dat zoveel mensen het zouden lezen...'

'Natuurlijk niet.' Gek, hoe ergerlijk het nog steeds was om eraan herinnerd te worden dat haar eigen ouders niet hadden verwacht dat ze succesvol zou worden.

'En dan nog had hij het je nooit laten terugnemen. Jíj geloofde tenslotte elk woord. Je gebruikte het verhaal van je vader en maakte er iets moois van. En in sommige belangrijke opzichten was het waar.'

'Hoe kun je dat zeggen?'

'Annie en hij hielden echt van elkaar. Hij waagde zijn leven voor haar. Haar vriend vloog eerst haar aan, en je vader verdedigde haar. Hem maakte het niet uit of hij haar nu midden in een rel had ontmoet of toen hij die stomme Washington-taart bij Silber's kocht. Het was liefde op het eerste gezicht, een transformatie. Hij vond het fijn om dat in druk te zien. Trouwens... Hij was trots op je, lieverd.'

'Toen het boek begon te lopen, bedoel je.'

'Nee, hij was trots dat je een boek had geschreven. Hij kon er niet over uit. Het was zelfs voor het eerst in jaren dat we met elkaar praatten. Hij had dat exemplaar vooraf gelezen dat je ons had gegeven...'

'De zetproef.' Ze herinnerde zich dat sobere boekje met matblauw omslag vol genegenheid. Op de dag dat ze het uit de envelop van Federal Express had gehaald, had het leven ongekende mogelijkheden geboden. In veel opzichten was het leven die dag beter geweest dan ze ooit had kunnen dromen of hopen. Waarom was ze dan niet gelukkiger?

'Ja, en toen belde hij me op, misschien wel voor het eerst sinds je diploma-uitreiking, en hij zei: "Niet te geloven, hè, die dochter van ons?" O, het was gewoon vreselijk hoe hij overal rondbazuinde dat jij zo'n goede schrijfster was.'

'Echt waar?'

'Echt waar. Ik was degene die zei: en wat denk je dan van het, eh, feit dat het niet helemaal waar is? En hij zei: "Ze heeft het zo mooi geschreven dat ze het waar heeft gemaakt."'

Het was te weinig, en het kwam te laat. 'Dat is het voordeel als je wordt beetgenomen,' zei Cassandra. 'Als je niet oprecht bent, ben je niets.'

Cassandra zakte zonder op het stof en vuil te letten op een oude keukenkruk, een overblijfsel uit de Zweedse fase van haar moeder, mogelijk dezelfde kruk waarop Callie veertig jaar eerder had gezeten. Het was stil in Hillhouse Road op zondagmiddag, zo stil dat ze de staalwol van haar moeder op en neer hoorde gaan over de tafelpoot, en de wind in de bomen en het gegons van het verkeer op Forest Park Avenue in de diepte. Ze keek naar de tafel. De tekening van het hout was gemarmerd; waarschijnlijk was het goedkoop grenen. Vermoedelijk zou haar moeder de tafel uiteindelijk schilderen. De van het grofvuil geredde vondst zou haar tientallen uren werk kosten, en daarna zou ze een tafel hebben die ze voor vijftig of zestig dollar bij elke gewone meubelzaak had kunnen kopen, maar ze werkte met de middelen die ze had, zoals iedereen.

'Wat ga je doen, Cassandra?'

'Ik weet het nog niet, mam. Er zijn financiële en juridische complicaties. Ik ben mijn uitgever in elk geval een boek verschuldigd, en als ik dat niet lever, of iets wat ervoor in de plaats kan komen, moet ik een vrij groot bedrag teruggeven.'

'Heb je het?'

'Misschien. Mijn financiële situatie wordt gecompliceerd door het feit dat er memoires van me worden verkocht als non-fictie, terwijl de ruggengraat van het verhaal niet waar is. Als ze het boek terughalen, het vernietigen... Tja, dan ben ik een grote bron van inkomsten kwijt waar ik nog jaren op dacht te kunnen rekenen.'

Haar moeder keek haar aangeslagen aan. Een schandaal kon ze wel te boven komen, maar financiële problemen maakten haar nog steeds bang.

'Het komt wel goed,' verzekerde Cassandra haar. 'Op de een of andere manier. Ik zou het hele probleem kunnen omzeilen door een boek over jou te schrijven. *Dochter van mijn moeder*. Ik zet het allemaal recht en geef jou de heldenrol.'

Het was een grapje. Ze was er tenminste vrij zeker van dat het een grapje was.

'Dank je feestelijk,' zei Lenore. 'Trouwens, volgende week word je vijftig, Cassandra. Wat je ook bent, wat je ook schrijft, je bent zo langzamerhand je eigen mens. Of dat zou je moeten zijn.'

Falderie faldera
5-6 september

35

Niemand had ooit zoiets meegemaakt als het 'eindexamen-feest' dat de Howards gaven ter ere van onze overstap van de lagere naar de middelbare school. Het was een melancholische avond voor me, vol dingen die me erop wezen dat ik naar een andere school ging dan de rest. Het kleurenthema was bijvoorbeeld kastanjebruin met goud, de kleuren van William Lemmel Junior High, en de barokke taart was voorzien van het opschrift WE KOMEN ERAAN, SCHOOL *79. Ik wist niet eens wat de kleuren waren van Rock Glen, al was ik al op een kennismakingsdag geweest waar we het schoollied op de wijs van 'Falderie, faldera' hadden geleerd.*

Wij zingen hier vandaag ons lied
Wij zijn de Rock Glen School
Daar leren wij
Daar groeien wij
En beter kan het niet

'Ach, Cassandra,' zei Fatima toen ik het voor haar zong. 'Je zingt wel hard.'

Ik had ook het boekje met kledingvoorschriften van de school gekregen, een raadselachtig document dat meer om mogelijke wapens leek te draaien dan om goede zeden. Verboden waren onder andere klompen (toen bolle houten gevallen uit Zweden), ritsen met metalen tandjes en ceintuurs met de gesp los. Die laatste zouden verboden zijn omdat je iemand met een ceintuur kon slaan. Ik had graag willen zeggen dat het een paniekzaaierig, reactionair schrijven was, maar de voorschriften waren uiterst zinnig. Rock Glen was een ruige school, al bewogen wij die het 'verrijkte' spoor volgden ons doorgaans in een verheven vacuüm, op veilige afstand van de ruigere elementen. In het jaar nadat ik er wegging, was er een echte opstand geweest. Lemmel was nog ruiger, maar dat werd niet hardop gezegd, niet op het 'eindexamenfeest'.

Het huis van de Howards was een wonder, modern voor die tijd, op zo'n manier gebouwd dat de voorgevel weinig onthulde over de ware schaal en smaakvolle luxe. Nee, de rijkdom van de Howards was alleen zichtbaar aan de achterkant, waar het huis zo was geplaatst dat het het terrein waarop het was gebouwd, een beboste heuvel hoog boven de Gwynns Falls, ten volle uitbuitte. De achtergevel van het huis bestond bijna geheel uit glas om het uitzicht beter te kunnen zien. Eerder dat jaar was een meisje van die heuvel gehold, waarbij ze zo'n vaart had opgebouwd dat ze in de rivier was gevallen, die hoog stond door de recente regenbuien, en uiteindelijk was verdronken. Donna zei dat haar ouders niet thuis waren geweest, anders was haar vader zeker naar beneden gerend om het meisje te redden. Er was een zwembad met een terras van flagstones. Wij hadden thuis ook een zwembad, maar we hadden voordat mijn vader wegging al geen geld om het te vullen, laat staan dat we de barsten konden laten repareren om het weer functioneel te maken. We dansten om het zwembad van de Howards, maar niemand nam een duik, niet die avond.

Het feest liep al af toen Tisha's broertje binnen kwam stormen. Waarschijnlijk was hij naar binnen gestuurd om tegen Tisha te zeggen dat de auto voor stond. Reginald Barr werd Candy genoemd, het soort bijnaam dat Tisha zich nooit zou hebben laten welgevallen. Een ander kind, met een minder sterke persoonlijkheid, had kapot kunnen gaan aan zo'n bijnaam, maar Candy had hem aanvaard en een dansje bedacht dat hij waar mogelijk opvoerde, waarbij hij een liedje van de Astors zong dat ook 'Candy' heette. 'Gee whiz', zong hij ter-

*wijl hij kringetjes draaide en Tisha de blik hemelwaarts
wendde, geërgerd door haar kleine broertje dat onuitgenodigd
op het feest was gekomen, maar hij zong voor Donna, onze
gastvrouw. Ik herinner me de tekst niet precies; het was een
doorsnee liefdesliedje vol zachte lippen en blauwe ogen,
maar toen hij bij het stuk kwam waarin hij verklaarde dat
het meisje op een dag met hem zou trouwen, zakte Candy
Barr op zijn ene knie op de stenen van dat terras en stak zijn
handen uit naar Donna, die haar handen voor haar gezicht
hield om haar lachen te smoren, hoe zacht het ook was.
Candy vond het niet erg dat Donna hem uitlachte, als ze
maar lachte. Donna's lach was een zeldzaamheid; we vochten er allemaal om.*

'Weet je, hij was er niet bij,' zei Tisha, die de passage had ge-
markeerd met een Post-it in de ingebonden uitgave van *Dochter
van mijn vader*, dat nu in twee opzichten een verzamelobject
was: het was een eerste druk van een bestseller die uitgebreid
was gereviseerd. 'Niet op dat feest. Het was op mijn verjaardagsfeest, een maand eerder.'

'God, bedankt dat je die cruciale vergissing hebt rechtgezet,'
zei Cassandra. 'Jammer genoeg heb ik de nieuwe epiloog al opgestuurd, en het boek wordt al gecorrigeerd.'

Ze zaten in hetzelfde restaurant in de voorstad waar ze zes
maanden eerder hadden geluncht, maar deze keer had Tisha de
afspraak voorgesteld. Ze had ook een later tijdstip gekozen, het
happy hour – 'Graag een beetje laat, nadat de docenten zijn vertrokken' – en gunde zichzelf een glas wijn. Desondanks was Cassandra op haar hoede. Tisha was Regs zus en Donna's oudste
vriendin. Ze moest wel een geheime bedoeling hebben.

'Ik wil niet aantonen waar je je hebt vergist,' zei Tisha, 'maar
wat je goed had. Zie je het niet? Reg was toen al verliefd op
Donna. Hij stelde zich niet alleen maar aan toen hij dat dansje
deed. Hij had alles voor haar over.'

'Dat weet ik maar al te goed.'

'Hij houdt van haar, Cassandra. Hij houdt meer van haar dan zij ooit van hem zal houden, en dat is tragisch. Misschien begreep je niet wat je zag, maar je hebt goed getroffen hoe hij haar op een voetstuk plaatste.'

'Hm.' Tisha's toenaderingspoging was goed bedoeld, maar toch een schrale troost. Wat maakte het uit dat ze achteraf gezien kleine dingen had opgemerkt? Het veranderde niets aan het feit dat ze zich op veel grote dingen had verkeken.

Wat nog verontrustender was, was dat niemand er behoefte aan leek te hebben dat de zaken werden rechtgezet. Cassandra had haar vaders zegen gekregen – zoals Lenore had voorspeld, was het een opluchting voor hem om zijn geheim prijs te geven – en was naar haar oorspronkelijke uitgever gegaan, Belle, om haar te vertellen dat de kern van *Dochter van mijn vader* in wezen onjuist was. Cassandra had verwacht dat de bestaande exemplaren van het boek teruggehaald en vernietigd zouden worden, maar Belle had voorgesteld het boek opnieuw uit te brengen, nu met een lange epiloog waarin Cassandra de gelegenheid kreeg de zaken op te helderen en zich te bezinnen op hoe ze was veranderd sinds ze het boek schreef.

'Het blijft een mooi boekje, en het is zo oprecht,' had Belle gezegd. 'Ik denk dat het waardevoller is om het op zichzelf te laten blijven staan en de lezers de context te geven die ze nodig hebben om al die nieuwe informatie te begrijpen. Tenslotte heb jij het verhaal zo ervaren, dus het is niet nep of gelogen. Dit was waar toen jij het opschreef. Nu heeft het een ander soort waarheid.'

En terwijl Cassandra eraan werkte – ze voerde gesprekken met haar vader en moeder, maar dompelde zich ook onder in de geschiedenis van die tijd om de rellen beter te kunnen beschrijven – besefte ze dat het overgrote deel van haar verhaal niet veranderd was. Wat waren die kwetsende woorden die anderen haar naar het hoofd hadden geslingerd? *Mijn verjaardagspartijtje is geruïneerd door de aanslag op Martin Luther King, boehoehoe.* Ontdaan van die onware last, de niet-bestaande connectie met een wereldschokkende gebeurtenis, bleek *Dochter van mijn vader* een echt triest verhaal te zijn, het verhaal van een meisje dat de mythologie van een immens historisch moment nodig had om het laag-bij-de-grondse bedrog van haar vader goed te praten.

De epiloog onthulde niet hoe ze achter de waarheid was gekomen; Cassandra schreef alleen dat iemand haar een kopie van het proces-verbaal had gegeven. En terwijl haar vroegere uitgever – nog een gelukkig weerzien – de media lekker maakte met een paar details die grote verwachtingen wekten, had ze de grootste openbaring listig achtergehouden. Het leek erop dat er veel exemplaren van het nieuwe boek besteld zouden geworden, en Belle had zelfs geopperd dat er ook een nieuwe versie van *De eeuwige echtgenote* zou kunnen komen. Cassandra was ver verwijderd van de financiële ondergang die ze had voorzien toen ze haar appartement in Brooklyn verkocht en een deel van de opbrengst gebruikte om de Gordon School een aanzienlijk bedrag te schenken. Ze had gedacht dat ze van de winst op haar onroerend goed in New York een penthouse aan het water in Baltimore zou kunnen kopen, zeker nu de markt zo slap was, maar na de donatie en haar beslissing het voorschot voor wat het boek over Callie had moeten worden terug te geven, had ze nog maar net genoeg geld over voor een appartementje met uitzicht op een ander appartementencomplex.

Ze was niet weer in Baltimore gaan wonen omdat het goedkoper was. Ze wilde dicht bij haar ouders zijn, vooral bij haar moeder, die het huis aan Hillhouse Road uiteindelijk zou moeten opgeven, waarschijnlijk sneller dan ze dacht. Een paar weken eerder had Cassandra onaangekondigd een bezoekje gebracht aan haar moeder, die midden op de dag had zitten huilen. Lenore had bekend dat ze de kracht niet kon opbrengen om de zwanenhals van de wasbak in haar badkamer los te draaien. Cassandra had de moersleutel gepakt en het werkje met veel aanwijzingen voor haar moeder opgeknapt.

'Ben je blij dat je terug bent?' vroeg Tisha.

'Ik mis New York, maar hier woon ik op loopafstand van een paar goede restaurants, een drogist, een sportschool en een Whole Foods, en meer heb ik eigenlijk niet nodig. Bovendien kan ik binnen een halfuur bij mijn ouders zijn. Hoe is het met jouw ouders?'

'Nog in hetzelfde huis, nog gezond genoeg om zelfstandig te wonen.' Tisha klopte het af op de bar, al was die niet van hout. 'We zien wel hoe lang het zo blijft. Ik ben blij dat Reg genoeg geld heeft om ze te helpen als het zover is. Ik schaam me er niet voor. Ik moet twee studies betalen.'

'Weet je, ik heb overwogen in Bolton Hill te gaan wonen. Het deed me denken aan mijn buurt in Brooklyn, maar…'

'Maar je was bang dat je Reg en Donna zou tegenkomen.'

'Misschien. Ik weet het niet. Vreemd, hoe weinig opschudding het heeft veroorzaakt, vind je ook niet?'

Tisha haalde haar schouders op. 'Het is lang geleden, Cassandra. Wat had je dan verwacht?'

'Ik weet het niet. Iets.'

Wat Callie Jenkins betrof, bleek Donna degene te zijn die echt de toekomst kon voorspellen. Callie had, op Cassandra's aandringen en met haar financiële steun, een advocaat in de arm genomen. Die had een afspraak gemaakt met de officier van justitie, en Callie had hem hetzelfde verteld als Cassandra. De officier had Callie bedankt voor haar 'bekentenis' en gezegd dat hij had vastgesteld dat het contraproductief was haar te vervolgen wegens de dood van haar kind. Ze had tenslotte al zeven jaar in de gevangenis gezeten. Wiegendood was niet ondenkbaar en aangezien er geen autopsie kon worden gedaan, zou een jury alleen maar kunnen beslissen of Callie geloofwaardig was of niet. Stadsjury's stonden bekend om hun clementie; er hoefde maar één burger dwars te liggen en het hele proces liep vast.

Kortom: het OM geloofde er geen woord van, maar wilde geen middelen verspillen aan een proces.

En hoe zat het met Andre Howard, het geld dat hij had doorgesluisd via de campagne van zijn broer? Die informatie zou worden doorgegeven aan de federale overheid, kreeg Cassandra te horen, maar Julius Howard zou het zwaarst lijden onder het onderzoek. Cassandra had Callie erop gewezen dat ze naar de pers kon gaan, die blij zou zijn met de informatie over de Howards. Ze zou ook haar eigen boek kunnen schrijven. Cassandra bood aan haar in contact te brengen met een literair agent en zo nodig haar ghostwriter te zijn, onbezoldigd.

Callie moest er niets van hebben. 'Ik ben niet zo'n verteller,' had ze gezegd, en dat was dat. Ook nu ze geen inkomsten meer had, wilde ze haar macht over de Howards niet aanwenden. Ze maakte zich alleen zorgen om haar moeder, maar het verpleeghuis van Myra Tippet was niet particulier, en aangezien Myra over geen enkel vermogen beschikte, kwam ze in aanmerking voor vergoeding van de kosten door de overheid. Toen de zorg voor haar moeder eenmaal was geregeld, was Callie tevreden. Ze wilde een baan zoeken, zei ze tegen Cassandra. Ze had niet veel nodig. De auto en het huis waren afbetaald. De mensen op de school waar ze vrijwilligerswerk deed, dachten dat ze wel iets voor haar konden vinden.

'Maar als je een boek verkocht,' had Cassandra gezegd, 'had je misschien helemaal geen geldzorgen meer. Je zou naar de culinaire vakschool kunnen gaan, het lesgeld is net zo hoog als dat van een particuliere universiteit, en echt iets met je bakkunst doen. Je zou...'

Callie had haar afgekapt. 'Ik ben niet zo'n verteller,' had ze nog eens gezegd. Destijds was het overgekomen als een verwijt, maar Cassandra was tot het inzicht gekomen dat Callie Jenkins nooit iemand de wet zou voorschrijven. *Jij doet het op jouw manier, ik op de mijne*, had ze tegen Cassandra gezegd. Geen van beiden was goed of fout. Dat de Howards moesten leven met de mogelijkheid dat Callie zich zou kunnen bedenken, bood enige troost, maar veel was het niet. Bovendien wist Andre Howard beter dan wie ook hoe bedreven Callie was in zwijgen. Misschien had hij haar al die jaren geleden wel daarom gekozen. Misschien had hij echt van haar gehouden. Het kon allebei waar zijn.

Nu *Dochter van mijn vader* klaar was, vroeg Cassandra zich af of ze nog wel iets te vertellen had. Misschien ging ze weer proberen een roman te schrijven. Waarom ook niet? Ze had de hele tijd fictie geschreven.

'Werk je momenteel ergens aan?' vroeg Tisha. Kon ze Cassandra's gedachten lezen? Nee, waarschijnlijk vroeg ze het uit beleefdheid.

'Ik neem een jaar vrij. Ik ga college geven in het kader van de schrijfseminars van Hopkins, mijn hoofd helder maken en vrienden zoeken. Ik ken eigenlijk niemand in Baltimore, behalve mijn ouders. Het zou leuk zijn als we elkaar af en toe konden zien, het contact bewaren.'

'Dat zou... ingewikkeld zijn,' zei Tisha. 'Donna zou het niet prettig vinden, en Reg is tegen alles waar Donna tegen is.'

'Moeten ze het weten?'

'Ze zouden er uiteindelijk achter komen. In dat opzicht is Baltimore klein.'

Cassandra glimlachte. 'Zo klinkt het bijna alsof we een verhouding beginnen, maar ik ben discreet. Ik heb ervaring in die dingen.'

Tisha drukte haar handen tegen haar oren. 'Daar wil ik echt niet aan denken, oké?' Maar ze glimlachte ook.

Cassandra keek naar haar oude boek en de met een roze Post-it gemerkte bladzij. Tisha had het boek nieuw gekocht, al die jaren geleden. Tisha was haar niet vergeten, wat ze ook zei. 'Ik had jou eigenlijk moeten vragen waar ik fout zat in mijn memoires, vanuit jouw perspectief. En het is waar, ik heb de aanpassingen opgestuurd en kan geen grote veranderingen meer aanbrengen, maar ik krijg nog wel de kans kleine wijzigingen door te voeren, dus als er iets is wat je echt dwarszit...'

'Het feest kan me niet schelen,' zei Tisha. 'Zo belangrijk is het niet.'

'Maar de vechtpartij dan?'

'Vechtpartij?'

'Die dag in de derde, toen dat meisje, Martha, me op het sportveld te lijf ging. Donna, Fatima en jij keken alleen maar toe. Ik bedoel, jullie stonden ver weg, maar jullie deden echt... niets. Ik had de indruk dat die herinnering je het meest kwetste.'

Tisha ving de blik van de barkeeper, gaf aan dat ze nog een glas wijn wilde en bestelde er ook een voor Cassandra.

'Nou?' drong Cassandra aan.

'Goed, omdat je het vraagt. Om te beginnen: heeft Donna volgens jou ooit met iémand gevochten?'

'Niet met haar vuisten,' gaf Cassandra toe, 'maar ik vocht ook nooit, ten dele omdat Fatima en jij me op de lagere school beschermden. Jullie wisten toch dat ik het was, daar op het veld?'

'Ja, ik wist dat jij het was. Ook al had je je gymkleren aan. En het was drie tegen één, wat best laf was, maar weet je wat we nog meer konden zien, van die afstand?'

Cassandra schudde haar hoofd.

'Vier witte meiden. Als we ernaartoe waren gerend, hadden de docenten die ingrepen gedacht dat het zwart tegen wit was en dat wij waren begonnen. Cassandra, al hadden die drie ordinaire trutten een non in elkaar geslagen, dan was ik er nog niet naartoe gegaan. Zo was het toen gewoon.'

'Maar we waren vriendinnen.'

'Dat wáren we,' beaamde Tisha. 'Toen we jonger waren. Toen we naar verschillende middelbare scholen gingen, groeiden we uit elkaar, zo simpel was dat. En toen je na de derde niet terugkwam naar Western... Tja, ik wist niet wat er was gebeurd, tot ik je boek las.'

'Echt?' Het was niet in Cassandra opgekomen dat haar kant van het verhaal iets raadselachtigs kon hebben, maar zij had dan ook het voordeel van haar eigen perspectief. Vijfendertig jaar lang waren Tisha en zij door niet meer dan een meter of vijftig gescheiden geweest. Ze hadden op hetzelfde sportveld gestaan, op dezelfde dag, en ze hadden hetzelfde gezien, maar toch niet. Goed, ze waren uit elkaar gegroeid, maar konden ze niet weer naar elkaar toe groeien?

'Weet je zeker,' zei ze, 'dat we elkaar niet zo nu en dan kunnen zien? Of in elk geval bellen? Ik vind het fijn om met je te praten. Tisha, jij kent me zoals nieuwe mensen in mijn leven me nooit zullen kennen. En jij bent eerlijk op een manier zoals bijna niemand dat is.'

Het was druk en hectisch rondom hen in het restaurant, maar er drong geen geluid tot Cassandra door. Ze keek naar Tisha, die met op elkaar geperste lippen en gefronste wenkbrauwen nadacht.

'O, wat dondert het ook,' zei Tisha ten slotte, en ze hief haar glas voor een toost. 'We kunnen best zo nu en dan iets afspreken. Reg en Donna willen in de voorsteden nog niet dood worden gevonden.'

36

Callie reed over de brug, op klaarlichte dag, op zaterdagmiddag, ruim na de weekendspits. Nu ze vrij was om te gaan en staan waar ze wilde, niet langer gebonden aan impliciete of expliciete restricties, had ze ontdekt dat ze geen sterke behoefte had terug te gaan naar Baltimore.

Maar al was ze niet zo'n verteller, ze had toch een paar dingen te zeggen, één ding te zeggen. Ze kon het net zo goed nu doen, dan had ze het maar gehad. Gezien de benzineprijs was ze niet van plan het hele eind voor niets te rijden. Ze had nu een baan op de school, als een soort manusje van alles voor weinig meer dan het minimumloon en zonder extraatjes. Ze zat krap, al waren het huis en de auto afbetaald, maar de mensen op school waren van het soort dat zou helpen als ze echt in de moeilijkheden kwam door ziekte of een ramp. Ze waren uiteindelijk toch het soort christenen gebleken dat wél vergevingsgezind was. Het zou haar op de een of andere manier lukken.

Het huis aan Clifton Road zag er anders uit en ze vroeg zich af of ze zich vergiste. Toen drong het tot haar door dat ze het nooit in het felle daglicht had gezien, dat ze altijd in de schemering of in het donker stiekem was gaan kijken. Zelfs het eindexamenfeest was laat in de middag begonnen, toen het licht al begon af te nemen. In dit felle nazomerlicht zag het huis er minder degelijk uit. Ze besefte dat het net zo oud was als zij, min of meer.

Ze zette haar auto recht voor het huis – 'Zo brutaal als het maar kan,' had haar moeder kunnen zeggen – liep over de stoep en belde aan alsof ze het volste recht had. Er deed een vrouw open, mevrouw Howard. Ze wierp één blik op Callie en riep: 'Andre, voor jou.'

'Wat wil je?' vroeg hij aan Callie.

Jou, had ze bijna gezegd.

Ze keek in zijn gezicht, dichter bij hem dan ze in twintig jaar was geweest, en zag de man die ze zich herinnerde, niet de oude man die hij was geworden. Het was bijna alsof hij zich aan zijn beloftes had gehouden en ze toch een leven samen hadden gehad, en samen oud waren geworden, zodat het haar niet opviel hoe hij was veranderd. Ze zag geen oude man. Ze zag de man die ze liefhad.

Hij zag vermoedelijk een vrouw van middelbare leeftijd waar ooit een mooie jonge vrouw had gestaan.

'Ik wilde tegen je zeggen dat ik me heb aangemeld voor dat register, dus als onze zoon zich ook aanmeldt...'

'We hebben geen zoon,' zei hij. 'Wat voor leugens je ook op het geboortebewijs hebt gezet.'

'Dus als onze zoon zich ook aanmeldt,' herhaalde ze gedecideerd maar beleefd, 'krijg ik hem te zien en zal ik hem vertellen waarom hij is afgestaan voor adoptie. Als hij een verklaring wil, heeft hij daar recht op.'

'Die arme jongen had recht op een leven. Had je maar hetzelfde gedaan voor je andere zoon.'

Het stak, maar ze gunde hem niet de voldoening te weten dat hij haar nog steeds kon kwetsen. Ergens had ze medelijden met hem. Zij was geweest wat hij het liefste wilde en hij had het zichzelf ontzegd omdat de prijs, naar zijn schatting, te hoog was. Hij had gelukkig met haar kunnen zijn, of hij het nu toegaf of niet. En wat zij ook mocht zijn, ongelukkig was ze niet. Niet echt gelukkig, maar ook niet ongelukkig. Zij werd tenminste nog getroost door de wetenschap dat ze zich volledig had gegeven voor een zaak, haar liefde voor hem. Als die zaak minder dan de moeite waard was gebleken, moest dat maar zo zijn, het deed geen afbreuk aan haar inzet.

'Ik vergeef je,' zei ze. 'Ik kan je niet beloven dat hij dat ook zal doen, maar ik zal proberen hem te helpen. Mocht ik hem ooit ontmoeten.'

'Wat zou hij me moeten vergeven?'

Ze gaf een klopje op zijn wang, meer als een dochter dan als een geliefde. 'Het geeft niet dat je niet sterk was. Ik was het wel. Ik was sterk in jouw plaats.'

Hoeveel woorden ze ook had gerepeteerd, wat ze zich ook had voorgenomen te zeggen, dit had er geen deel van uitgemaakt. Toch besefte ze dat ze gelijk had. Zij was sterk, hij niet. Het was zwak van hem geweest achter haar aan te zitten en nog zwakker dat hij had geprobeerd de bewijzen dat zij in zijn leven was geweest te wissen. Ze had gehoord dat mannen vaak nederig werden als ze zagen wat een vrouw tijdens een bevalling doormaakte. Wat had Andre gevoeld toen zij in de gevangenis zat, terwijl hij wist dat het allemaal uit liefde voor hem was, dat ze alles had kunnen dragen voor de belofte van zijn liefde?

'Blijf bij ons uit de buurt,' zei hij. 'Desnoods vraag ik een contactverbod aan. En haal het niet in je hoofd die leugens te verspreiden. Er zijn wetten tegen laster, tegen smaad...'

'Wees maar niet bang,' verzekerde ze hem. 'Ik ben er klaar mee.' Het was waar. Om vergeven te worden, moest je zelf vergeven. Als ze haar zoon, hun zoon, ooit ontmoette, hoopte ze dat hij net zo ruimhartig zou zijn ten opzichte van haar. Callie had niet alleen Andre vergeven, maar ook haar moeder. Haar moeder bedoelde het goed. Ze was niet verantwoordelijk voor die rusteloze, ontwortelde woede, voor haar angst. Cassandra had Callie tegengesproken, had gezegd dat ze niet mocht goedpraten wat zij, Cassandra, mishandeling noemde. Dat deed ze ook niet. Iemand accepteren zoals ze was, was iets heel anders dan iets goedpraten.

Ze reed naar het oosten, met de nog steeds hoge zon in haar rug, en betaalde de tol voor de brug die ze misschien nooit meer zou oversteken. Tenzij haar zoon, die nu bijna dertig was, haar echt vond. 'Laten we contact houden,' had Cassandra gezegd en ze leek het te menen, maar wanneer hadden ze ooit contact gehad, wat was er te 'houden'? Ze was blij dat Cassandra haar had gevonden – haar had bevrijd, eigenlijk – maar Cassandra praatte gewoon te veel voor Callie. Zelfs haar moeder, die erop los kletste in het verpleeghuis, stuurde niet zoveel woorden de wereld in.

Cassandra zou waarschijnlijk weer gaan zeuren over een boek. Callie had er geen zin in.

Trouwens, hoe kon ze haar verhaal vertellen als ze niet eens wist of ze erop kon vertrouwen? Op slechte dagen tobde ze erover: had ze Donntay door elkaar geschud? Of hem iets te eten gegeven wat hij niet mocht hebben? Hem verkeerd in zijn bedje gelegd, zodat hij was gestikt? Ze dacht niet dat het waar was, maar op slechte dagen werd ze beslopen door die ideeën, die haar achtervolgden en haar gek maakten. Als er een nieuw proces was gekomen, als ze haar in het beklaagdenbankje hadden gezet, had ze moeten toegeven dat ze zich niet meer herinnerde wat er was gebeurd, dat ze alleen maar geloofde wat ze geloofde, wat ze moest geloven: ze was op een ochtend wakker geworden en toen was haar zoontje dood. Als ze dat eenmaal had verteld, zou ze het vervolg ook moeten vertellen, dat ze alleen maar had kunnen denken: nu kan ik Andre bellen. Dat was het enige wat ze niet kon vergeten, de herinnering waar ze nooit vraagtekens bij zette. Ze had naar het lichaam van haar zoontje gekeken, zo stil en stijf, en haar hart had gejuicht van opwinding, want nu had ze een excuus om Andre te bellen. Hij nam haar telefoontjes altijd aan als ze het moeilijk had, en ze had zich de gewoonte aangewend moeilijkheden te kweken. Verkeerde mannen, verkeerde keuzes. Het was niet natuurlijk, en het zou niet goed vallen bij anderen, maar het was waar. Het was het enige van die ochtend wat ze absoluut zeker wist. In de fractie van een seconde nadat het tot haar was doorgedrongen dat haar zoontje dood was, had ze gedacht: nu kan ik Andre bellen. Destijds kon elke gedachte naar hem leiden, op elk moment. Er zong een vogel: Andre. De toast brandt aan: Andre. Ik heb een sneetje in mijn vinger: Andre. De baby huilt: Andre, Andre, Andre.

Ze nam de lange weg, om de stad heen over de rondweg om boter te kopen bij de Food Lion. Het perzikenseizoen was nog niet voorbij en ze had een recept voor een vruchtentaart dat ze wilde uitproberen, maar meneer Bittman was streng in zijn overtuiging dat een taartbodem met boter moest worden gemaakt, niet met reuzel of bakvet. Ze had bewondering voor die vaste overtuigingen, de zekerheid die andere mensen over dingen in hun leven hadden. Alleen zou zij nooit zo iemand worden. Ze keerde en reed naar Bridgeville, naar de hoofdstraat. ALS U HIER WOONDE, beloofde het bord, WAS U NU THUIS.

Dat was ze.

Noot van de auteur

Zoals vaak het geval is in mijn boeken, wordt de ruggegraat van deze roman gevormd door een waar gebeurde misdaad in Baltimore. Jackie Bouknight had een zoon, Maurice, die verdween terwijl zij werd begeleid (niet al te goed) door Jeugdzorg in Baltimore. Toen ze het verzoek kreeg hem te laten zien, weigerde ze, en ze zat meer dan zeven jaar in de gevangenis wegens minachting van de rechtbank. Tot op heden is nog niet duidelijk wat er met Maurice Bouknight is gebeurd. Meer weet ik niet van de oorspronkelijke zaak, maar een kennis had een vluchtige ontmoeting in de rechtbank met Jackie Bouknight die me over haar aan het denken zette. Dit is een zuiver fictief verhaal, over verzonnen mensen die toevallig op bestaande plekken wonen.

De collectie dagbladen op microfiche van de Enoch Pratt Bibliotheek heeft me geholpen mijn geheugen op te frissen met betrekking tot de decennia waarin ik ben opgegroeid. Het verbijsterende online archief van de universiteit van Baltimore over de rellen van 1968 was onmisbaar. En de vaste klanten van het Memory Project bleken goede speurneuzen te zijn, die ooggetuigen hebben opgespoord die konden staven hoe de landelijke tv-zenders over de aanslag op Martin Luther King Jr. berichtten.

Ik heb gespeeld met de architectuur van Baltimore, het voorrecht van de schrijver. Er stonden in de jaren zestig en zeventig geen vijf huizen aan Hillhouse Road; het huis van de familie Fallows is een bedenksel, al heb ik het het altijd lege zwembad gegeven van een huis daar dat ik me herinner. Ik heb vergelijkbare trucjes uitgehaald met het huis van Teena Murphy, dat van de Howards en met Bridgeville in Delaware. Er is echter wel degelijk een fantastisch grand café langs Route 108 in Columbia, de

Iron Bridge, en ik heb uit betrouwbare bron vernomen dat het inderdaad geliefd is bij docenten. En bij mij.

Dank aan alle mensen die me elk jaar te hulp snellen voor deze krankzinnigheid: Carrie Feron, Vicky Bijur, Joan Jacobson en David Simon. Dit jaar hebben ook Lizzie Skurnick en Lisa Respers hun steentje bijgedragen.

Dit boek is opgedragen aan de nagedachtenis van een man die ooit in een opwelling een manuscript verbrandde. Ik heb altijd gedacht dat het een apocrief verhaal was, maar een paar jaar geleden heeft hij het bevestigd. En ik moet bekennen dat ik die opwelling nu beter begrijp dan toen. Toch vind ik het jammer dat hij het heeft verbrand. Desgevraagd zei hij: 'Wie wil er weer zo'n kloterig broos moment lezen over een blank arbeiderskind dat Joyce ontdekt? Of, nog beter, Raymond Chandler?' Als jij het had geschreven, Jim, had ik het graag willen lezen.

Laura Lippman
November 2008